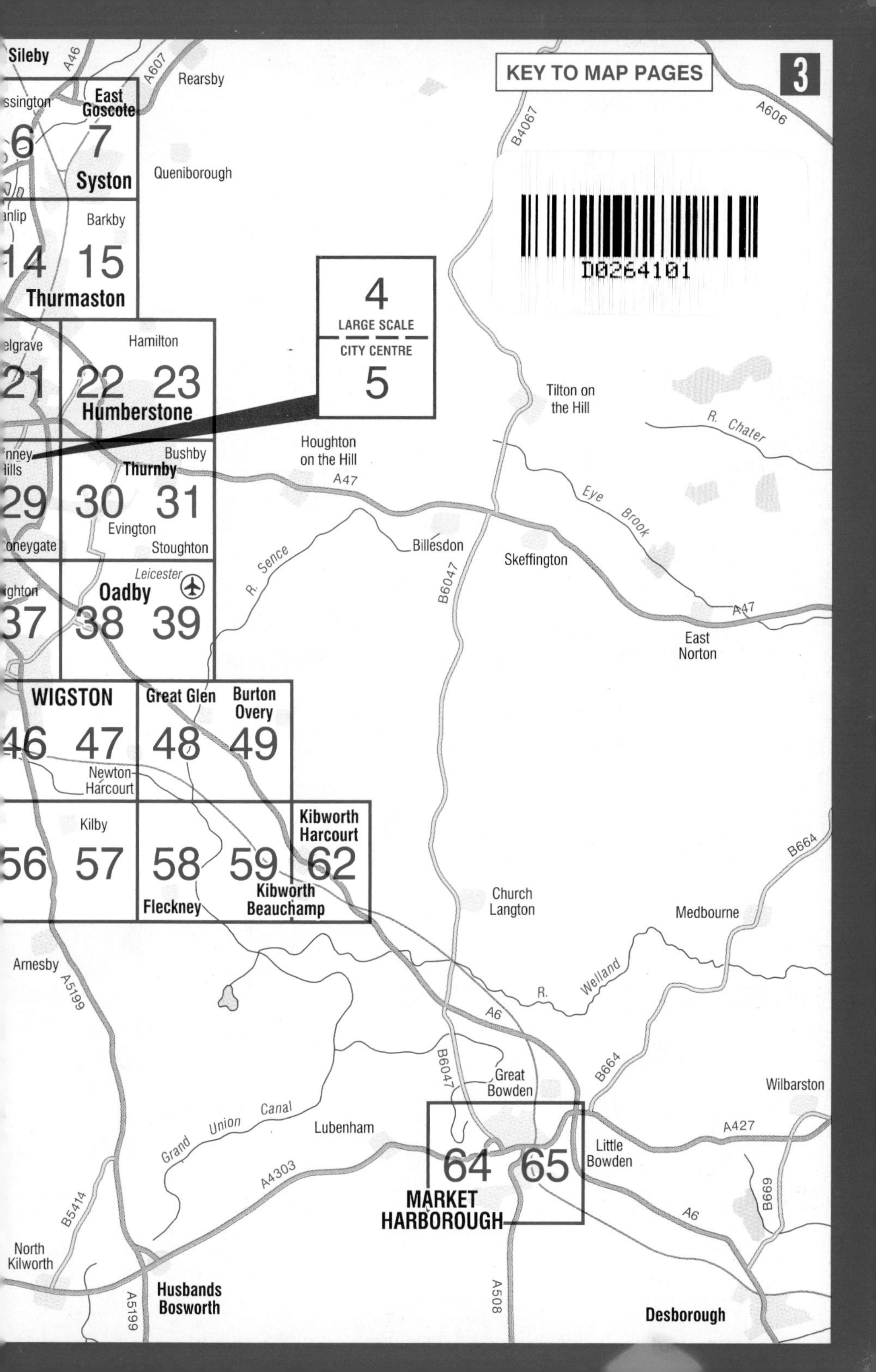

Sileby

A46

A607

ssington

East Goscote

7

6

Rearsby

Queniborough

Syston

A606

B4067

A606

anlip

Barkby

14

15

Thurmaston

Hamilton

4

LARGE SCALE

CITY CENTRE

5

Tilton on the Hill

R. Chater

elgrave

21

22

23

Humberstone

Bushby

Houghton on the Hill

A47

Eye Brook

nney Iills

29

Thurnby

30

31

Evington

Stoughton

Billesdon

B6047

Skeffington

oneygate

R. Sence

A47

ghton

37

Leicester ✈

Oadby

38

39

East Norton

WIGSTON

Great Glen

Burton Overy

46

47

48

49

Newton-Harcourt

B664

Kilby

Kibworth Harcourt

56

57

58

59

62

Fleckney

Kibworth Beauchamp

Church Langton

Medbourne

Arnesby

A5199

R. Welland

Grand Union Canal

Lubenham

A6

Great Bowden

B6047

B664

Wilbarston

A427

A4303

64

65

Little Bowden

B5414

MARKET HARBOROUGH

A6

B669

North Kilworth

A5199

Husbands Bosworth

A508

Desborough

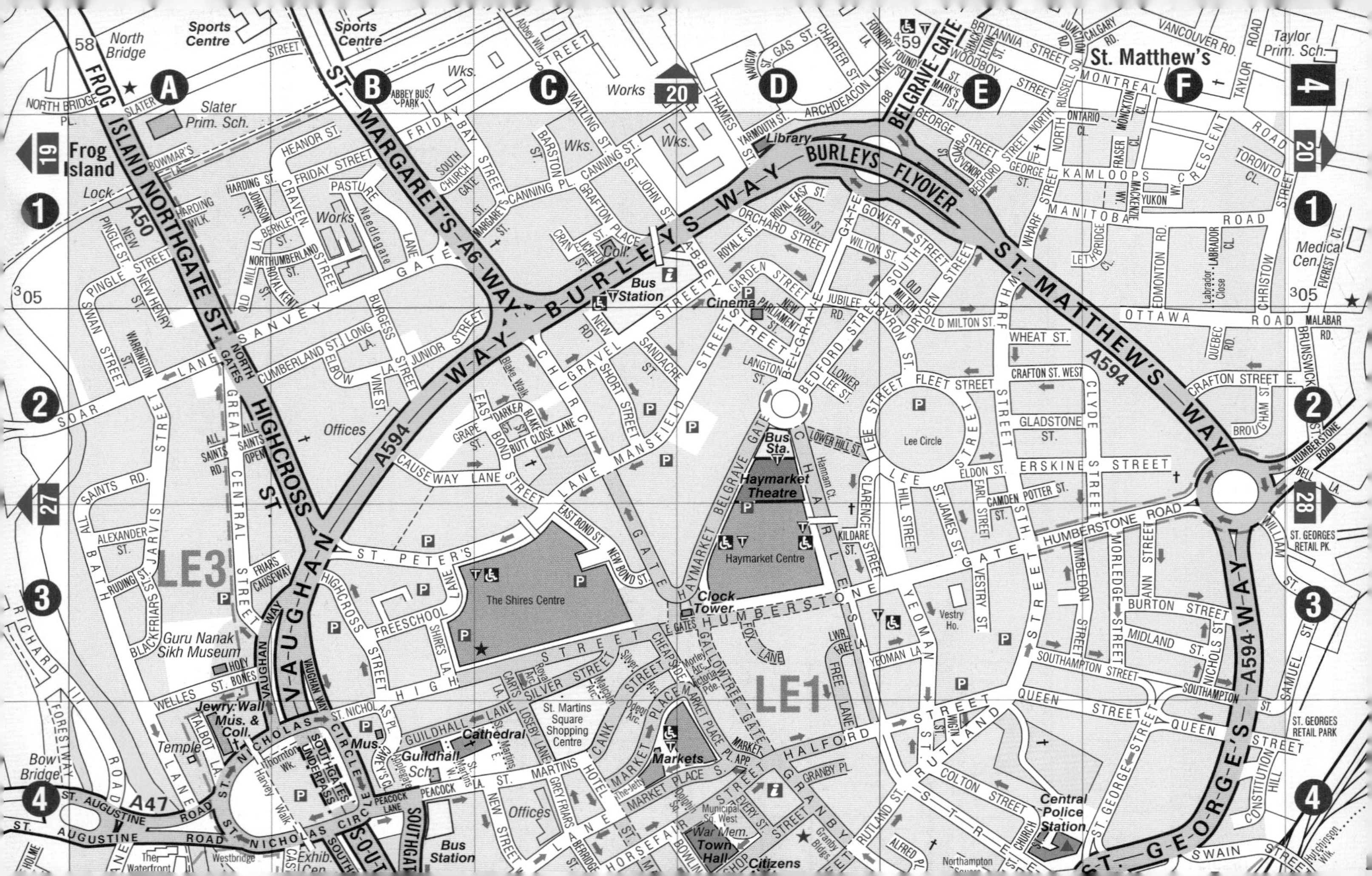

St. Matthew's
Taylor Prim. Sch.
Medical Cen.
EVEREST CT.
MALABAR RD.
BRUNSWICK ST.
HUMBERSTONE ROAD
BELL LA.
ST. GEORGES RETAIL PK.
ST. GEORGES RETAIL PARK
SAMUEL ST.
WILLIAM ST.
CONSTITUTION HILL
SWAIN STREET
CHRISTOW STREET
TORONTO CL.
TAYLOR ROAD
VANCOUVER RD.
CRESCENT
OTTAWA ROAD
QUEBEC RD.
LABRADOR CL.
Labrador Close
EDMONTON RD.
YUKON WY.
MACKENZIE WY.
MANITOBA ROAD
KAMLOOPS
MONTREAL
MONCKTON CL.
FRASER CL.
ONTARIO CL.
CALGARY RD.
JUNCTION RD.
RUSSELL SQ.
NORTH
LETHBRIDGE CL.
ST. MATTHEW'S WAY
A594
ST. GEORGE'S WAY
CRAFTON STREET E.
BROUGHAM ST.
NICHOLS ST.
BURTON STREET
MIDLAND ST.
SOUTHAMPTON STREET
QUEEN STREET
ST. GEORGE STREET
ANN STREET
MORLEDGE STREET
WIMBLEDON STREET
CLYDE STREET
ERSKINE STREET
GLADSTONE ST.
POTTER ST.
CAMDEN ST.
WHEAT ST.
CRAFTON ST. WEST
WHARF STREET
WHARF STREET STH.
NORTH STREET
GEORGE ST.
BRITANNIA STREET
SHACKLETON ST.
WOODBOY ST.
ST. MARK'S ST.
GROSVENOR
BEDFORD
GEORGE STREET
BELGRAVE GATE
BURLEYS FLYOVER
BURLEYS WAY
FLEET STREET
OLD MILTON ST.
DRYDEN
EARL STREET
ELDON ST.
Lee Circle
LEE STREET
ST. JAMES ST.
VESTRY ST.
Vestry Ho.
HILL STREET
YEOMAN LA.
YEOMAN
BYRON ST.
SOUTH
OLD MILTON
GOWER STREET
WILTON ST.
JUBILEE RD.
CLARENCE STREET
KILDARE ST.
LOWER HILL ST.
LOWER LEE ST.
Hannam Ct.
CHARLES STREET
FREE LANE
HUMBERSTONE GATE
LE1
FOX LANE
HALFORD
GRANBY PL.
GRANBY ST.
Granby Bldgs.
Central Police Station
CHURCH GATE
COLTON STREET
RUTLAND ST.
ALFRED PL.
Northampton
WIGT'N ST.
Bus Sta.
Haymarket Theatre
Haymarket Centre
Clock Tower
HAYMARKET
GALLOWTREE GATE
MARKET PLACE
CHEAPSIDE
Markets
Citizens
Town Hall
War Mem.
Municipal Sq. West
EVERY ST.
BOWLING
HORSEFAIR ST.
Library
ORCHARD STREET
WOOD ST.
ROYAL EAST ST.
GARDEN STREET
NEW PARLIAMENT ST.
Cinema
LANGTON ST.
THAMES ST.
YARMOUTH ST.
CHARTER ST.
GAS ST.
NAVIGTN ST.
ARCHDEACON LANE
FOUNDRY SQ.
Wks.
Works
ABBEY ST.
ST. JOHN ST.
CANNING ST.
GRAFTON PLACE
Bus Station
SANDACRE ST.
MANSFIELD ST.
NEW RD.
GRAVEL ST.
SHORT STREET
WATLING ST.
BARSTON ST.
CANNING PL.
CRANE ST.
LICHFIELD ST.
Abbey Wlk.
NEW BOND ST.
EAST BOND ST.
The Shires Centre
SILVER ST.
Malcolm Arc.
Odeon Arc.
Silver Arc.
CANK
MARKET STREET
HOTEL ST.
St. Martins Square Shopping Centre
LOSEBY LANE
GREY FRIARS
ST. MARTINS
Offices
NEW STREET
BERRIDGE ST.
BUTT CLOSE LANE
BLAKE ST.
DARKER ST.
Blake Walk
EAST BOND STREET
CAUSEWAY LANE
GRAPE ST.
ST. MARGARET'S A6 WAY
BAY STREET
FRIDAY ST.
SOUTH CHURCH GATE
ST. MARGARET'S
ABBEY BUS PARK
Sports Centre
PASTURE LANE
Needlegate
BURGESS STREET
VINE ST.
LONG LA.
JUNIOR ST.
ELBOW LA.
CUMBERLAND ST.
FREESCHOOL LANE
SHIRES LA.
HIGH STREET
ST. PETER'S LANE
HIGHCROSS STREET
ST. NICHOLAS PL.
VAUGHAN WAY
ST. NICHOLAS CIRCLE
GUILDHALL LANE
Cathedral
Guildhall
Sch.
St. Martins W.
PEACOCK LA.
Applegate
CAREY'S CL.
Mus.
SOUTHGATES UNDERPASS
SOUTHGATES
Harvey Walk
Thornton Wlk.
Jewry Wall Mus. & Coll.
HOLY BONES
ST. NICHOLAS
TALBOT LA.
Temple
Westbridge
Exhib. Cen.
CARTS LA.
Royal Arc.
HEANOR ST.
CRAVEN ST.
BERKLEY ST.
NORTHUMBERLAND ST.
ROYAL KENT ST.
JOHNSON ST.
HARDING ST.
OLD MILL LA.
SANVEY GATE
NORTH GATES
ALL SAINTS OPEN
HIGHCROSS ST.
FRIARS CAUSEWAY
GREAT CENTRAL STREET
LE3
Guru Nanak Sikh Museum
WELLES ST.
BLACKFRIARS ST.
JARVIS ST.
RUDING ST.
ALEXANDER ST.
ALL SAINTS RD.
BATH LANE
SOAR LANE
WARRINGTON ST.
NEW HENRY ST.
PINGLE STREET
NEW PINGLE ST.
SWAN STREET
FROG ISLAND NORTHGATE ST.
A50
Frog Island
Lock
Slater Prim. Sch.
HARDING WLK.
BOWMAR'S LA.
SLATER ST.
North Bridge
NORTH BRIDGE PL.
A47
ST. AUGUSTINE ROAD
Bow Bridge
RICHARD III ROAD
FORESTWAY
The Waterfront
HOLME
20
28
19
27
305
58
459
188

A-Z LEICESTER

CONTENTS

Key to Map Pages	2-3
Large Scale City Centre	4-5
Map Pages	6-65
Index to Streets and selected Places of Interest	66-96

REFERENCE

Motorway	M1
A Road	A46
Proposed	
B Road	B582
Dual Carriageway	
One-way Street Traffic flow on A roads is indicated by a heavy line on the driver's left	
All one way streets are shown on Large Scale Pages 4-5	
Restricted Access	
Pedestrianized Road	
Residential Walkway	
Track & Footpath	
Local Authority Boundary	
Postcode Boundary	
Railway	Station, Heritage Station, Level Crossing, Tunnel
Built-up Area	ALMA ST.

Map Continuation	28 / Large Scale City Centre 5
Car Park (selected)	P
Church or Chapel	†
Fire Station	■
House Numbers A & B Roads Only	13 8
Hospital	H
Information Centre	i
National Grid Reference	450
Police Station	▲
Post Office	★
Toilet	
with facilities for the Disabled	
Educational Establishment	
Hospital or Hospice	
Industrial Building	
Leisure or Recreational Facility	
Place of Interest	
Public Building	
Shopping Centre or Market	
Other Selected Buildings	

SCALE

Map Pages 6-65
1:15840 (4 inches to 1 mile) 6.31cm to 1km
0 ¼ ½ Mile
0 250 500 750 Metres

Map Pages 4-5
1:7920 (8 inches to 1 mile) 12.63cm to 1km
0 ⅛ ¼ Mile
0 100 200 300 400 Metres

Geographers' A-Z Map Company Ltd.

Head Office:
Fairfield Road, Borough Green, Sevenoaks, Kent TN15 8PP
Telephone 01732 781000 (General Enquiries & Trade Sales)
Showrooms:
44 Gray's Inn Road, London WC1X 8HX
Telephone 020 7440 9500 (Retail Sales)
www.a-zmaps.co.uk

Edition 5 2000

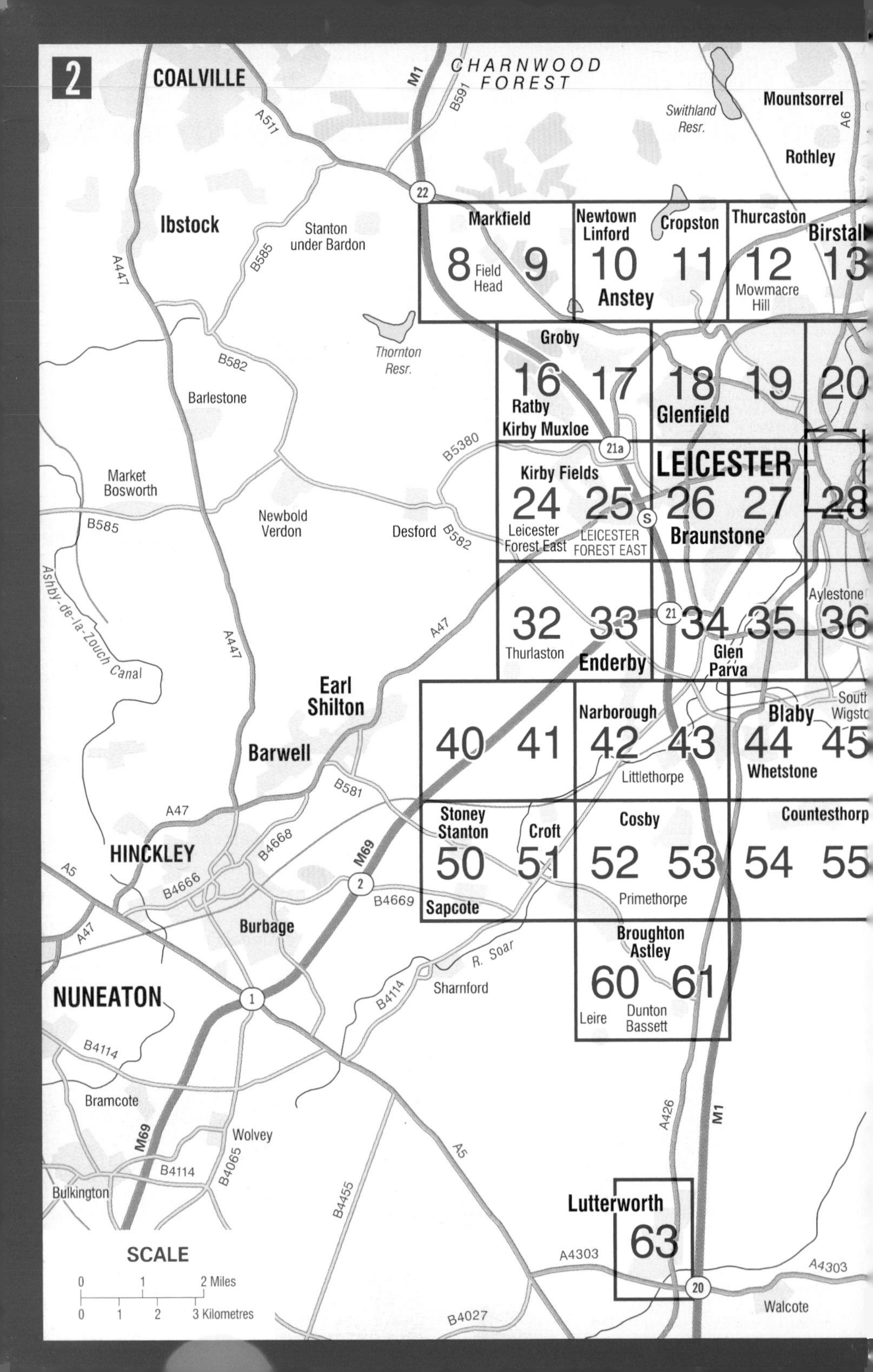
2
COALVILLE
CHARNWOOD
FOREST
M1
B591
A511
Swithland
Resr.
Mountsorrel
A6
Rothley
22
Ibstock
Stanton
under Bardon
B585
A447
Markfield
8
Field
Head
9
Newtown
Linford
10
Anstey
Cropston
11
Thurcaston
12
Mowmacre
Hill
Birstall
13
Thornton
Resr.
B582
Groby
16
Ratby
Kirby Muxloe
17
18
Glenfield
19
20
Barlestone
B5380
21a
Market
Bosworth
Newbold
Verdon
Desford
B582
Kirby Fields
24
Leicester
Forest East
25
LEICESTER
FOREST EAST
LEICESTER
26
Braunstone
27
28
B585
Ashby-de-la-Zouch Canal
A447
A47
32
Thurlaston
33
Enderby
21
34
Glen
Parva
35
Aylestone
36
Earl
Shilton
Barwell
40
41
Narborough
42
43
Littlethorpe
Blaby
44
Whetstone
South
Wigston
45
B581
A47
HINCKLEY
B4668
Stoney
Stanton
50
Sapcote
Croft
51
Cosby
52
53
Primethorpe
Countesthorpe
54
55
A5
B4666
M69
2
B4669
A47
Burbage
R. Soar
Broughton
Astley
60
Leire
61
Dunton
Bassett
NUNEATON
1
B4114
Sharnford
B4114
Bramcote
A426
M1
M69
Wolvey
B4065
A5
B4114
Bulkington
B4455
Lutterworth
63
SCALE
0
1
2 Miles
0
1
2
3 Kilometres
A4303
A4303
20
Walcote
B4027

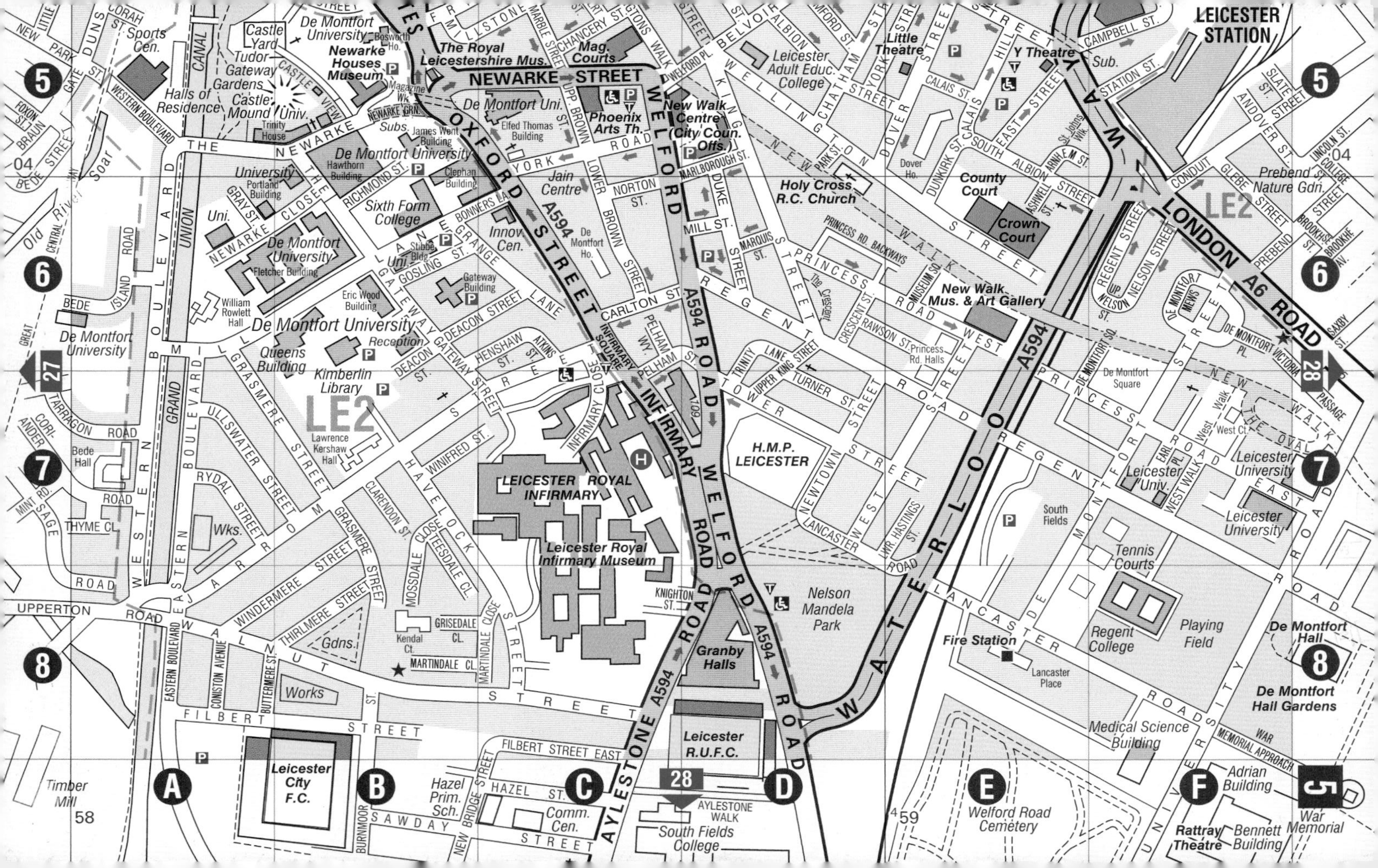

LEICESTER STATION
LONDON A6 ROAD
WATERLOO WAY
WELFORD ROAD
A594
OXFORD STREET
NEWARKE STREET
INFIRMARY ROAD
AYLESTONE ROAD
REGENT ROAD
PRINCESS ROAD WEST
NEW WALK
LE2
New Walk Mus. & Art Gallery
Holy Cross R.C. Church
County Court
Crown Court
Y Theatre
Little Theatre
Leicester Adult Educ. College
New Walk Centre (City Coun. Offs.)
Phoenix Arts Th.
Mag. Courts
The Royal Leicestershire Mus.
Newarke Houses Museum
De Montfort University
De Montfort Uni.
Jain Centre
Sixth Form College
Queens Building
Kimberlin Library
H.M.P. LEICESTER
LEICESTER ROYAL INFIRMARY
Leicester Royal Infirmary Museum
Granby Halls
Leicester R.U.F.C.
Leicester City F.C.
Nelson Mandela Park
Fire Station
Regent College
Playing Field
Tennis Courts
Medical Science Building
De Montfort Hall
De Montfort Hall Gardens
Leicester University
Welford Road Cemetery
South Fields College
Adrian Building
Bennett Building
Rattray Theatre
War Memorial
Castle Mound
Tudor Gateway
Castle Gardens
Halls of Residence
Sports Cen.
Timber Mill
58
59
27
28
5
6
7
8
A
B
C
D
E
F

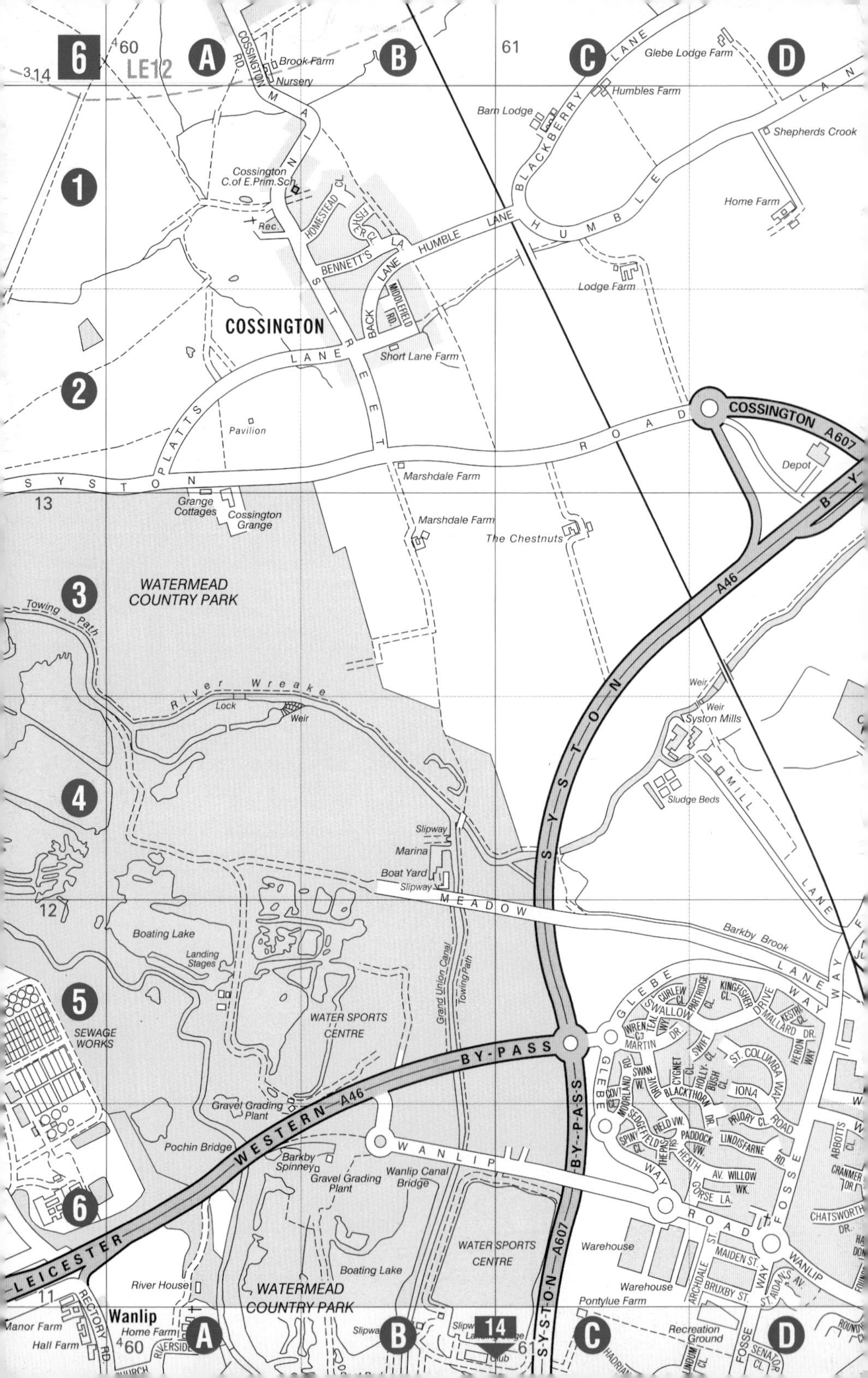

6
LE12
A
B
C
D
60
61
COSSINGTON RD.
MAIN STREET
Brook Farm
Nursery
Glebe Lodge Farm
Humbles Farm
Barn Lodge
BLACKBERRY LANE
HUMBLE LANE
Shepherds Crook
Cossington C.of E.Prim.Sch
HOMESTEAD CL.
FISHER CL.
Rec.
BENNETT'S LA.
BACK LANE
MIDDLEFIELD RD.
Home Farm
Lodge Farm
COSSINGTON
LANE
Short Lane Farm
PLATTS
Pavilion
SYSTON ROAD
COSSINGTON A607
Depot
Marshdale Farm
Grange Cottages
Cossington Grange
The Chestnuts
WATERMEAD COUNTRY PARK
Towing Path
River Wreake
Lock
Weir
A46
SYSTON BY-PASS
Syston Mills
Sludge Beds
MILL LANE
Slipway
Marina
Boat Yard
MEADOW
Barkby Brook
Boating Lake
Landing Stages
Grand Union Canal
Towing Path
WATER SPORTS CENTRE
SEWAGE WORKS
GLEBE WAY
CURLEW CL.
PARTRIDGE CL.
KINGFISHER CL.
SWALLOW
TEAL WY.
WREN CT.
MARTIN DR.
DRIVE
MALLARD DR.
KESTREL CL.
HERON WAY
SWIFT CL.
ST. COLUMBA WAY
SWAN W.
CYGNET CL.
HOLLY CL.
BUSH CL.
IONA
MOORLAND RD.
COVT CL.
BLACKTHORN DR.
PRIORY CL.
ROAD
SEDGEFIELD
FIELD VW.
SPINY CL.
PADDOCK VW.
LINDISFARNE RD.
THE PASTURES
HEATH
AV.
WILLOW WK.
GORSE LA.
ABBOTTS CL.
CRANMER DR.
CHATSWORTH DR.
WESTERN A46 BY-PASS
Gravel Grading Plant
Pochin Bridge
Barkby Spinney
Wanlip Canal Bridge
WANLIP ROAD
LEICESTER
FOSSE WAY
Warehouse
MAIDEN ST.
ARCHDALE ST.
BRUXBY ST.
ST. AIDAN'S AV.
WANLIP
River House
WATERMEAD COUNTRY PARK
Pontylue Farm
Recreation Ground
Wanlip
Home Farm
Manor Farm
Hall Farm
RECTORY RD
RIVERSIDE
Landing Stage
Club
14
SENATOR CL.
1
2
3
4
5
6
11
12
13
14

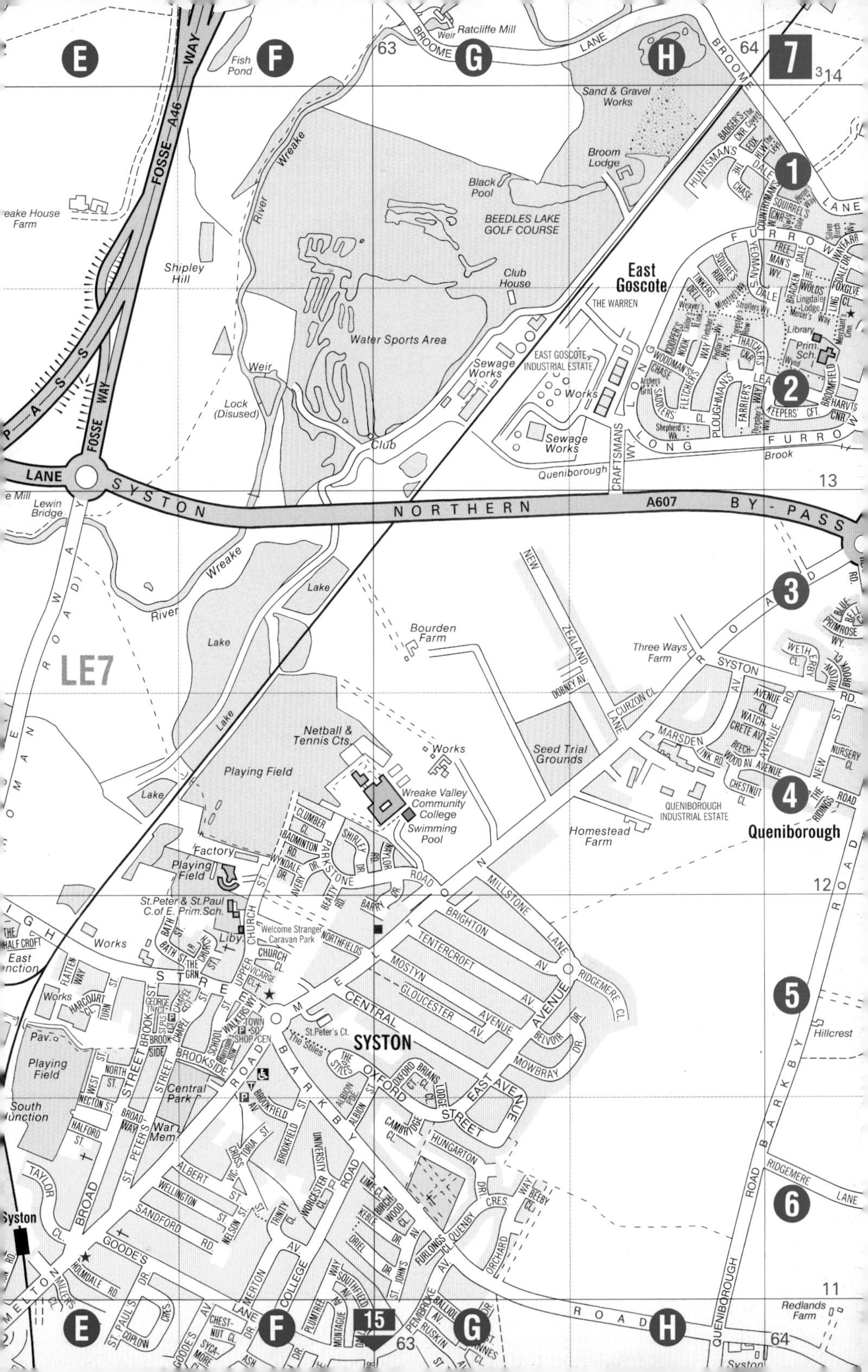
E
F
G
H
63
64
314
Weir
Ratcliffe Mill
Fish Pond
BROOME LANE
FOSSE WAY A46
Sand & Gravel Works
Broom Lodge
Black Pool
BEEDLES LAKE GOLF COURSE
Club House
River Wreake
Wreake House Farm
Shipley Hill
Water Sports Area
Weir
Lock (Disused)
Club
Sewage Works
EAST GOSCOTE INDUSTRIAL ESTATE
Works
THE WARREN
East Goscote
HUNTSMAN'S DALE
FURROW
LONG FURROW
Library
Prim. Sch.
Lingdale Lodge
Queniborough Brook
CRAFTSMANS WY.
13
LANE
SYSTON NORTHERN A607 BY-PASS
Lewin Bridge
ROMAN ROAD
River Wreake
Lake
LE7
Bourden Farm
NEW ZEALAND LANE
Three Ways Farm
SYSTON ROAD
DOBNEY AV.
CURZON CL.
Seed Trial Grounds
Netball & Tennis Cts.
Works
Playing Field
Wreake Valley Community College
Swimming Pool
Factory
Playing Field
St.Peter & St.Paul C.of E. Prim.Sch.
Welcome Stranger Caravan Park
Liby.
MARSDEN LANE
QUENIBOROUGH INDUSTRIAL ESTATE
Homestead Farm
Queniborough
12
MILLSTONE LANE
BRIGHTON AV.
TENTERCROFT AV.
MOSTYN AV.
GLOUCESTER AVENUE
CENTRAL AV.
RIDGEMERE CL.
AVENUE
MOWBRAY DR.
BELVOIR DR.
EAST AVENUE
SYSTON
OXFORD STREET
BARKBY ROAD
HUNGARTON DRI.
Hillcrest
RIDGEMERE LANE
QUENIBOROUGH ROAD
Works
Pav.
Playing Field
Central Park
War Mem.
South Junction
East Junction
Syston
MELTON ROAD
BROAD ST.
GOODE'S LANE
11
Redlands Farm
ROAD
15
63
64
1
2
3
4
5
6

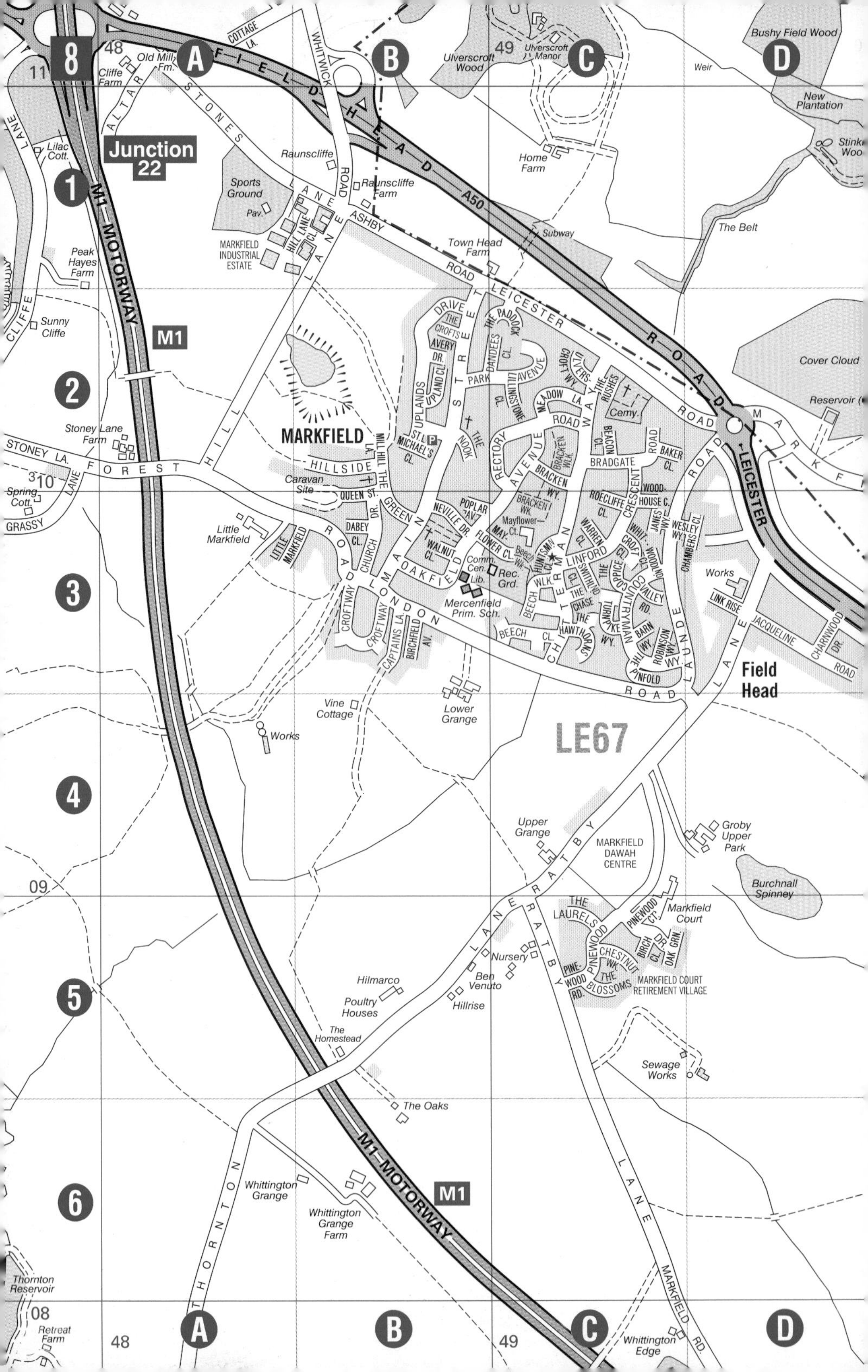
8
A
B
C
D
1
2
3
4
5
6
11
10
09
08
48
49
Junction 22
M1 MOTORWAY
M1
A50
FIELD HEAD ROAD
LEICESTER ROAD
MARKFIELD
LE67
Field Head
Cottage La.
Old Mill Fm.
Cliffe Farm
Altar Stones Lane
Whitwick Road
Raunscliffe
Raunscliffe Farm
Ulverscroft Wood
Ulverscroft Manor
Home Farm
Bushy Field Wood
Weir
New Plantation
Stinking Wood
The Belt
Subway
Cover Cloud
Reservoir
Lilac Cott.
Sports Ground
Pav.
Hill Lane Cl.
Markfield Industrial Estate
Ashby Road
Hill Lane
Town Head Farm
Peak Hayes Farm
Cliffe Lane
Sunny Cliffe
Stoney Lane Farm
Stoney La.
Forest Road
Spring Cott.
Grassy Lane
Caravan Site
Little Markfield
Hillside
Queen St.
Mill Hill The Green
Dabey Cl.
Church Dr.
Main Street
Drive
The Crofts
Avery Dr.
Uplands
Upland Cl.
St. Michael's Cl.
Park Drive
The Nook
The Paddock
Dandees Cl.
Tilling Stone Cl.
Avenue
Ulverscroft Wy.
The Rushes
Cemy.
Meadow La.
Rectory Avenue
Road
Bracken Wlk.
Bracken Wy.
Bracken Wk.
Beacon Cl.
Bradgate
Baker Cl.
Crescent
Woodhouse Cl.
Roecliffe Cl.
Warren Cl.
James Wy.
Wesley Wy.
Chambers Cl.
Neville Dr.
Poplar Av.
Mayflower Ct.
May-Flower Cl.
Beech Wk.
Huntsman Cl.
Walnut Cl.
Oakfield
Comm. Cen.
Lib.
Rec. Grd.
Mercenfield Prim. Sch.
Linford
Smithfield
The Chase
Coppice Cl.
Whitcroft Cl.
Woodland Cl.
Countryman
Valley Rd.
Turnpike Wy.
The Hawthorns
Barn Wy.
Robinson Wy.
The Pinfold
Launde Wy.
Beech Wlk.
Beech Cl.
Chitterman Wy.
London Road
Croftway
Captains La.
Birchfield Av.
Works
Link Rise
Jacqueline Road
Charnwood Dr.
Vine Cottage
Lower Grange
Upper Grange
Ratby Lane
Markfield Dawah Centre
Groby Upper Park
Burchnall Spinney
The Laurels
Pinewood Ct.
Markfield Court
Pinewood
Chestnut Wk.
Birch Cl.
Oak Grn.
Pine-wood Rd.
The Blossoms
Markfield Court Retirement Village
Nursery
Ben Venuto
Hillrise
Hilmarco
Poultry Houses
The Homestead
Sewage Works
The Oaks
Thornton Lane
Whittington Grange
Whittington Grange Farm
Markfield Lane
Markfield Rd.
Thornton Reservoir
Retreat Farm
Whittington Edge

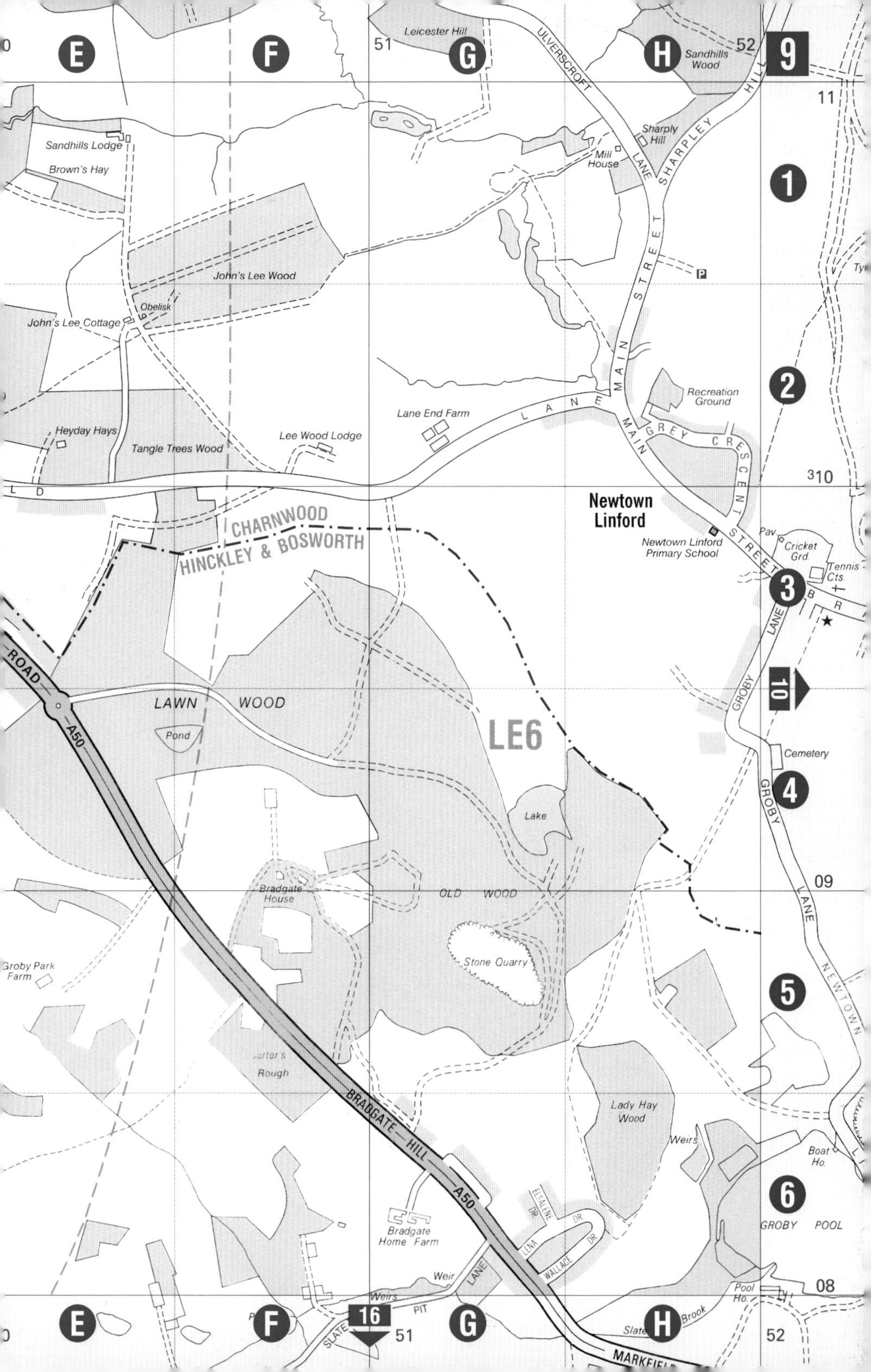

E
F
G
H
9
51
52
Leicester Hill
ULVERSCROFT
Sandhills Wood
HILL
11
Sandhills Lodge
Brown's Hay
Sharply Hill
Mill House
LANE
SHARPLEY
1
John's Lee Wood
Obelisk
John's Lee Cottage
STREET
MAIN
2
Recreation Ground
Lane End Farm
LANE
Heyday Hays
Tangle Trees Wood
Lee Wood Lodge
GREY CRESCENT
310
Newtown Linford
CHARNWOOD
HINCKLEY & BOSWORTH
Newtown Linford Primary School
STREET
Pav.
Cricket Grd.
Tennis Cts.
3
ROAD
LANE
GROBY
10
LAWN WOOD
Pond
A50
LE6
Cemetery
4
GROBY
Lake
LANE
09
Bradgate House
OLD WOOD
Stone Quarry
Groby Park Farm
NEWTOWN
5
Carter's Rough
BRADGATE HILL
Lady Hay Wood
Weirs
Boat Ho.
6
A50
ELSALENE DR
DR
LENA
DR
WALLACE
Bradgate Home Farm
GROBY POOL
Weir
LANE
Pool Ho.
08
Weirs
PIT
16
SLATE
51
Slate
Brook
52
MARKFIELD

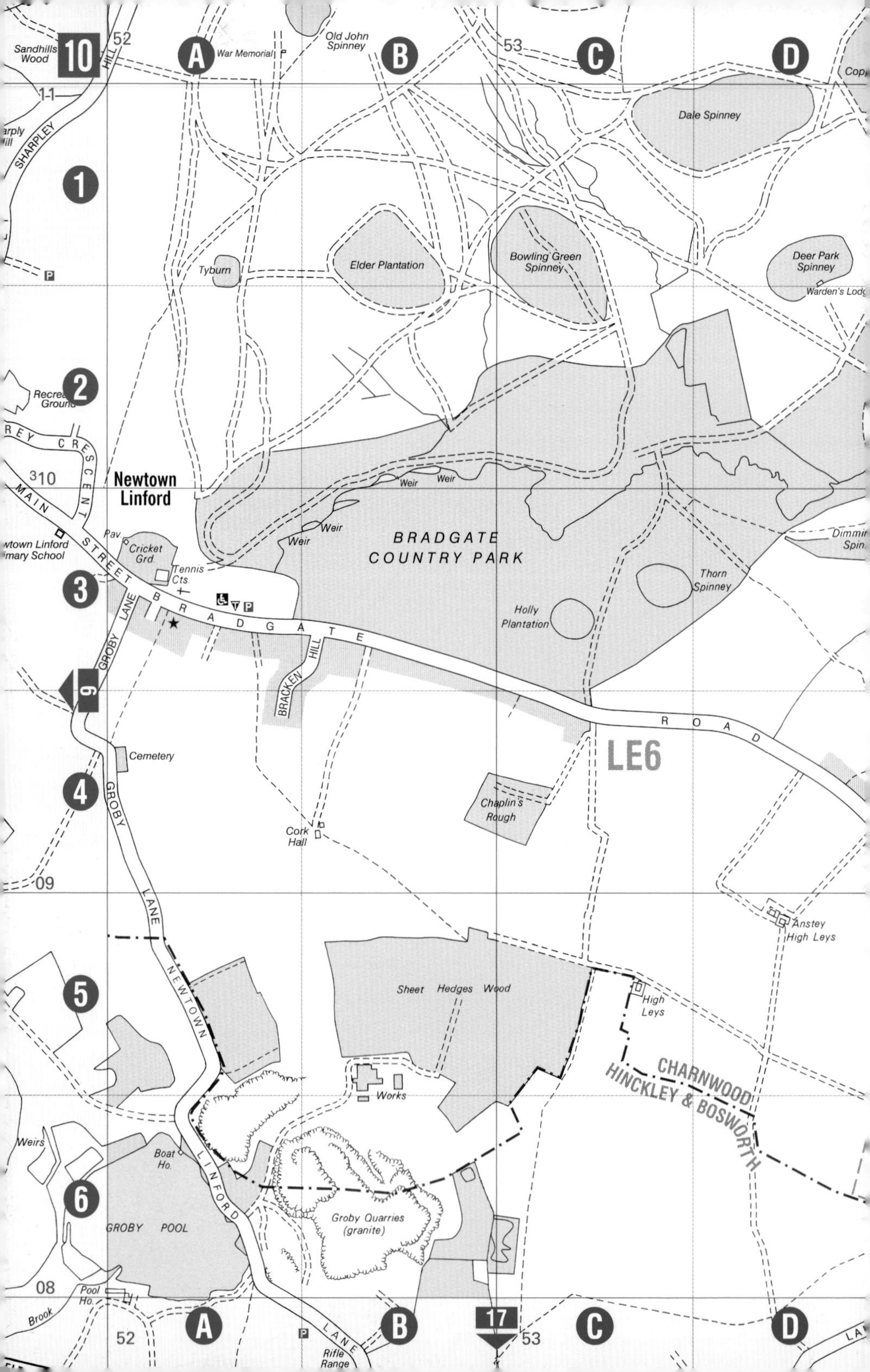

Sandhills Wood
HILL
52
A
War Memorial
Old John Spinney
B
53
C
D
Cop
SHARPLEY
Dale Spinney
1
Tyburn
Elder Plantation
Bowling Green Spinney
Deer Park Spinney
Warden's Lodge
2
Recrea Ground
CRESCENT
310
Newtown Linford
MAIN STREET
Weir
Weir
Weir
Weir
Pav.
Cricket Grd.
Tennis Cts.
BRADGATE COUNTRY PARK
Dimmi Spin
Thorn Spinney
3
GROBY LANE
BRADGATE ROAD
BRACKEN HILL
Holly Plantation
9
LE6
Cemetery
4
GROBY
Chaplin's Rough
Cork Hall
09
Anstey High Leys
5
NEWTOWN
Sheet Hedges Wood
High Leys
CHARNWOOD
HINCKLEY & BOSWORTH
Works
Weirs
Boat Ho.
LINFORD
6
Groby Quarries (granite)
GROBY POOL
08
Pool Ho.
Brook
A
52
LANE
B
17
C
53
D
Rifle Range

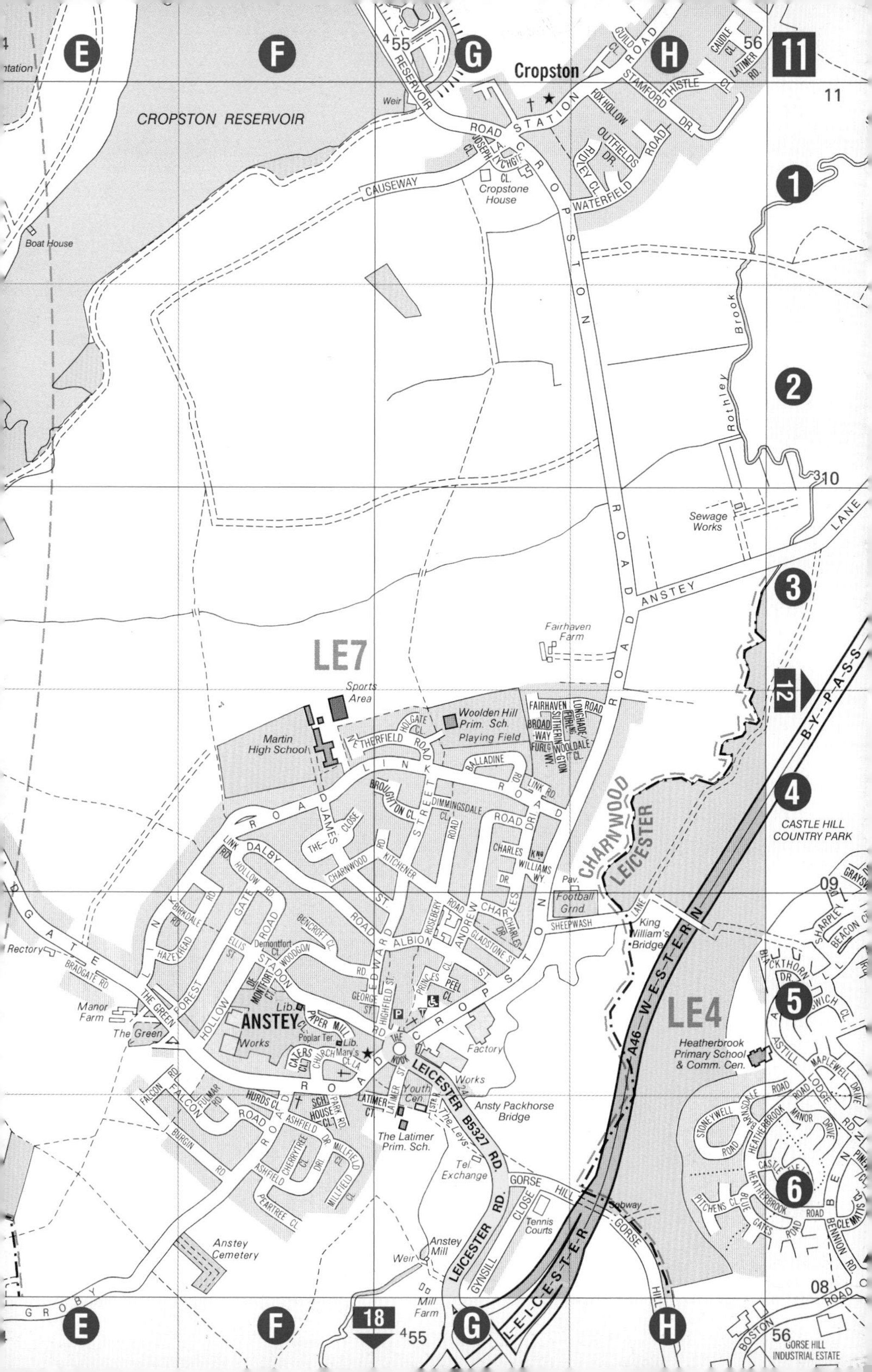

CROPSTON RESERVOIR

Cropston

LE7

LE4

CHARNWOOD

ANSTEY

Martin High School

Woolden Hill Prim. Sch. Playing Field

CASTLE HILL COUNTRY PARK

Heatherbrook Primary School & Comm. Cen.

The Latimer Prim. Sch.

Anstey Cemetery

GORSE HILL INDUSTRIAL ESTATE

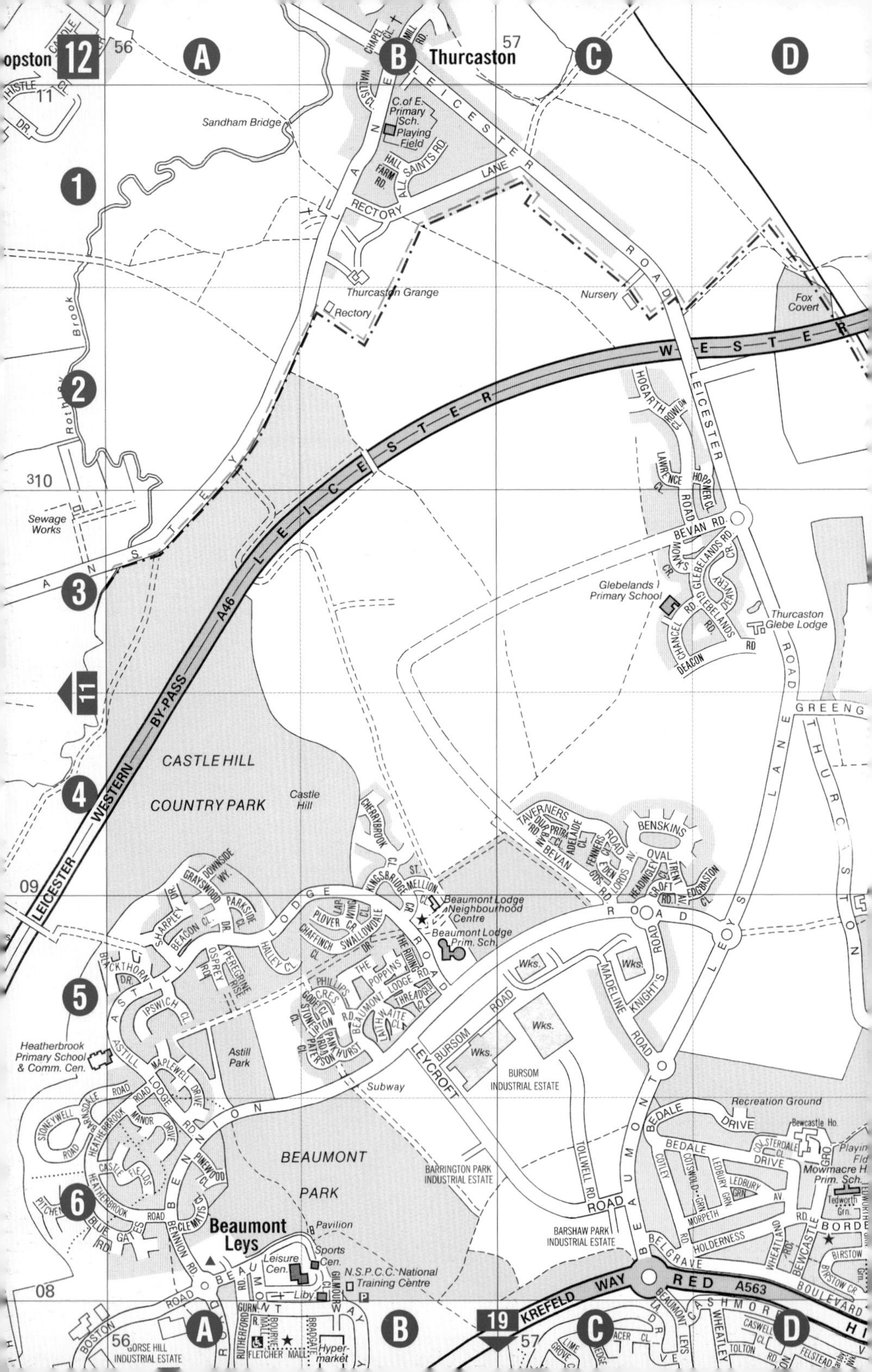
Thurcaston
Sandham Bridge
C.of E. Primary Sch.
Playing Field
Hall Farm Rd.
All Saints Rd.
Rectory Lane
Leicester Road
Wallis Cl.
Chapel Cl.
Mill Rd.
Thurcaston Grange
Rectory
Nursery
Fox Covert
Rothley Brook
Sewage Works
Anstey Lane
Leicester Western By-Pass
A46
Leicester Western
Hogarth Cl.
Rowlon
Lawrence Cl.
Hoppner Cl.
Bevan Rd.
Monks Cr.
Glebelands Rd.
Glebelands Primary School
Chancel Rd.
Deacon Rd
Denbury Cr.
Thurcaston Glebe Lodge
Greengate
Thurcaston
Castle Hill Country Park
Castle Hill
Cherrybrook
Kingsbridge Cr.
St. Mellion Cl.
Beaumont Lodge Neighbourhood Centre
Beaumont Lodge Prim. Sch.
Taverners Rd.
Adelaide Cl.
Fenners Cl.
Eden Cl.
Lords Av.
Benskins Oval
Headingley Cl.
Trent Av.
Edgbaston Cl.
Croft Rd.
Bevan Rd.
Road
Leys Lane
Grayswood Dr.
Downside Wy.
Parkside Cl.
Sharpley Dr.
Beacon Cl.
Osprey Rd
Peregrine Rise
Halley Cl.
Lodge
Plover Cr.
Chaffinch Cl.
Swallowdale Dr.
The Riding
The Poppins
Phillips Cres
Beaumont Lodge Rd.
Threadgold Cl.
Paterson
Pankhurst
Leycroft
Madeline Road
Knight's Road
Wks.
Bursom Road
Bursom Industrial Estate
Barrington Park Industrial Estate
Tollwell Rd
Barshaw Park Industrial Estate
Astill Lodge Road
Blackthorn Dr.
Ipswich Cl.
Heatherbrook Primary School & Comm. Cen.
Astill Park
Maplewell Drive
Subway
Stoneywell Road
Barnsdale Road
Heatherbrook
Manor Drive
Castle Fields
Pinewood Cl.
Clematis Cl.
Bennion Road
Blue Gates Rd.
Beaumont Park
Pavilion
Beaumont Leys
Leisure Cen.
Sports Cen.
N.S.P.C.C. National Training Centre
Liby.
Gilmour Way
Beaumont Way
Beaumont Road
Bedale Drive
Recreation Ground
Bewcastle Ho.
Coltsfoot
Cotswold Grn.
Ledbury Grn.
Morpeth Av.
Holderness Rd.
Wheatland Rd.
Bewcastle Grove
Mowmacre Hill Prim. Sch.
Tedworth Grn.
Birstow Cr.
Belgrave Boulevard
Krefeld Way
Red Hill Way
A563
Ashmore
Wheatley
Caswell Cl.
Tolton Rd
Felstead
Lime Grove
Gorse Hill Industrial Estate
Boston Road
Rutherford
Fletcher Mall
Bradgate
Hypermarket
56
57
310
09
08
A
B
C
D
1
2
3
4
5
6
11
19

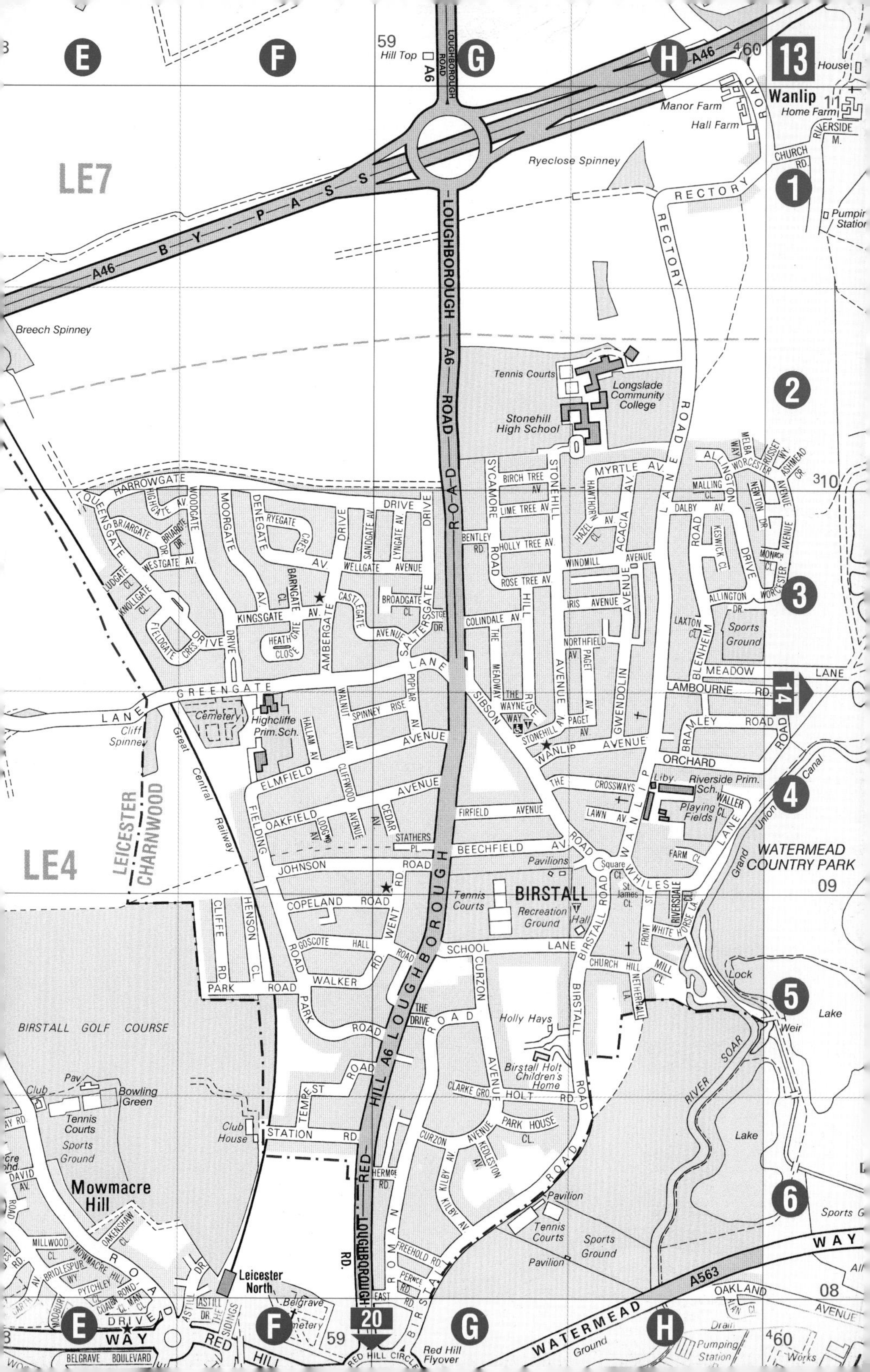

LE7
LE4
A46 BY-PASS
LOUGHBOROUGH ROAD A6
Wanlip
Manor Farm
Hall Farm
Home Farm
Ryeclose Spinney
RECTORY ROAD
CHURCH RD.
Breech Spinney
Longslade Community College
Stonehill High School
Tennis Courts
BIRSTALL
Recreation Ground
Riverside Prim. Sch.
Highcliffe Prim.Sch.
Cemetery
Cliff Spinney
Great Central Railway
LEICESTER CHARNWOOD
WATERMEAD COUNTRY PARK
Grand Union Canal
RIVER SOAR
Lock
Weir
Lake
Holly Hays
Birstall Holt Children's Home
BIRSTALL GOLF COURSE
Mowmacre Hill
Leicester North
Belgrave Cemetery
Red Hill Flyover
RED HILL CIRCLE
WATERMEAD WAY
A563
BELGRAVE BOULEVARD
Pumping Station
Sports Ground
Playing Fields

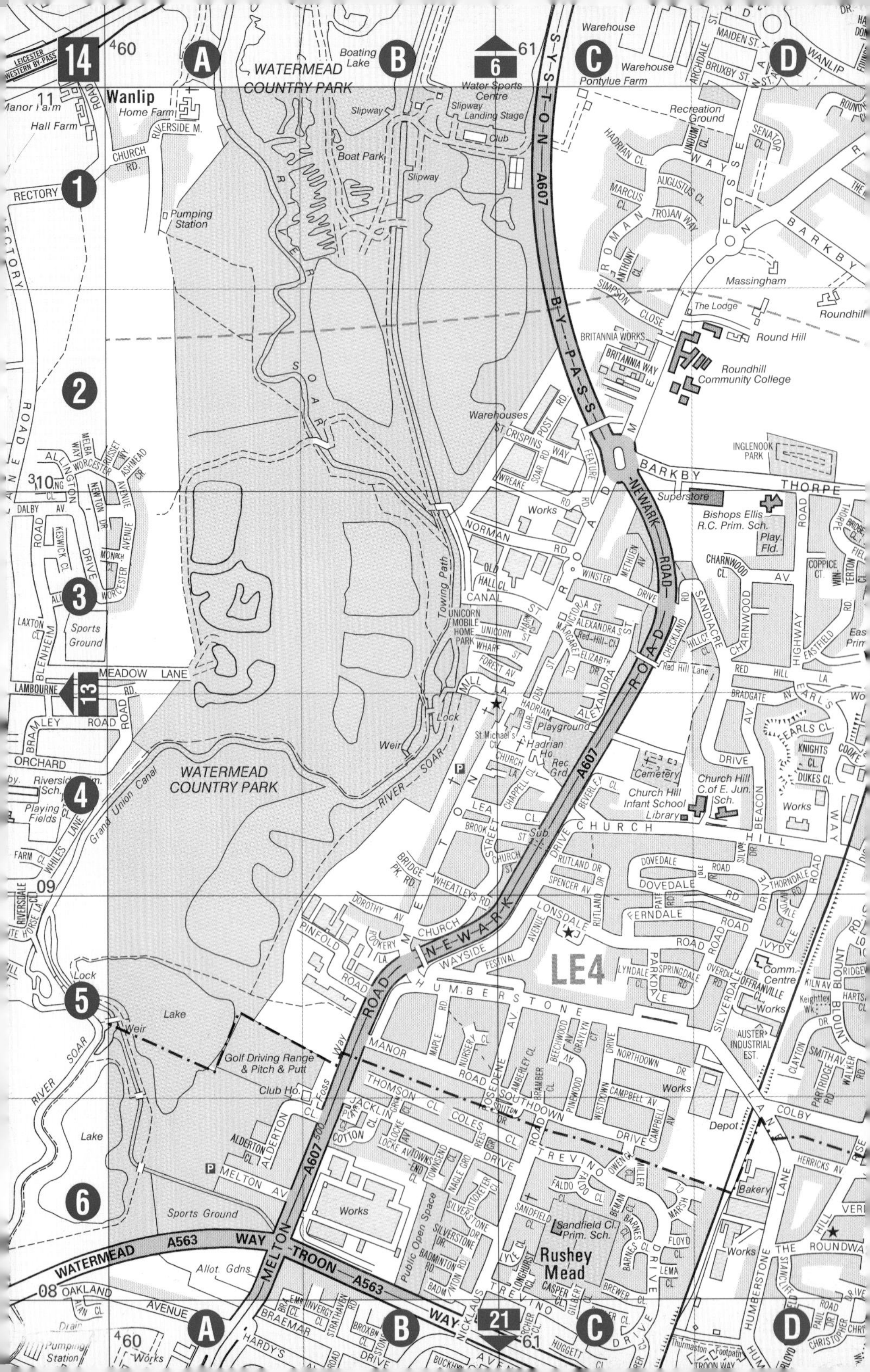

LEICESTER WESTERN BY-PASS
Wanlip
Home Farm
Manor Farm
Hall Farm
WATERMEAD COUNTRY PARK
Boating Lake
Water Sports Centre
Slipway
Landing Stage
Club
Boat Park
Pumping Station
RIVER SOAR
Warehouse
Pontylue Farm
Recreation Ground
SYSTON BY-PASS
A607
BARKBY ROAD
Massingham
The Lodge
Round Hill
Roundhill
Roundhill Community College
BRITANNIA WORKS
BRITANNIA WAY
Warehouses
INGLENOOK PARK
BARKBY THORPE
Superstore
Bishops Ellis R.C. Prim. Sch.
Play. Fld.
NEWARK ROAD
Towing Path
UNICORN MOBILE HOME PARK
Lock
Weir
St Michael's
Hadrian Ho.
Playground
Rec. Grd.
Cemetery
Church Hill Infant School
Church Hill C.of E. Jun. Sch.
Library
Works
Sports Ground
MEADOW LANE
Riverside Prim. Sch.
Playing Fields
Grand Union Canal
WATERMEAD COUNTRY PARK
LE4
Comm. Centre
AUSTER INDUSTRIAL EST.
Lake
Golf Driving Range & Pitch & Putt
Club Ho.
Sports Ground
Allot. Gdns.
Public Open Space
Sandfield Cl. Prim. Sch.
Rushey Mead
Depot
Bakery
WATERMEAD WAY A563
TROON WAY A563
MELTON ROAD
HUMBERSTONE LANE
Pumping Station
Drain

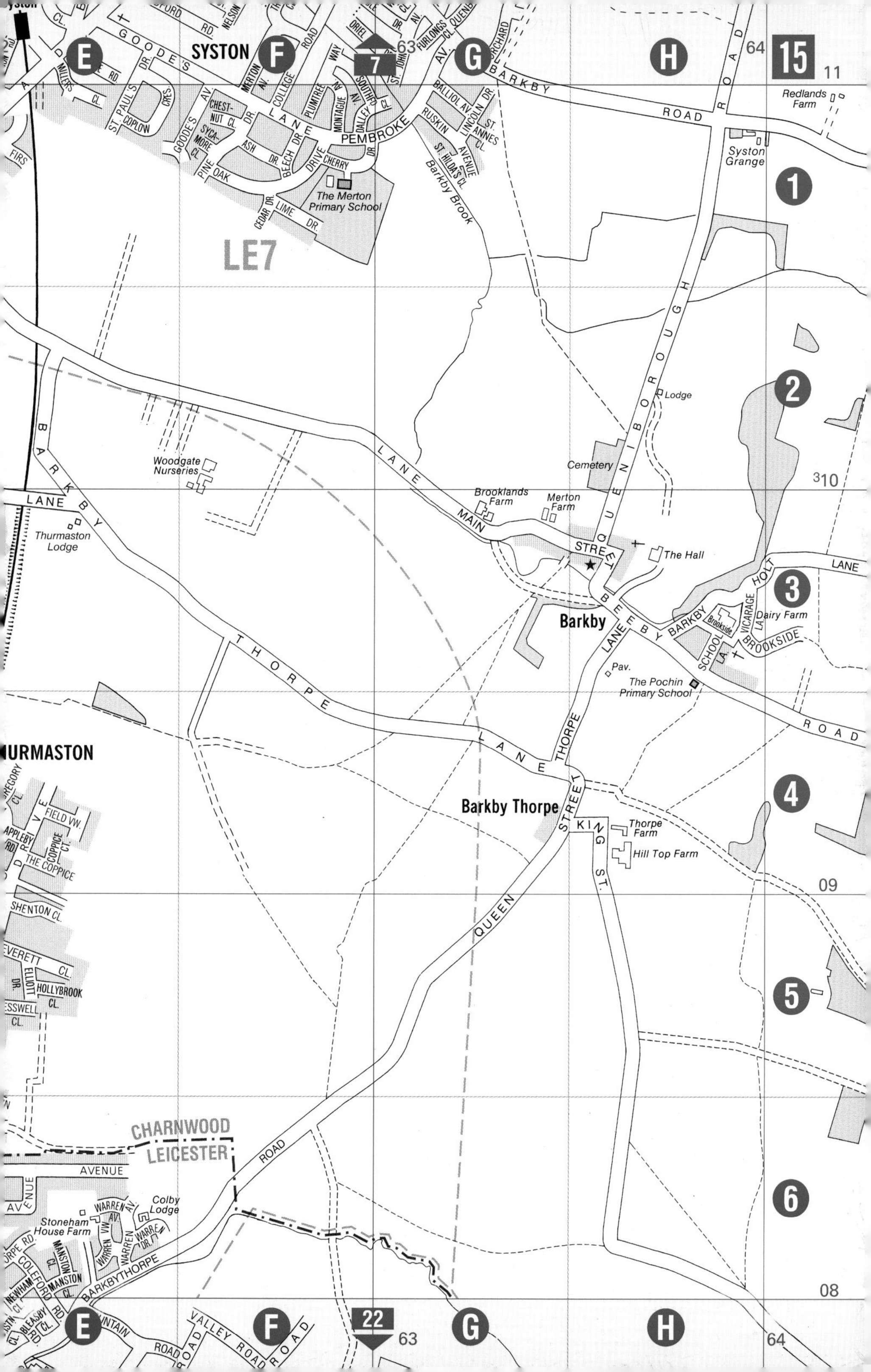
SYSTON
E
F
G
H
7
63
64
11
GOODE'S LANE
PEMBROKE AV.
BARKBY ROAD
Redlands Farm
Syston Grange
The Merton Primary School
Barkby Brook
LE7
1
2
3
4
5
6
QUENIBOROUGH ROAD
Lodge
Cemetery
310
LANE
BARKBY
Woodgate Nurseries
Thurmaston Lodge
Brooklands Farm
Merton Farm
MAIN STREET
The Hall
Barkby
BEEBY ROAD
HOLT LANE
Dairy Farm
BROOKSIDE
VICARAGE LA.
SCHOOL LA.
Pav.
The Pochin Primary School
THORPE LANE
THURMASTON
Barkby Thorpe
Thorpe Farm
Hill Top Farm
KING ST.
QUEEN STREET
09
CHARNWOOD
LEICESTER
AVENUE
Colby Lodge
Stoneham House Farm
WARREN AV.
BARKBYTHORPE ROAD
08
22
VALLEY ROAD

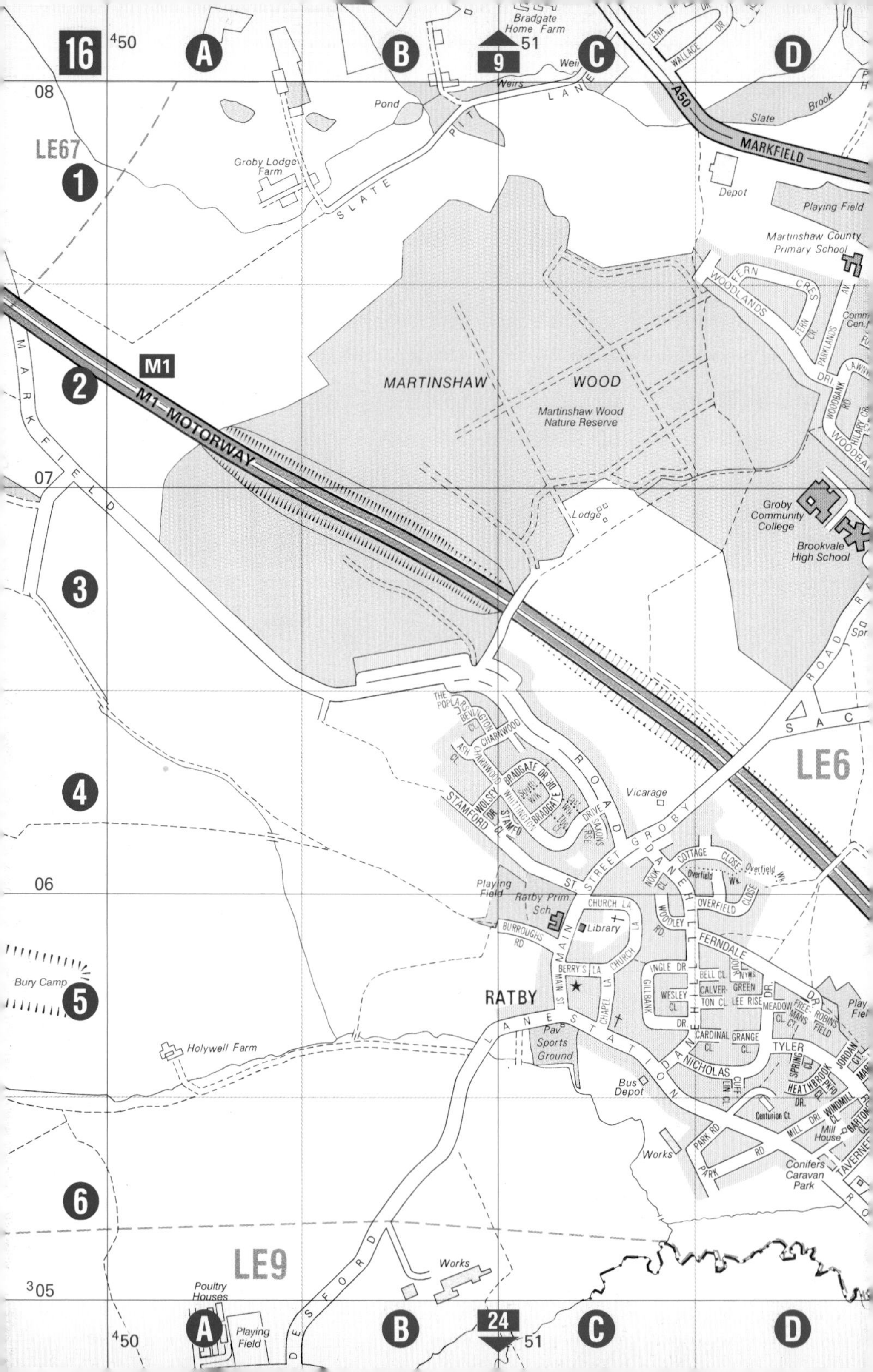

A
B
C
D
1
2
3
4
5
6
9
24
450
51
08
07
06
305
LE67
LE6
LE9
M1
M1 MOTORWAY
A50
MARKFIELD
MARKFIELD RD
SLATE PIT LANE
Slate Brook
Bradgate Home Farm
Weirs
Pond
Groby Lodge Farm
Depot
Playing Field
Martinshaw County Primary School
WOODLANDS
FERN CRES
PARKLANDS
MARTINSHAW WOOD
Martinshaw Wood Nature Reserve
Lodge
Groby Community College
Brookvale High School
GROBY ROAD
SACHEVERELL
Vicarage
THE POPLARS
BEVINGTON CL.
CHARNWOOD
ASH CL.
BRADGATE DR.
WOLSEY DR.
STAMFORD CL.
WHITTINGTON
SAXONS RISE
DANEHILL
COTTAGE CLOSE
Overfield Wk.
OVERFIELD CLOSE
NOOK CL.
WOODLEY RD.
Playing Field
Ratby Prim. Sch.
CHURCH LA
Library
BURROUGHS RD
MAIN ST
BERRY'S LA
CHAPEL LA
INGLE DR
GILLBANK DR.
WESLEY CL.
BELL CL.
CALVERTON CL.
GREEN
LEE RISE
FERNDALE DR.
MEADOW CL.
FREEMANS CT.
ROBINS FIELD
CARDINAL CL
GRANGE CL.
TYLER
NICHOLAS
SPRING CL.
HEATHBROOK DR.
JORDAN CT.
RATBY
Bury Camp
Holywell Farm
STATION LANE
Pav.
Sports Ground
Bus Depot
Works
PARK RD
Centurion Ct.
MILL DR.
WINDMILL CL.
Mill House
Conifers Caravan Park
DESFORD RD
Works
Poultry Houses
Playing Field

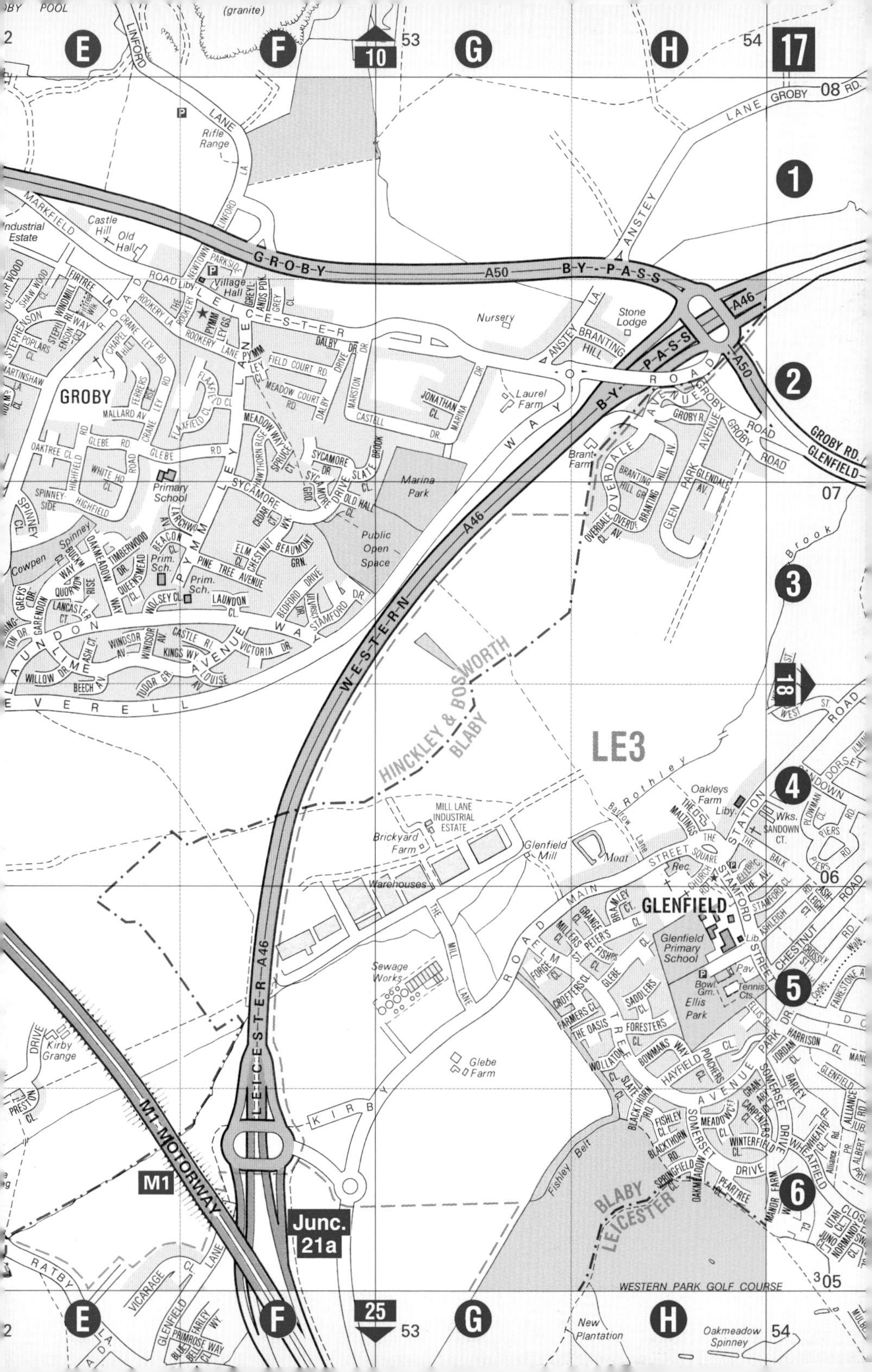

17
E
F
G
H
10
25
18
53
54
08
07
06
05
1
2
3
4
5
6
(granite)
Rifle Range
Castle Hill
Old Hall
Industrial Estate
GROBY BY-PASS
A50
A46
GROBY
LEICESTER RD
Village Hall
Liby.
Primary School
Prim. Sch.
Cowpen Spinney
Nursery
Stone Lodge
ANSTEY LA.
BRANTING HILL
Laurel Farm
Brant Farm
Marina Park
Public Open Space
WESTERN WAY
WESTERN BY-PASS
GROBY RD.
GLENFIELD
HINCKLEY & BOSWORTH
BLABY
LE3
Rothley Brook
MILL LANE INDUSTRIAL ESTATE
Brickyard Farm
Glenfield Mill
Moat
Warehouses
Sewage Works
Glebe Farm
Oakleys Farm
Glenfield Primary School
Ellis Park
Bowl. Grn.
Tennis Cts.
LEICESTER A46
M1 MOTORWAY
M1
Junc. 21a
Kirby Grange
KIRBY
Fishley Belt
BLABY
LEICESTER
WESTERN PARK GOLF COURSE
New Plantation
Oakmeadow Spinney
LAUNDON WAY
LIME AVENUE
EVERELL
MAIN STREET
ELMTREE AVENUE
STATION RD.
CHESTNUT ST.

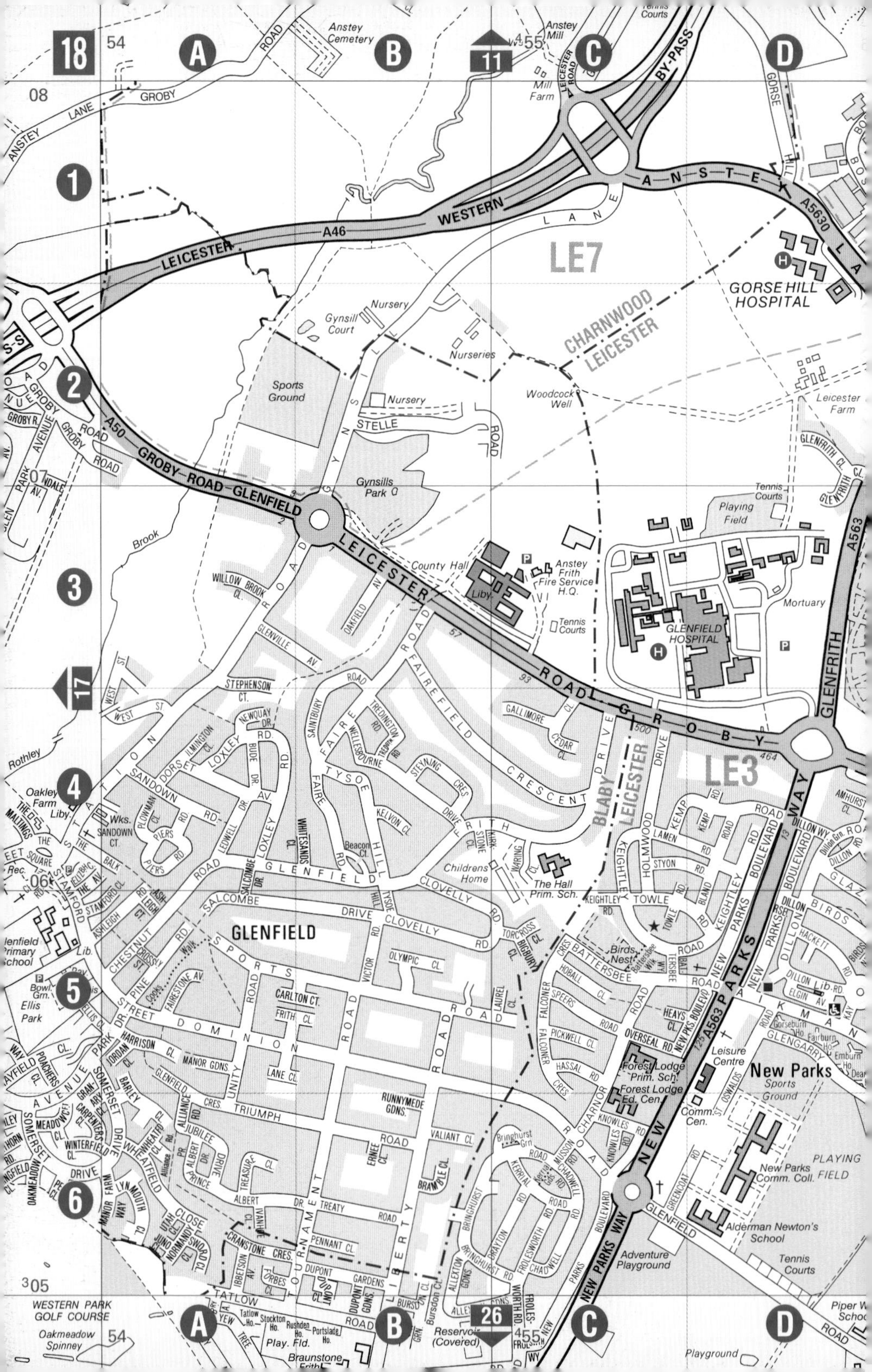

18
A
B
C
D
11
17
26
LE7
LE3
GLENFIELD
Anstey Cemetery
Anstey Mill
Mill Farm
LEICESTER WESTERN BY-PASS
A46
ANSTEY LANE
A5630
GORSE HILL HOSPITAL
CHARNWOOD
LEICESTER
Gynsill Court
Nursery
Nurseries
Sports Ground
Woodcock Well
Leicester Farm
GROBY ROAD
A50
Gynsills Park
County Hall
Liby.
Anstey Frith Fire Service H.Q.
Tennis Courts
Playing Field
GLENFIELD HOSPITAL
Mortuary
GLENFRITH WAY
A563
Brook
Rothley
Oakley Farm
Wks.
Beacon Cl.
Childrens Home
The Hall Prim. Sch.
Birds Nest
Glenfield Primary School
Lib.
Bowl. Grn.
Ellis Park
NEW PARKS WAY
NEW PARKS BOULEVARD
Leisure Centre
New Parks
Sports Ground
Comm. Cen.
Forest Lodge Prim. Sch.
Forest Lodge Ed. Cen.
New Parks Comm. Coll.
PLAYING FIELD
Alderman Newton's School
Adventure Playground
Tennis Courts
Reservoir (Covered)
WESTERN PARK GOLF COURSE
Oakmeadow Spinney
Play. Fld.
Braunstone Frith
Playground
Piper W... Schoo...

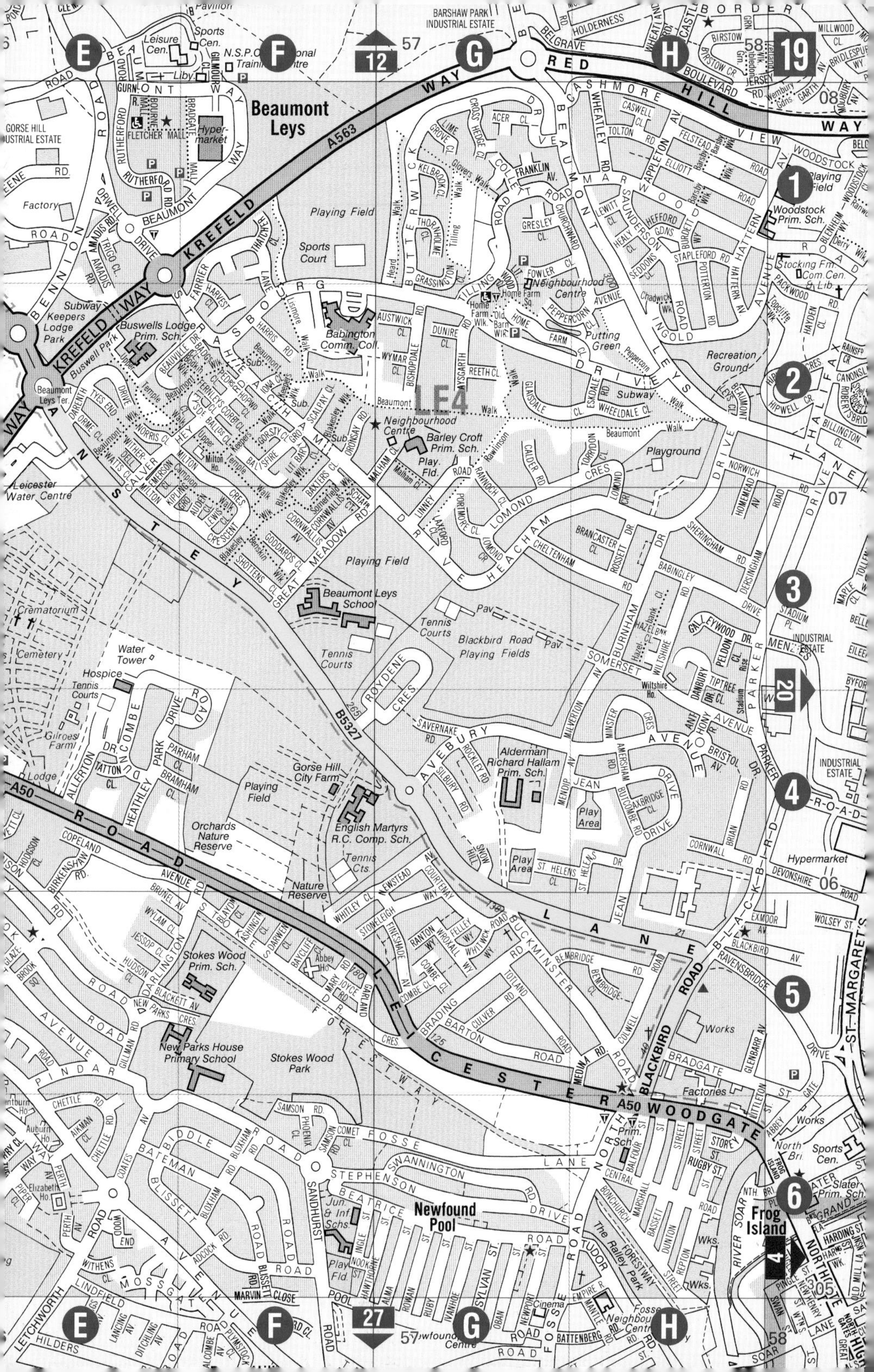

19
12
57
E
F
G
H
BARSHAW PARK INDUSTRIAL ESTATE
Beaumont Leys
Leisure Cen.
Sports Cen.
Liby.
Hypermarket
FLETCHER MALL
BOURNE MALL
BRADGATE MALL
GURNMONT
RUTHERFORD RD.
GORSE HILL INDUSTRIAL ESTATE
Factory
BENNION ROAD
AMADIS RD.
TRIGO CL.
BEAUMONT DRIVE
ORWELL
KREFELD WAY
A563
RED HILL WAY
BELGRAVE
HOLDERNESS RD.
WHEATLAND RD.
BIRSTOW
BOULEVARD
JERSEY RD.
CASHMORE
CASWELL CL.
TOLTON RD.
WHEATLEY RD.
APPLETON AV.
FELSTEAD RD.
VIEW
WOODSTOCK
ELLIOTT RD.
Playing Field
Woodstock Prim. Sch.
MARWOOD ROAD
SAUNDERSON RD.
HEFFORD GDNS.
STAPLEFORD RD.
POTTERTON RD.
HATTERN AV.
HATTERN AVENUE
Stocking Fm. Com.Cen. & Lib.
PACKWOOD RD.
HAYDEN AV.
INGOLD AVENUE
ACER CL.
LIME GROVE CL.
CROSS HEDGE CL.
FRANKLIN AV.
COLLETT ROAD
GRESLEY CL.
CHURCHWARD
BEAUMONT LEYS
Playing Field
Sports Court
BUTTERWICK DR.
KELBROOK CL.
THORNHOLME CL.
GRASSINGTON CL.
Glovers Walk
Tilling
FOWLER CL.
Neighbourhood Centre
Home Farm Sq.
HOME FARM CL.
PEPPERCORN CL.
Putting Green
Recreation Ground
Subway
Keepers Lodge Park
Buswells Lodge Prim. Sch.
Buswell Park
FARRIER
HARVEST CL.
THATCHER CL.
STRASBOURG
HARRIS RD.
Babington Comm. Coll.
AUSTWICK CL.
DUNIRE CL.
WYMAR CL.
BISHOPDALE RD.
AYSGARTH RD.
REETH CL.
LE4
Beaumont Walk
Neighbourhood Centre
Barley Croft Prim. Sch.
Play. Fld.
Beaumont Leys Ter.
DARENTH
TYES END
ORME CL.
NORRIS CL.
WITHERDELL
WATTS CL.
CALVER HEY
MILTON
EMERSON CL.
KIPLING GRO.
AUDEN CL.
LEWIS CL.
CRESCENT
CORNWALLIS AV.
GREAT MEADOW RD.
GODDARDS CL.
SHOTTENS CL.
Leicester Water Centre
MALHAM CL.
LINNEY RD.
LAXFORD CL.
RANNOCH CL.
PORTMORE CL.
LOMOND CRES.
CALDER RD.
TORRIDON CL.
GLAISDALE CL.
ESKDALE RD.
WHEELDALE CL.
DRIVE
Beaumont Walk
Playground
HEACHAM DRIVE
BRANCASTER CL.
CHELTENHAM RD.
ROSSETT DR.
BURNHAM DR.
SHERINGHAM RD.
DERSINGHAM DRIVE
NORWICH RD.
HOMEMEAD AV.
HALIFAX DRIVE
HIPWELL CRES.
BILLINGTON CL.
07
Playing Field
Beaumont Leys School
Tennis Courts
Blackbird Road Playing Fields
Pav.
BABINGLEY DR.
HAZELBANK CL.
WILTSHIRE RD.
GALLEYWOOD DR.
PELDON CL.
TIPTREE CL.
DANBURY DR.
SOMERSET AV.
Wiltshire Ho.
Stadium
PARKER DRIVE
3
STADIUM PL.
INDUSTRIAL ESTATE
MENZIES
20
Crematorium
Cemetery
Water Tower
Hospice
Tennis Courts
Gilroes Farm
Lodge
DUNCOMBE RD.
ALLERTON
TATTON CL.
HEATHLEY PARK DRIVE
PARHAM CL.
BRAMHAM CL.
ROYDENE CRES.
B5327
SAVERNAKE RD.
AVEBURY AVENUE
SILBURY RD.
ROCKLEY RD.
Alderman Richard Hallam Prim. Sch.
MILVERTON AV.
MINSTER CRES.
MENDIP AV.
JEAN DRIVE
AMERSHAM RD.
ANTHONY RD.
BRISTOL AV.
Play Area
BUTCOMBE RD.
AXBRIDGE CL.
Gorse Hill City Farm
English Martyrs R.C. Comp. Sch.
Playing Field
Orchards Nature Reserve
Tennis Cts.
Nature Reserve
INDUSTRIAL ESTATE
4
ROAD
Hypermarket
BRIAN RD.
CORNWALL RD.
DEVONSHIRE ROAD
06
A50
ROAD
COPELAND
HODGSON CL.
BIRKENSHAW RD.
AVENUE
BRUNEL AV.
WYLAM CL.
JESSOP CL.
HUDSON CL.
DARLINGTON RD.
BLACKETT AV.
NEW PARKS CRES.
Stokes Wood Prim. Sch.
STOKES DR.
DARWEN
BAYCLIFFE
Abbey Ho.
WHITLEY CL.
NEWSTEAD AV.
COURTENAY RD.
STONELEIGH
FINESHADE AV.
RANTON WY.
WROXALL WY.
FELLEY WY.
WHITWICK WY.
COMBE CL.
SNOW HILL
Play Area
ST. HELENS DR.
ST. HELENS CL.
LANE
BUCKMINSTER RD.
BEMBRIDGE RD.
BEMBRIDGE CL.
TOTLAND RD.
BRADING RD.
CULVER RD.
BARTON RD.
MEDINA RD.
COLWELL ROAD
EXMOOR AV.
BLACKBIRD AV.
RAVENSBRIDGE DRIVE
BLACKBIRD ROAD
Works
GLENBARR AV.
5
WOLSEY ST.
ST. MARGARET'S
BRADGATE ST.
Factories
LITTLETON ST.
AVENUE
ROAD
New Parks House Primary School
GILLMAN RD.
PINDAR ROAD
Stokes Wood Park
GARLAND
FORESTWAY
LEICESTER
A50 WOODGATE
SAMSON RD.
PHOENIX CL.
COMET CL.
FOSSE LANE
SWANNINGTON RD.
STEPHENSON DRIVE
NORTH RD.
Prim. Sch.
BALFOUR ST.
CENTRAL RD.
STOREY ST.
RUGBY ST.
Frog Island
North Bri.
Sports Cen.
Slater Prim. Sch.
6
ABBEY
CHETTLE RD.
AIKMAN CL.
CHETTLE AV.
BIDDLE ROAD
BATEMAN RD.
BLISSETT AV.
BLOXHAM RD.
SANDHURST ROAD
Auburn Ho.
Elizabeth Ho.
PIPER CL.
PERTH AV.
COATES AV.
WOOD END
ADCOCK RD.
BEATRICE ST.
Jun. & Inf. Schs.
Newfound Pool
INGLE ST.
NOOK ST.
HAWTHORNE ST.
ALMA ST.
ROWAN ST.
RUBY ST.
IVANHOE ST.
SYLVAN ST.
OBAN ST.
NEWPORT ST.
Play Fld.
The Ratley Park
FORESTWAY
BONCHURCH
MARSHALL ST.
BASSETT ST.
DUNTON ST.
REPTON ST.
Wks.
RIVER SOAR
NTH. BRI.
HARDING ST.
NORTHGATE
GRANDE
4
WITHENS
LINDFIELD
MOSSGATE
LETCHWORTH
HILDERS
LANCING AV.
DITCHLING AV.
ALCOMBE AV.
PLYMSTOCK
MARVIN CLOSE
BLISSETT RD.
POOL ROAD
27
Newfound Pool Centre
Cinema
EMPIRE R.
MANTLE RD.
BATTENBERG RD.
FOSSE ROAD
TUDOR
Fosse Neighbourhood Centre
SOAR LANE
05
58

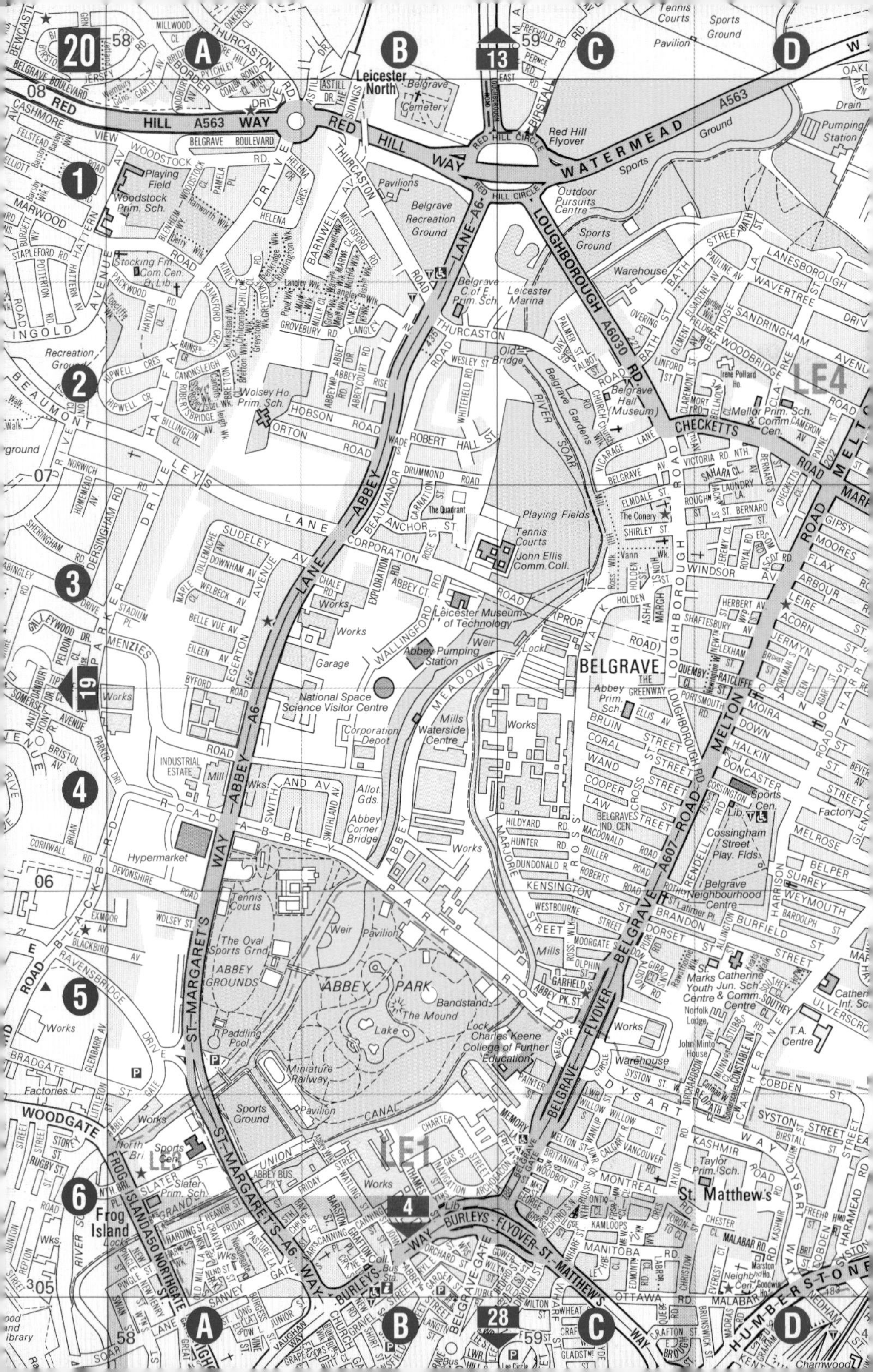

20
58
A
B
C
D
13
59
1
2
3
4
5
6
08
07
06
05
19
4
28
Leicester North
Belgrave Cemetery
RED HILL A563 WAY
BELGRAVE BOULEVARD
RED HILL CIRCLE
Red Hill Flyover
WATERMEAD A563
Tennis Courts
Sports Ground
Pavilion
Drain
Pumping Station
Playing Field
Woodstock Prim. Sch.
Stocking Fm. Com.Cen. & Lib.
Pavilions
Belgrave Recreation Ground
Outdoor Pursuits Centre
Belgrave C.of E. Prim.Sch.
Leicester Marina
Warehouse
Old Bridge
Belgrave Gardens
RIVER SOAR
Belgrave Hall (Museum)
Irene Pollard Ho.
Mellor Prim. Sch. & Comm. Cen.
LE4
Recreation Ground
Wolsey Ho. Prim. Sch.
HOBSON ROAD
ORTON ROAD
ROBERT HALL ST.
DRUMMOND ROAD
The Quadrant
ANCHOR ST.
CORPORATION ROAD
Playing Fields
Tennis Courts
John Ellis Comm.Coll.
The Conery
CHECKETTS ROAD
ABBEY LANE A6
LOUGHBOROUGH A6030 RD
LOUGHBOROUGH ROAD
MELTON ROAD A607
BELGRAVE
Leicester Museum of Technology
Abbey Pumping Station
Weir
Lock
National Space Science Visitor Centre
Corporation Depot
Works
Garage
Mills Waterside Centre
Abbey Prim. Sch.
THE GREENWAY
Sports Cen.
Lib.
Cossingham Street Play. Flds.
Belgrave Neighbourhood Centre
St. Marks Youth Centre
Catherine Jun. Sch. & Comm. Centre
T.A. Centre
Norfolk Lodge
John Minto House
INDUSTRIAL ESTATE
Mill
Allot. Gds.
Abbey Corner Bridge
Hypermarket
ABBEY PARK ROAD
BELGRAVE IND. CEN.
Factory
Tennis Courts
The Oval Sports Grnd
ABBEY GROUNDS
ABBEY PARK
Bandstand
The Mound
Lake
Paddling Pool
Miniature Railway
Pavilion
Charles Keene College of Further Education
BELGRAVE FLYOVER
BELGRAVE CIRCLE
Warehouse
ST. MARGARET'S WAY
ST. MARGARET'S A6 WAY
Sports Ground
CANAL
LE1
LE3
Sports Cen.
North Bri.
Slater Prim. Sch.
Frog Island
FROG ISLAND A50 NORTHGATE ST.
WOODGATE
Factories
BRADGATE ST.
RAVENSBRIDGE DRIVE
BLACKBIRD ROAD
ABBEY BUS PK.
St. Matthew's
Taylor Prim. Sch.
BURLEYS FLYOVER
BURLEYS WAY
ST. MATTHEW'S WAY
Bus Sta.
Coll.
HUMBERSTONE
Neigh. Cen.
MALABAR RD.
OTTAWA RD
MONTREAL RD
DYSART WAY
CATHERINE ST.
Charnwood

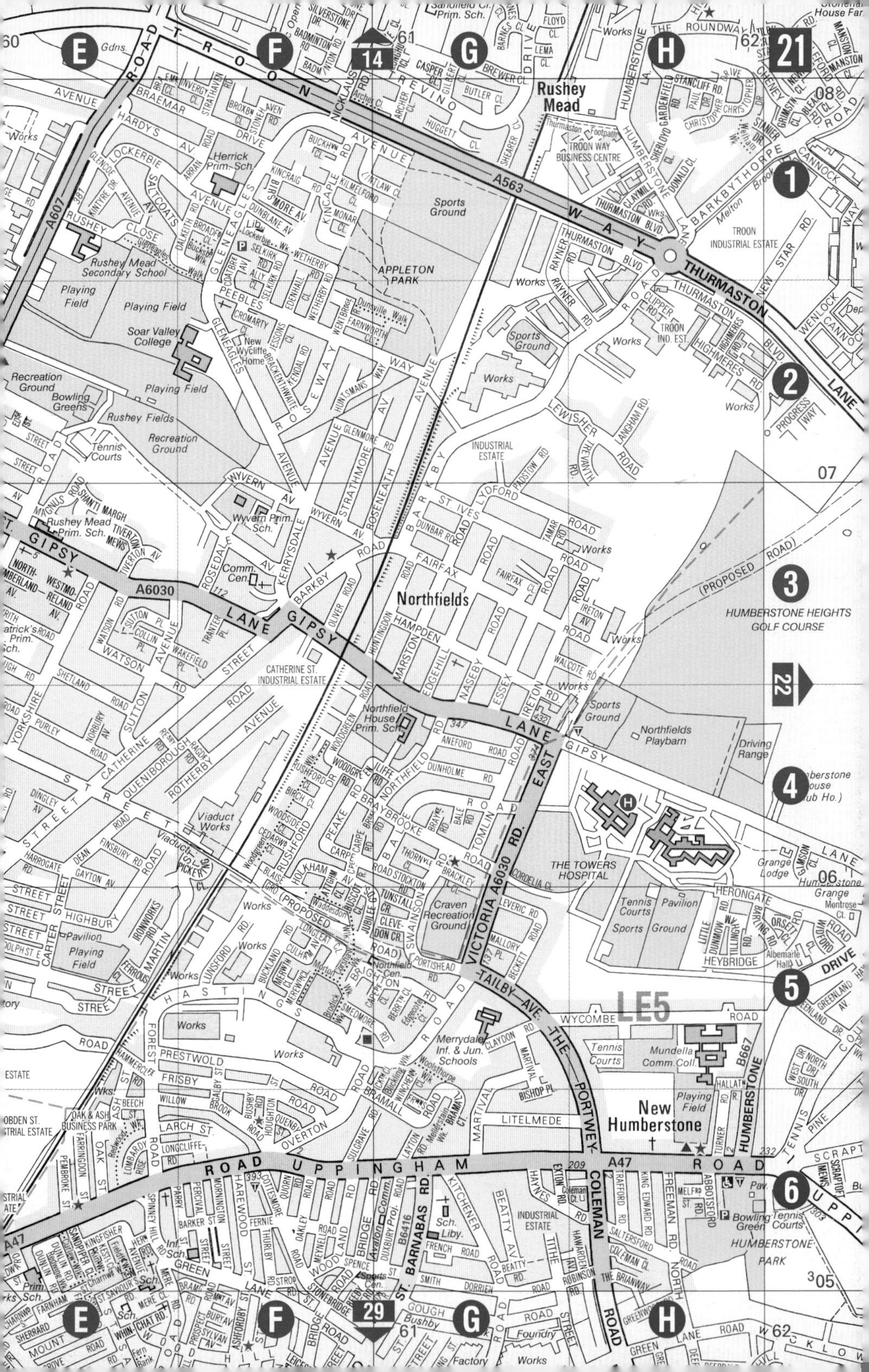

21
E
F
G
H
14
22
29
1
2
3
4
5
6
Rushey Mead
TROON WAY BUSINESS CENTRE
TROON INDUSTRIAL ESTATE
TROON IND. EST.
THURMASTON BLVD.
THURMASTON LANE
BARKBYTHORPE LANE
Herrick Prim. Sch.
Rushey Mead Secondary School
Soar Valley College
Playing Field
Recreation Ground
Bowling Greens
Rushey Fields
Tennis Courts
Sports Ground
APPLETON PARK
New Wycliffe Home
Wyvern Prim. Sch.
Rushey Mead Prim. Sch.
Comm. Cen.
Northfields
INDUSTRIAL ESTATE
CATHERINE ST. INDUSTRIAL ESTATE
Northfield House Prim. Sch.
Viaduct Works
Works
HUMBERSTONE HEIGHTS GOLF COURSE
(PROPOSED ROAD)
Northfields Playbarn
Driving Range
THE TOWERS HOSPITAL
Grange Lodge
Craven Recreation Ground
Northfield Cen.
Merrydale Inf. & Jun. Schools
LE5
Mundella Comm.Coll.
New Humberstone
HUMBERSTONE PARK
Bowling Green
OAK & ASH BUSINESS PARK
GIPSY LANE
A6030
A563
A607
A47
B667
B6416
UPPINGHAM ROAD
VICTORIA ROAD EAST
THE PORTWAY
COLEMAN ROAD
HUMBERSTONE ROAD
MELTON ROAD
TROON WAY
HASTINGS ROAD
ST. BARNABAS RD.

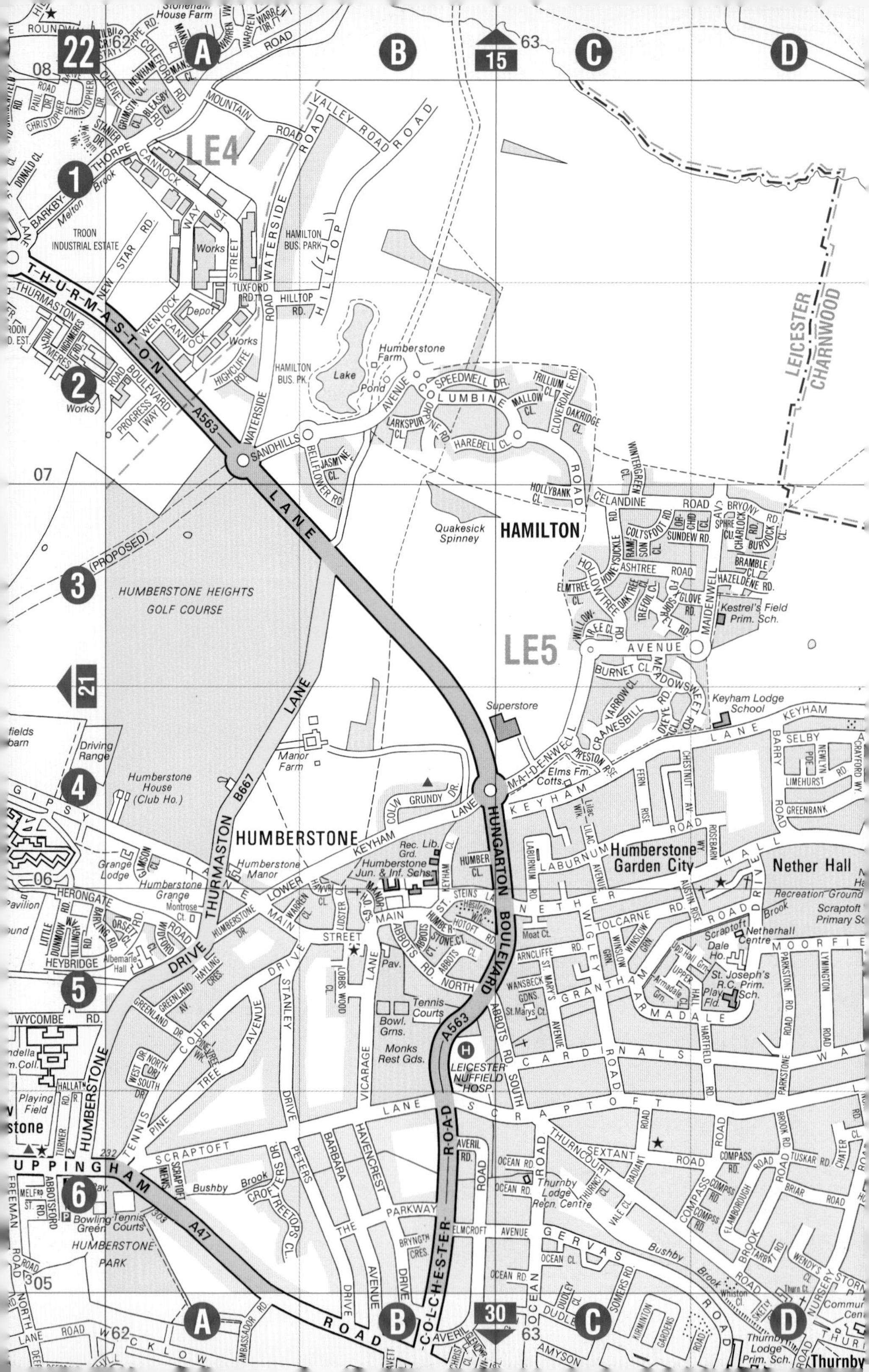

22
15
21
30
LE4
LE5
TROON INDUSTRIAL ESTATE
HAMILTON BUS. PARK
HAMILTON BUS. PK.
Works
Depot
Humberstone Farm
Lake
Pond
HAMILTON
Quakesick Spinney
HUMBERSTONE HEIGHTS GOLF COURSE
(PROPOSED)
Driving Range
Humberstone House (Club Ho.)
Manor Farm
Superstore
Keyham Lodge School
Kestrel's Field Prim. Sch.
Elms Fm. Cotts.
HUMBERSTONE
Humberstone Manor
Humberstone Grange
Grange Lodge
Humberstone Jun. & Inf. Schs.
Rec. Lib. Grd.
Humberstone Garden City
Nether Hall
Recreation Ground
Scraptoft Primary Sc
Netherhall Centre
Dale Ho.
St. Joseph's R.C. Prim. Sch.
Play Fld.
Tennis Courts
Bowl. Grns.
Monks Rest Gds.
LEICESTER NUFFIELD HOSP.
Thurnby Lodge Recn. Centre
Thurnby Lodge Prim. Sch.
Thurnby
HUMBERSTONE PARK
Bowling Green
Tennis Courts
Playing Field
Albemarle Hall
LEICESTER
CHARNWOOD
THURMASTON LANE
A563
B667
A47
HUNGARTON BOULEVARD
COLCHESTER ROAD
UPPINGHAM ROAD
KEYHAM LANE
MAIDENWELL AVENUE
NETHER HALL ROAD
SCRAPTOFT LANE
CARDINALS WALK
MOUNTAIN ROAD
VALLEY ROAD
WATERSIDE ROAD
HILLTOP RD.
CANNOCK STREET
CANNOCK WAY
NEW STAR RD.
THURMASTON BOULEVARD
CELANDINE ROAD
ASHTREE ROAD
GIPSY LANE
MAIN STREET
HUMBERSTONE DRIVE
STANLEY DRIVE
VICARAGE LANE
GERVAS ROAD
THE PARKWAY
SEXTANT ROAD
COMPASS ROAD
LAURBURNUM ROAD
Melton Brook
Bushby Brook

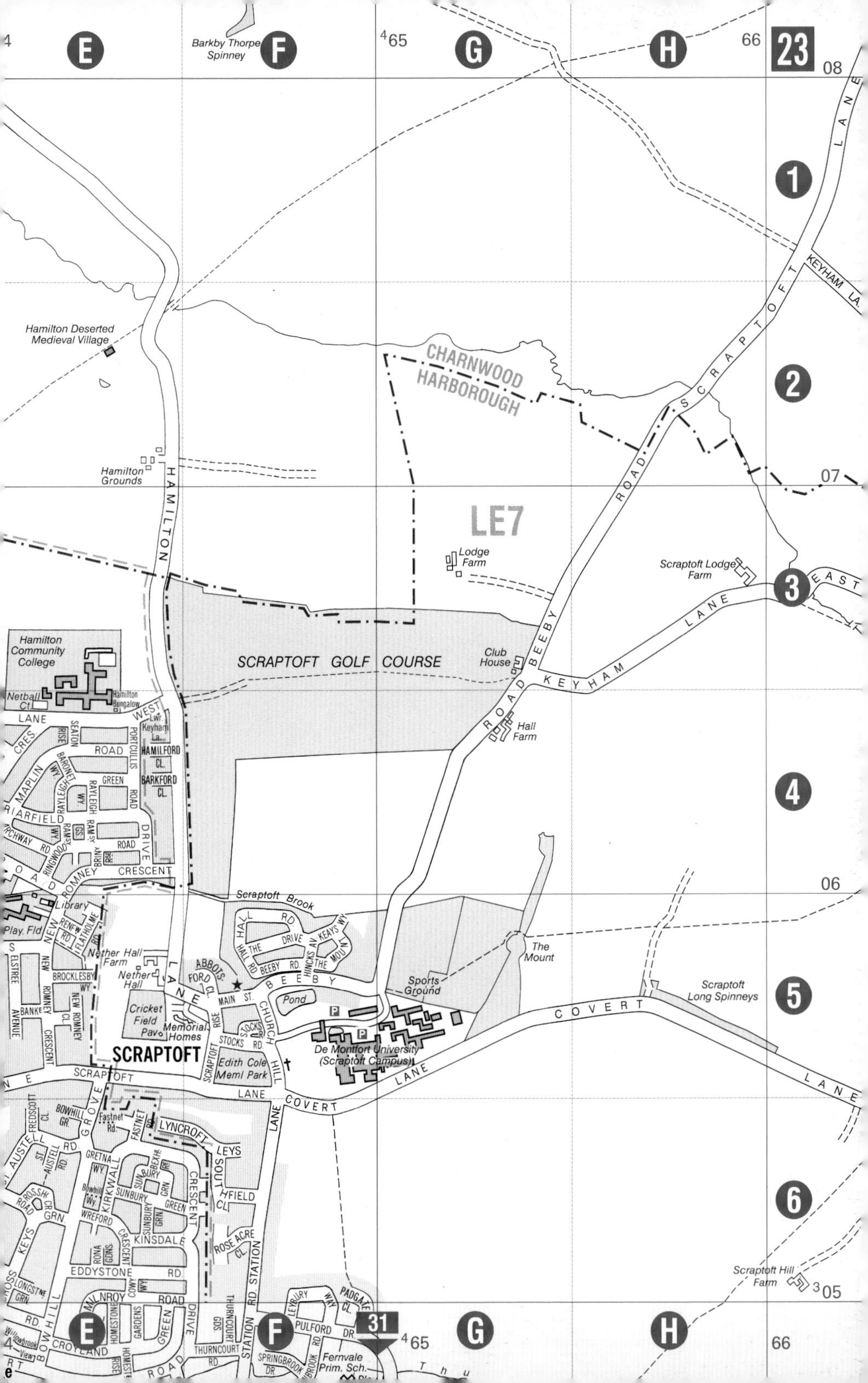
E
F
G
H
465
66
08
07
06
305
Barkby Thorpe Spinney
Hamilton Deserted Medieval Village
Hamilton Grounds
HAMILTON LANE
CHARNWOOD
HARBOROUGH
LE7
Lodge Farm
SCRAPTOFT LANE
KEYHAM LA.
SCRAPTOFT ROAD
Scraptoft Lodge Farm
EAST
KEYHAM LANE
BEEBY ROAD
Club House
Hall Farm
SCRAPTOFT GOLF COURSE
Hamilton Community College
Netball Ct.
Hamilton Bungalow
WEST LANE
Lwr. Keyham La.
HAMILFORD CL.
BARKFORD CL.
SEATON RISE
PORTCULLIS ROAD
ROAD
BARONET WY.
MAPLIN
RAYLEIGH
GREEN WY.
RAYLEIGH RAM GS.
DRIVE
RIARFIELD
ARCHWAY RD
RINGWOOD
ROMNEY CRESCENT
ROAD
Scraptoft Brook
Library
RENFEW RD
FLATHOLME
Play. Fld
NEW ROMNEY
HALL RD.
THE DRIVE
HALL RD
KEAYS WY
HINCKS AV.
THE MOUNT
BEEBY RD
BEEBY
Nether Hall Farm
Nether Hall
ABBOTS FORD CL.
MAIN ST.
CHURCH HILL
Pond
Sports Ground
The Mount
Scraptoft Long Spinneys
COVERT LANE
ELSTREE AVENUE
BROCKLESBY WY
NEW ROMNEY CL
BANKE
CRESCENT
Cricket Field Pav
Memorial Homes
SCRAPTOFT RISE
STOCKS RD.
Edith Cole Meml Park
De Montfort University (Scraptoft Campus)
SCRAPTOFT
SCRAPTOFT LANE
COVERT LANE
GROVE
FREDSCOTT CL.
BOWHILL GR.
Fastnet Rd.
FASTNET
LYNCROFT
LEYS
SOUTHFIELD CL
AUSTELL RD.
GRETNA WY.
KIRKWALL
SUNBURY
BEXHILL
Bowhill Wy.
SUNBURY GRN
GREEN
CRESCENT
ROSSHILL CRES
GRN
WREFORD CRESCENT
KINSDALE
ROSE ACRE CL.
STATION RD.
KEYS
RONA GDNS
EDDYSTONE RD.
LONGSTONE GRN.
MILNROY
COMMY WY.
ROAD
DRIVE
THURNCOURT GDS.
LEYBURY WAY
PADGATE CL.
BOWHILL
HOMESTONE
GARDENS
GREEN
Willowbrook View
CROYLAND
RISE
THURNCOURT RD.
PULFORD DR.
SPRINGBROOK DR.
BROOK RD
Fernvale Prim. Sch.
ROAD
Scraptoft Hill Farm
1
2
3
4
5
6

31

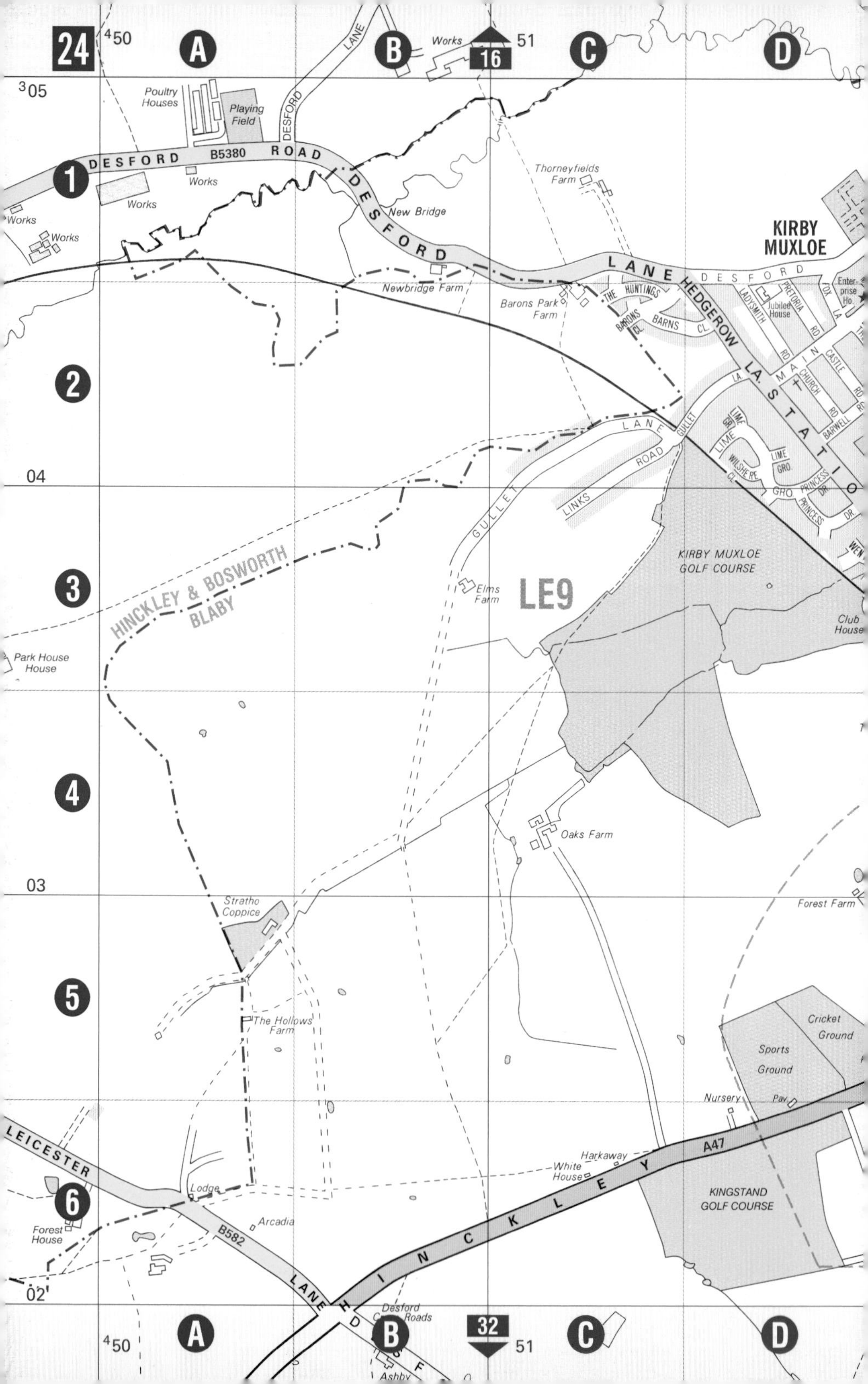
24
450
A
B
C
D
51
16
Works
LANE
305
Poultry Houses
Playing Field
DESFORD
DESFORD B5380 ROAD
1
Works
Works
Works
Works
DESFORD
New Bridge
Thorneyfields Farm
KIRBY MUXLOE
LANE
DESFORD
HEDGEROW
Newbridge Farm
Barons Park Farm
THE HUNTINGS
BARONS CL.
BARNS CL.
LADYSMITH
Jubilee House
PRETORIA RD
RD
FOX LA
Enterprise Ho.
MAIN
CHURCH RD
CASTLE RD
2
LA.
STATION
LIME GR
LIME
LIME GRO.
WILSHERE CL
GULLET LANE
ROAD
LINKS
BARWELL
GRO
PRINCESS DR
PRINCESS DR
04
GULLET
KIRBY MUXLOE GOLF COURSE
3
HINCKLEY & BOSWORTH
BLABY
Elms Farm
LE9
Club House
Park House House
4
Oaks Farm
03
Stratho Coppice
Forest Farm
5
The Hollows Farm
Cricket Ground
Sports Ground
Nursery
Pav
LEICESTER
HINCKLEY
A47
Harkaway
White House
6
Lodge
KINGSTAND GOLF COURSE
Forest House
Arcadia
B582
LANE
02
Desford Cross Roads
32
450
51
Ashby

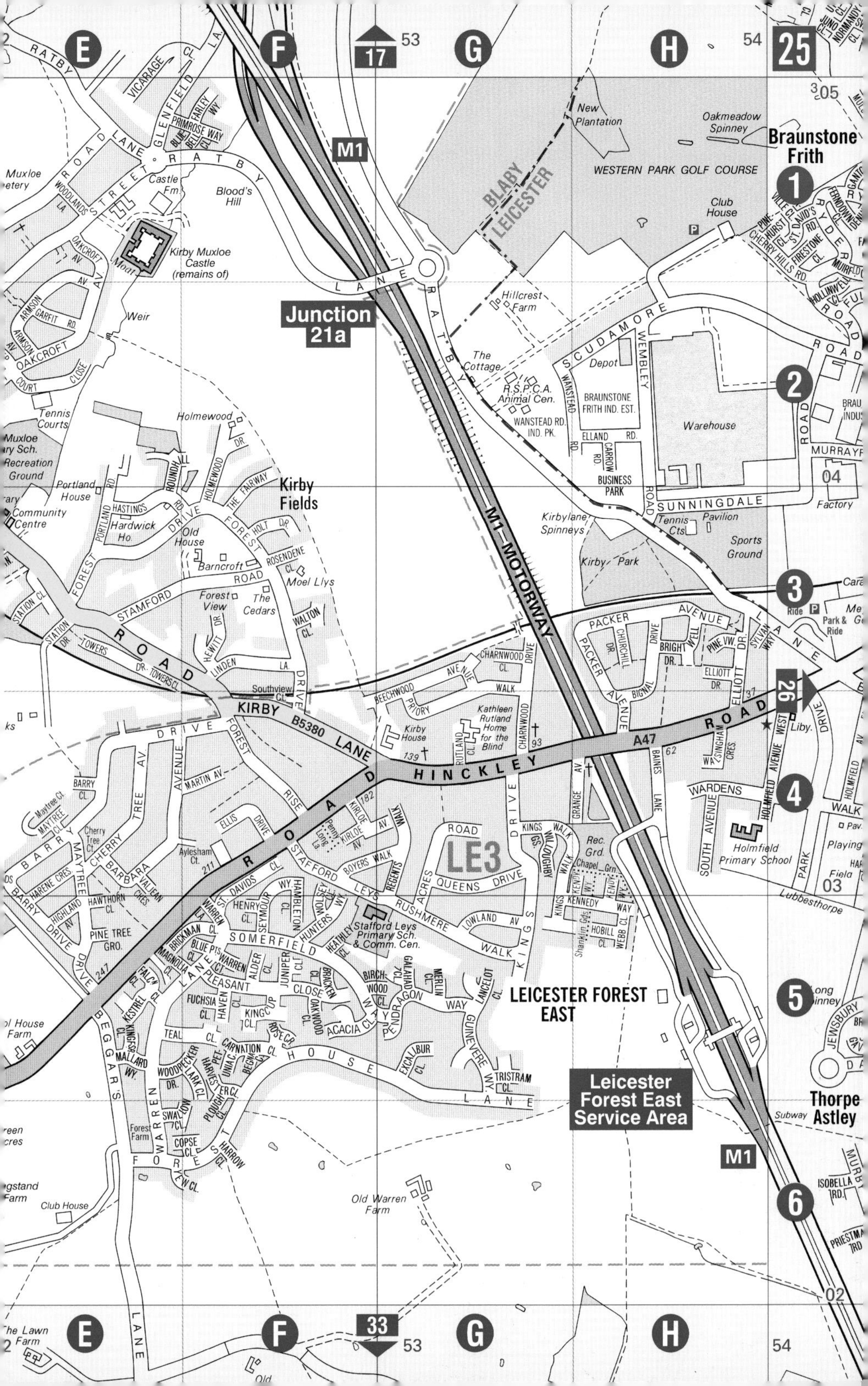

25
E
F
17
53
G
H
54
New Plantation
Oakmeadow Spinney
Braunstone Frith
WESTERN PARK GOLF COURSE
BLABY
LEICESTER
Club House
M1
RATBY LANE
VICARAGE CL.
GLENFIELD CL.
FARLEY WY.
PRIMROSE WAY
BLUE BELL CL.
RATBY ROAD
STREET
WOODLANDS LA.
Castle Fm.
Blood's Hill
Muxloe Cemetery
Kirby Muxloe Castle (remains of)
Moat
OAKCROFT AV.
ARMSON AV.
GARFIT RD.
Weir
OAKCROFT COURT CLOSE
Junction 21a
LANE
RATBY
PINEHURST CL.
CHERRY HILLS RD.
ST. DAVID'S RD.
FIRESTONE CL.
FERNDOWN
MUIRFIELD
HOLLINWELL CL.
RYDER ROAD
Hillcrest Farm
SCUDAMORE ROAD
The Cottage
R.S.P.C.A. Animal Cen.
WANSTEAD RD.
WANSTEAD RD. IND. PK.
Depot
BRAUNSTONE FRITH IND. EST.
WEMBLEY ROAD
ELLAND RD.
CARROW RD.
BUSINESS PARK
Warehouse
MURRAYFIELD
04
Factory
SUNNINGDALE
Tennis Cts
Pavilion
Sports Ground
Tennis Courts
Muxloe Primary Sch.
Recreation Ground
Holmewood
HOLMEWOOD DR.
Portland House
PORTLAND RD.
HASTINGS RD.
ROUNDHILL
HOLMEWOOD
THE FAIRWAY
Kirby Fields
Hardwick Ho.
Library
Community Centre
DRIVE
Old House
FOREST
HOLT DR.
ROSENDENE CL.
Barncroft
Moel Llys
Kirbylane Spinneys
Kirby Park
M1 MOTORWAY
FOREST
STAMFORD ROAD
Forest View
The Cedars
WALTON CL.
STATION CL.
STATION DR.
TOWERS DR.
TOWERS CL.
ROAD
HEWITT DR.
LINDEN LA.
Southview CL.
DRIVE
Park & Ride
PACKER AVENUE
CHURCHILL DR.
DRIVE
BRIGHTWELL DR.
PINE VW.
ELLIOTT DR.
SYLVAN WAY
LANE
CHARNWOOD CL.
CHARNWOOD DRIVE
BEECHWOOD AVENUE
WALK
PRIORY
BIGNAL
26
Liby.
Kathleen Rutland Home for the Blind
Kirby House
RUTLAND CL.
KIRBY
B5380
LANE
HINCKLEY
A47
ROAD
BAINES LANE
WAYSINGHAM CRES.
AVENUE WEST
DRIVE
139
93
62
37
DRIVE
FOREST
BARRY CL.
MARTIN AV.
TREE
AVENUE
Maytree Ct.
MAYTREE CL.
BARRY
Cherry Tree Ct.
CHERRY
RISE
182
KIRLOE AV.
Penny Long La.
WALK
ELLIS DRIVE
ROAD
LE3
DRIVE
GRANGE AV.
KINGS WALK
WILLOUGHBY GS.
Rec. Grd.
Chapel Grn.
WARDENS WALK
SOUTH AVENUE
HOLMFIELD AVENUE
Holmfield Primary School
PARK
HOLMFIELD
Playing Field
03
Lubbesthorpe
Aylesham Ct.
211
HARENE CRES.
MAYTREE
BARBARA
VALJEAN CRES.
HAWTHORN CL.
HIGHLAND AV.
PINE TREE GRO.
DRIVE
247
DAVIDS CL.
ST.
WARREN LA.
HENRY CL.
SEYMOUR
HAMBLETON CL.
TOMSEY
HUNTERS WY.
STAFFORD LEYS
BOYERS WALK
REGENTS
ACRES
QUEENS DRIVE
RUSHMERE WALK
LOWLAND AV.
KINGS
KENNEDY WAY
HOBILL CL.
WEBB CL.
Shanklin Gds.
BRICKMAN CL.
BLUE PTS. CT.
WARREN
SOMERFIELD
HEATHLEY CL.
Stafford Leys Primary Sch. & Comm. Cen.
MAGNOLIA CL.
LANE
ALDER CL.
JUNIPER CL.
BRACKEN CL.
BIRCHWOOD CL.
GALAHAD CL.
MERLIN CL.
LANCELOT CL.
LEICESTER FOREST EAST
FALCON CL.
PLEASANT
CLOSE
OAKWOOD CL.
PENDRAGON
WAY
GUINEVERE
KESTREL CL.
KINGFISHER CL.
FUCHSIA CL.
HAVEN CL.
KINGCUP CL.
ROSE CR.
ACACIA CL.
WAY
Old House Farm
TEAL CL.
MALLARD WY.
CARNATION CL.
UNIA C.
BEGONIA
HOUSE
EXCALIBUR CL.
TRISTRAM CL.
WY.
LANE
BEGGAR'S
WOODPECKER DR.
LARK CL.
PET.
HARVEST
FERN CL.
PLOUGH
WARREN
SWALLOW CL.
Forest Farm
COPSE CL.
YEW CL.
HARROW CL.
FOREST
Leicester Forest East Service Area
Long Spinney
JEWSBURY
Thorpe Astley
Subway
M1
Old Warren Farm
Club House
Kingstand Farm
ISOBELLA RD.
PRIESTMAN RD.
5
6
1
2
3
4
02
The Lawn Farm
E
F
33
53
G
H
54
LANE
Old

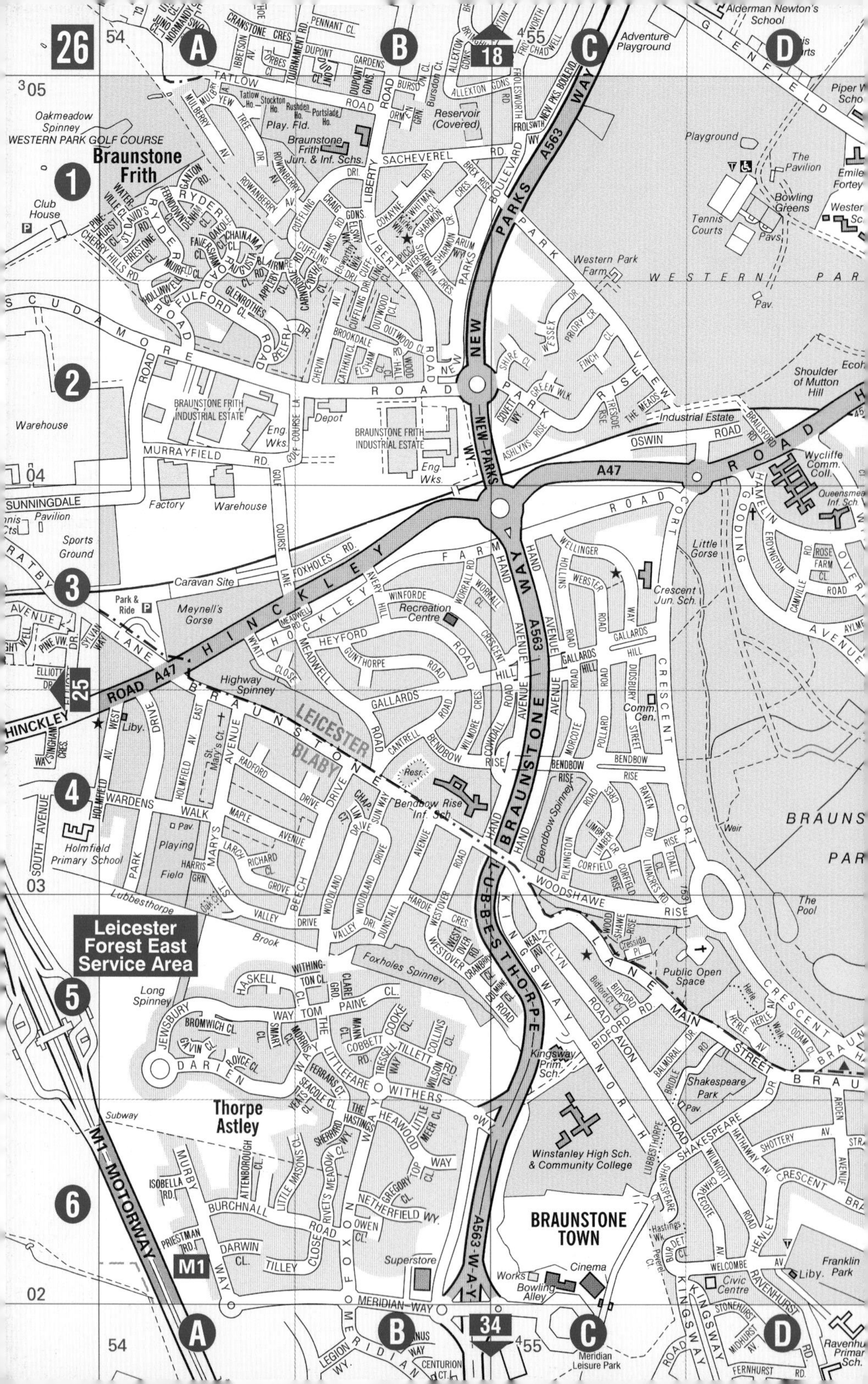
Braunstone Frith
Oakmeadow Spinney
WESTERN PARK GOLF COURSE
Club House
Alderman Newton's School
Adventure Playground
18
Reservoir (Covered)
Play. Fld.
Braunstone Frith Jun. & Inf. Schs.
Playground
The Pavilion
Bowling Greens
Tennis Courts
Western Park Farm
WESTERN PARK
Shoulder of Mutton Hill
Industrial Estate
BRAUNSTONE FRITH INDUSTRIAL ESTATE
Depot
Eng. Wks.
Warehouse
Factory
Pavilion
Sports Ground
Caravan Site
Park & Ride
Meynell's Gorse
Recreation Centre
Wycliffe Comm. Coll.
Little Gorse
Crescent Jun. Sch.
Comm. Cen.
Highway Spinney
LEICESTER
BLABY
25
Liby.
Holmfield Primary School
Playing Field
Bendbow Rise Inf. Sch.
Bendbow Spinney
Weir
The Pool
Lubbesthorpe Brook
Leicester Forest East Service Area
Long Spinney
Foxholes Spinney
Public Open Space
Kingsway Prim. Sch.
Shakespeare Park
Thorpe Astley
Subway
Winstanley High Sch. & Community College
BRAUNSTONE TOWN
Franklin Park
Civic Centre
Cinema
Works
Bowling Alley
Superstore
Meridian Leisure Park
M1 MOTORWAY
M1
34
A47
A563
HINCKLEY ROAD
NEW PARKS WAY
BRAUNSTONE WAY
LUBBESTHORPE WAY
BRAUNSTONE LANE
SCUDAMORE ROAD
KINGSWAY
MERIDIAN WAY
MAIN STREET
GLENFIELD ROAD

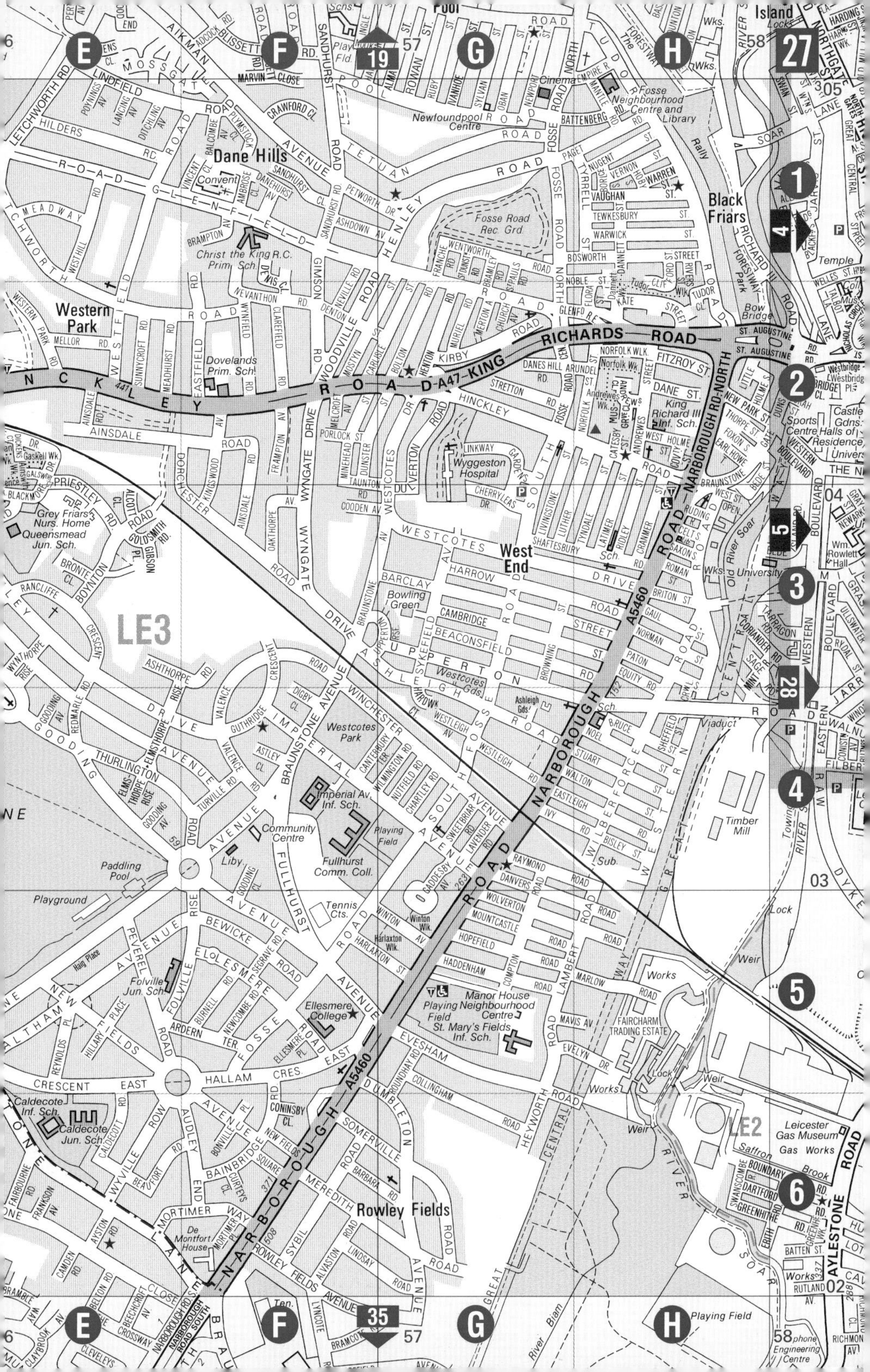
19
35
57
58
Dane Hills
Western Park
Convent
Christ the King R.C. Prim. Sch.
Dovelands Prim. Sch.
Newfoundpool Centre
Cinema
Fosse Neighbourhood Centre and Library
Fosse Road Rec. Grd.
Black Friars
Temple
Bow Bridge
Forestway Park
Rally
KING RICHARDS ROAD
A47
HINCKLEY ROAD
Wyggeston Hospital
King Richard III Inf. Sch.
Castle Gdns.
Sports Centre
Halls of Residence
Universi
West End
Old River Soar
University
Wm. Rowlett Hall
LE3
Grey Friars Nurs. Home
Queensmead Jun. Sch.
Bowling Green
Westcotes Gds.
Ashleigh Gds.
Westcotes Park
Imperial Av. Inf. Sch.
Community Centre
Playing Field
Fullhurst Comm. Coll.
Liby.
Paddling Pool
Playground
Tennis Cts.
Winton Wlk.
Harlaxton Wlk.
Timber Mill
Viaduct
NARBOROUGH ROAD
A5460
Folville Jun. Sch.
Haig Place
Ellesmere College
Manor House Neighbourhood Centre
Playing Field
St. Mary's Fields Inf. Sch.
FAIRCHARM TRADING ESTATE
Works
Lock
Weir
Towing Path
LE2
Leicester Gas Museum
Gas Works
Saffron Brook
AYLESTONE ROAD
Caldecote Inf. Sch.
Caldecote Jun. Sch.
De Montfort House
Rowley Fields
River Biam
River Soar
GREAT CENTRAL WAY
Playing Field
Telephone Engineering Centre
03
04
02
1
2
3
4
5
6
E
F
G
H

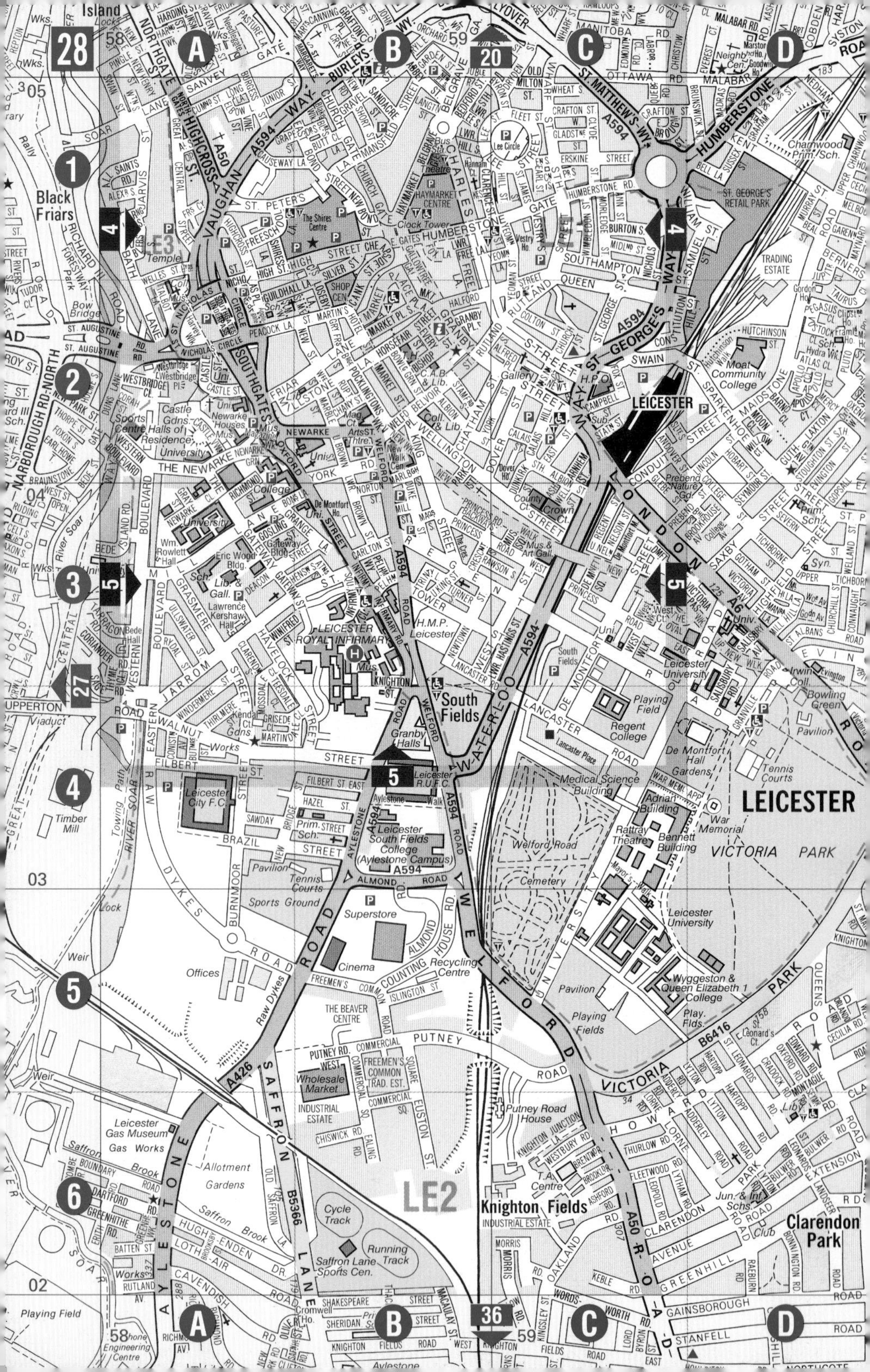
A
B
C
D
1
2
3
4
5
6
20
4
5
27
36
LEICESTER
LE1
LE2
LE3
Black Friars
The Shires Centre
Haymarket Centre
Clock Tower
Lee Circle
Leicester Royal Infirmary
H.M.P. Leicester
South Fields
Granby Halls
Leicester R.U.F.C.
Leicester City F.C.
Leicester South Fields College (Aylestone Campus)
Superstore
Cinema
Welford Road Cemetery
Victoria Park
War Memorial
De Montfort Hall Gardens
Leicester University
Regent College
Medical Science Building
Adrian Building
Rattray Theatre
Bennett Building
Wyggeston & Queen Elizabeth 1 College
Playing Fields
Wholesale Market
Freemen's Common Trad. Est.
Industrial Estate
Knighton Fields
Industrial Estate
Putney Road House
The Beaver Centre
Recycling Centre
Cycle Track
Running Track
Saffron Lane Sports Cen.
Allotment Gardens
Leicester Gas Museum
Gas Works
Clarendon Park
Moat Community College
St. George's Retail Park
Trading Estate
Charnwood Prim. Sch.
Castle Gdns.
Sports Centre
Halls of Residence
University
Newarke Houses Mus.
De Montfort Uni.
Timber Mill
Sports Ground
Tennis Courts
Pavilion
Offices
Bowling Green
Lancaster Place
River Soar
Raw Dykes
Weir
Lock
Viaduct
Towing Path
VAUGHAN WAY
A594
A50
A426
A6
B5366
B6416
ST. MATTHEW'S WAY
ST. GEORGE'S WAY
HUMBERSTONE ROAD
CHARLES ST.
LONDON ROAD
WATERLOO WAY
WELFORD ROAD
AYLESTONE ROAD
SAFFRON LANE
VICTORIA PARK ROAD
UNIVERSITY ROAD
ALMOND ROAD
FILBERT STREET
WESTERN BOULEVARD
NARBOROUGH RD-NORTH
BURNMOOR ST.
PUTNEY ROAD
HOWARD ROAD
CLARENDON PARK ROAD
GAINSBOROUGH
STANFELL
KNIGHTON FIELDS ROAD
SHAKESPEARE STREET
SHERIDAN STREET
CAVENDISH ROAD
03
04
05
02
58
59

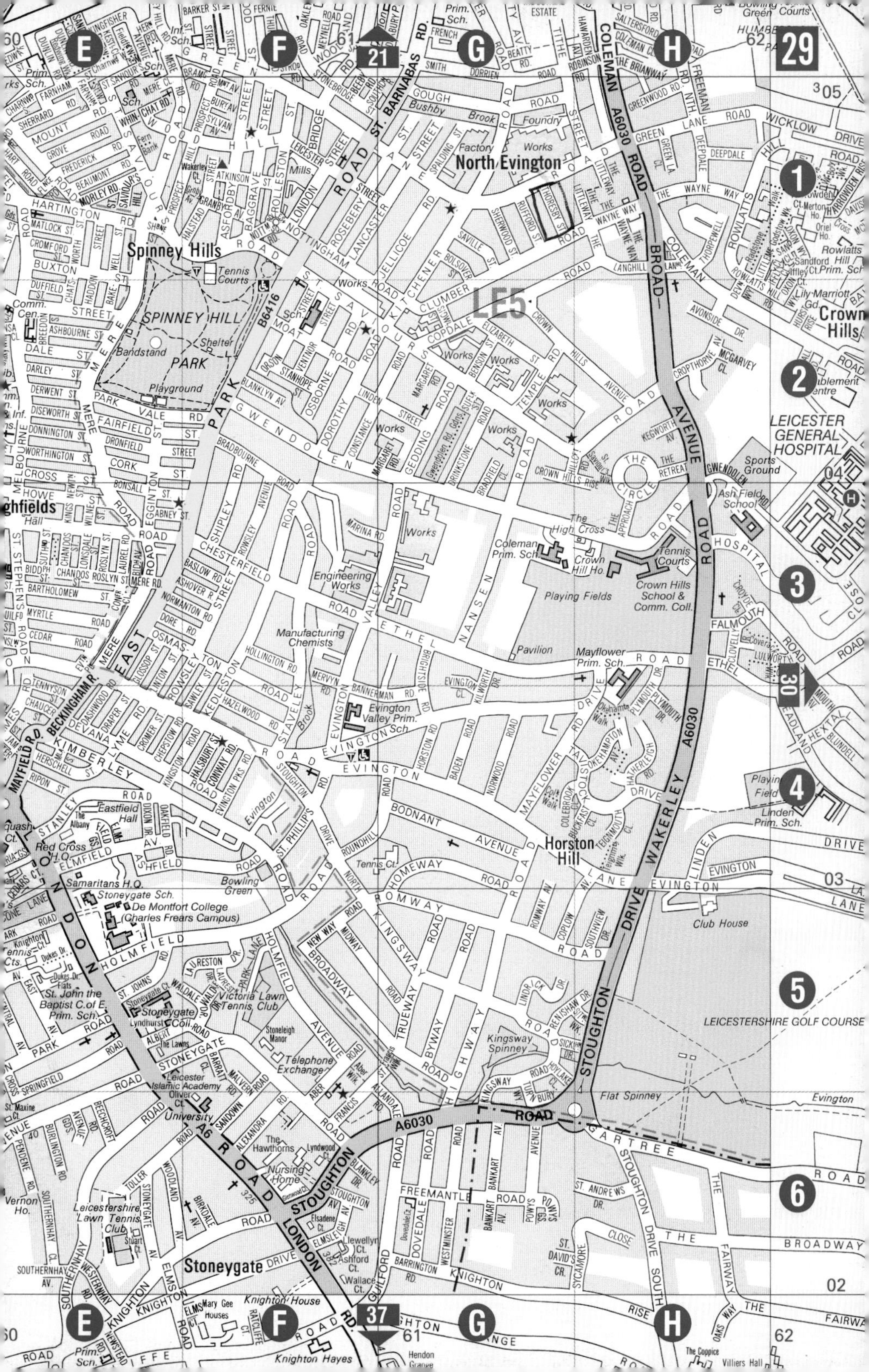
29
21
30
37
E
F
G
H
1
2
3
4
5
6
North Evington
LE5
Spinney Hills
SPINNEY HILL PARK
Bandstand
Shelter
Playground
Tennis Courts
Horston Hill
Crown Hills
Stoneygate
LEICESTER GENERAL HOSPITAL
Sports Ground
Ash Field School
Coleman Prim. Sch.
Crown Hill Ho.
The High Cross
Crown Hills School & Comm. Coll.
Playing Fields
Pavilion
Mayflower Prim. Sch.
Engineering Works
Manufacturing Chemists
Evington Valley Prim. Sch.
Linden Prim. Sch.
LEICESTERSHIRE GOLF COURSE
Club House
Flat Spinney
Kingsway Spinney
Telephone Exchange
Stoneleigh Manor
Victoria Lawn Tennis Club
Stoneygate Coll.
Leicester Islamic Academy
University
De Montfort College (Charles Frears Campus)
Stoneygate Sch.
Samaritans H.Q.
Red Cross H.Q.
Eastfield Hall
St. John the Baptist C.of E. Prim. Sch.
Leicestershire Lawn Tennis Club
Nursing Home
The Hawthorns
Knighton House
Knighton Hayes
Mary Gee Houses
Bowling Green
Foundry
Works
Factory
Mills
A6030
A6
B6416
BROAD AVENUE ROAD
WAKERLEY DRIVE
STOUGHTON DRIVE
STOUGHTON ROAD
GARTREE ROAD
LONDON ROAD
EVINGTON ROAD
EVINGTON LANE
GWENDOLEN ROAD
ETHEL ROAD
PARK VALE RD.
EAST PARK ROAD
ST. BARNABAS RD.
ST. SAVIOUR'S ROAD
NOTTINGHAM ROAD
HOSPITAL CLOSE
KIMBERLEY ROAD
HOLMFIELD AVENUE
KINGSWAY
HIGHWAY ROAD
BROADWAY
KNIGHTON RISE
THE FAIRWAY
STOUGHTON DRIVE SOUTH
MAYFIELD RD.
BECKINGHAM R.

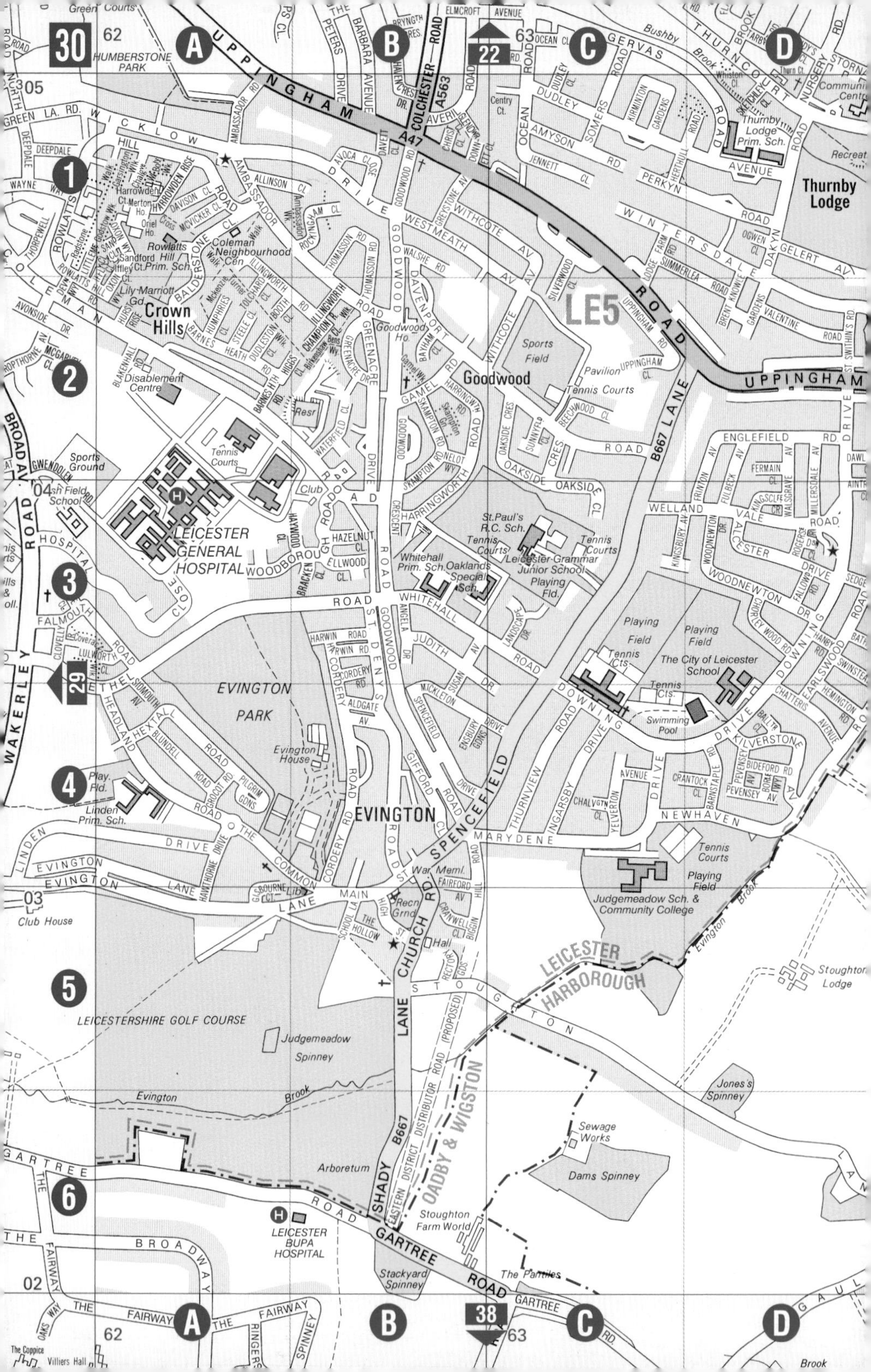

62
63
HUMBERSTONE PARK
A
B
C
D
1
2
3
4
5
6
22
29
38
05
04
03
02
UPPINGHAM ROAD
A47
COLCHESTER ROAD
A563
ELMCROFT AVENUE
GERVAS ROAD
Bushby Brook
THURNCOURT ROAD
Thurnby Lodge Prim. Sch.
Thurnby Lodge
Recreat
Community Centre
WICKLOW DRIVE
GREEN LA. RD.
DEEPDALE
WAYNE WAY
THORPEWELL
ROWLATTS HILL
Rowlatts Hill Prim. Sch.
AMBASSADOR ROAD
ALLINSON CL.
AVOCA CLOSE
GOODWOOD RD
WESTMEATH AV
WITHCOTE AV
DUDLEY HILL
AMYSON RD
PERKYN RD
JENNETT CL.
WINTERSDALE ROAD
SUMMERLEA ROAD
DAKYN RD
GELERT AV
VALENTINE ROAD
Coleman Neighbourhood Cen
Lily Marriott Gd.
Crown Hills
COLEMAN ROAD
AVONSIDE DR
MCGARVEY CL.
Disablement Centre
Goodwood Ho.
Goodwood
LE5
Sports Field
Pavilion
Tennis Courts
UPPINGHAM CL.
B667 LANE
OAKSIDE CRES
ENGLEFIELD RD.
WELLAND VALE ROAD
BROADWAY
GWENDOLEN RD
Sports Ground
Ash Field School
HOSPITAL CLOSE
LEICESTER GENERAL HOSPITAL
Tennis Courts
Resr
Club
WOODBOROUGH ROAD
HAZELNUT CL.
ELLWOOD CL.
Whitehall Prim. Sch.
Oaklands Special Sch.
St.Paul's R.C. Sch.
Leicester Grammar Junior School
Playing Fld.
ALCESTER DRIVE
WOODNEWTON DR
Playing Field
The City of Leicester School
Tennis Cts.
Swimming Pool
DOWNING DRIVE
KILVERSTONE AV
FALMOUTH ROAD
WHITEHALL ROAD
JUDITH DR
SPENCEFIELD LANE
WAKERLEY ROAD
ETHEL ROAD
EVINGTON PARK
Evington House
HEADLAND ROAD
HEXTALL ROAD
PILGRIM GDNS
Play. Fld.
Linden Prim. Sch.
EVINGTON
ST. DENYS ROAD
GOODWOOD ROAD
MARYDENE
NEWHAVEN
Tennis Courts
Playing Field
Judgemeadow Sch. & Community College
LINDEN DRIVE
EVINGTON LANE
THE COMMON
MAIN ST.
HIGH ST.
War Meml.
Recn Grnd
Lib
Hall
Club House
SCHOOL LA
THE HOLLOW
CHURCH RD.
STOUGHTON ROAD
LEICESTER
HARBOROUGH
Evington Brook
Stoughton Lodge
LEICESTERSHIRE GOLF COURSE
Judgemeadow Spinney
Evington Brook
Jones's Spinney
EASTERN DISTRICT DISTRIBUTOR ROAD (PROPOSED)
OADBY & WIGSTON
B667
SHADY LANE
Sewage Works
Dams Spinney
Arboretum
Stoughton Farm World
GARTREE ROAD
LEICESTER BUPA HOSPITAL
Stackyard Spinney
The Pantiles
THE FAIRWAY
BROADWAY
THE RINGERS
SPINNEY
OAKS WAY
The Coppice
Villiers Hall
Brook

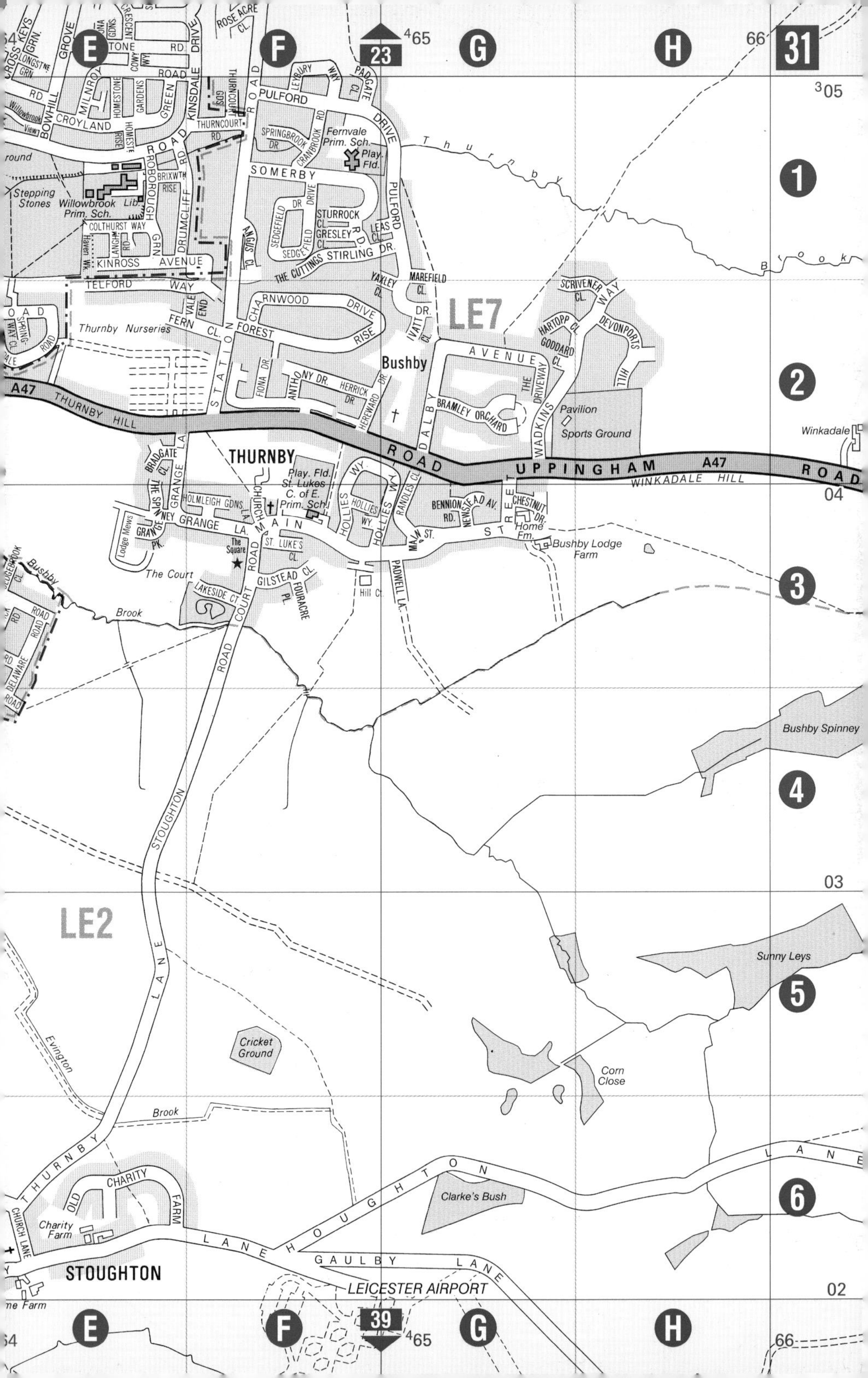
31
23
39
E
F
G
H
1
2
3
4
5
6
LE7
LE2
THURNBY
Bushby
STOUGHTON
LEICESTER AIRPORT
UPPINGHAM ROAD
A47
THURNBY HILL
WINKADALE HILL
Winkadale
Pavilion
Sports Ground
Fernvale Prim. Sch.
Play. Fld.
St. Lukes C. of E. Prim. Sch.
Stepping Stones
Willowbrook Prim. Sch.
Lib.
Thurnby Nurseries
The Square
The Court
Bushby Lodge Farm
Home Fm.
Hill Ct.
Bushby Spinney
Sunny Leys
Corn Close
Cricket Ground
Clarke's Bush
Charity Farm
Thurnby Brook
Bushby Brook
Evington Brook
STOUGHTON LANE
HOUGHTON LANE
GAULBY LANE
THURNBY LANE
STATION ROAD
COURT ROAD
MAIN STREET
GRANGE LA.
PULFORD DRIVE
CHARNWOOD DRIVE
FOREST RISE
SOMERBY
KINROSS AVENUE
TELFORD WAY
DALBY AVENUE
BRAMLEY ORCHARD
THE DRIVEWAY
WADKINS WAY
DEVONPORTS HILL
SCRIVENER CL.
HARTOPP CL.
GODDARD CL.
MAREFIELD CL.
YAXLEY CL.
IVATT CL.
HEREWARD DR.
HERRICK DR.
ANTHONY DR.
FIONA DR.
FERN CL.
VALE END
PADWELL LA.
HOLLIES WY.
RANDLES CL.
BENNION RD.
NEWSTEAD AV.
CHESTNUT DR.
ST. LUKE'S CL.
GILSTEAD CL.
FOURACRE PL.
LAKESIDE CT.
HOLMLEIGH GDNS.
CHURCH LA.
BRADGATE CL.
THE SPINNEY
GRANGE PK.
Lodge Mews
STIRLING DR.
THE CUTTINGS
SEDGEFIELD DR.
STURROCK CL.
GRESLEY CL.
LEAS CL.
ANGUS CL.
SPRINGBROOK DR.
CRANBROOK RD.
LEYBURY WAY
PADGATE CL.
THURNCOURT RD.
KINSDALE DRIVE
ROBOROUGH GRN.
DRUMCLIFF RD.
BRIXWTH RISE
COLTHURST WAY
Haven Wk.
CROYLAND
GREEN ROAD
HOMESTEAD RISE
MILNROY RD.
BOWHILL GROVE
ROSE ACRE CL.
OLD CHARITY FARM
CHURCH LANE
DELAWARE ROAD
SPRINGWAY CL.
Home Farm
465
305
04
03
02
64
66

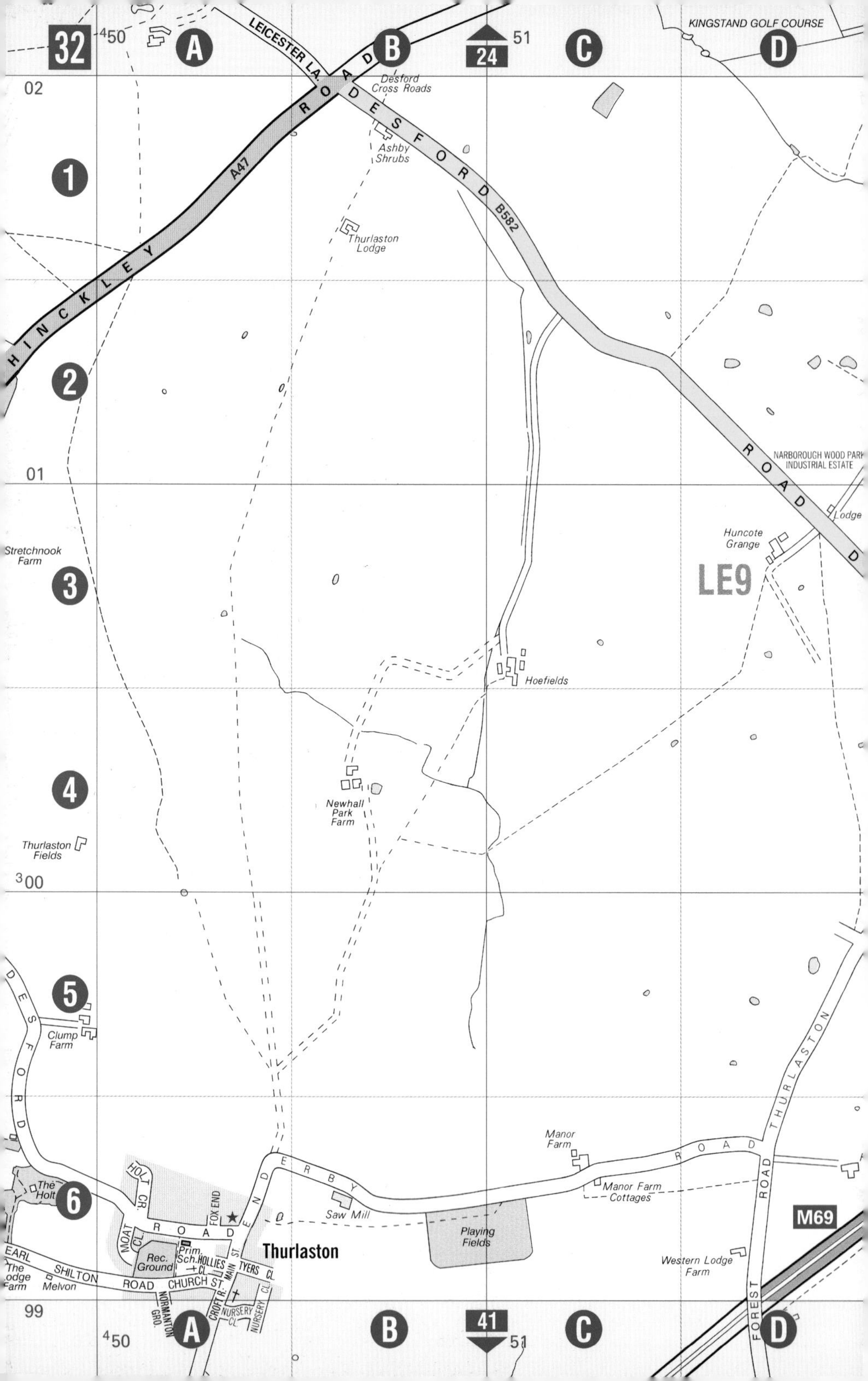

32

450

A

LEICESTER LANE

B
Desford Cross Roads

24

51

C

KINGSTAND GOLF COURSE

D

02

A47

HINCKLEY ROAD

A DESFORD ROAD B582

Ashby Shrubs

1

Thurlaston Lodge

2

ROAD

NARBOROUGH WOOD PARK INDUSTRIAL ESTATE

01

Stretchnook Farm

Lodge

3

Huncote Grange

LE9

Hoefields

4

Newhall Park Farm

Thurlaston Fields

00

5

Clump Farm

THURLASTON ROAD

6

The Holt

HOLT CR.

FOX END

DERBY ROAD

Manor Farm

ROAD

M69

Saw Mill

Manor Farm Cottages

The Lodge Farm

MOAT ROAD

Prim. Sch. HOLLIES CL.

MELVON

Rec. Ground

TYERS CL.

Thurlaston

Playing Fields

Western Lodge Farm

FOREST ROAD

EARL SHILTON ROAD

CHURCH ST.

MAIN ST.

CROFT

NORMANTON GRO.

NURSERY CL.

99

450

A

B

41

51

C

D

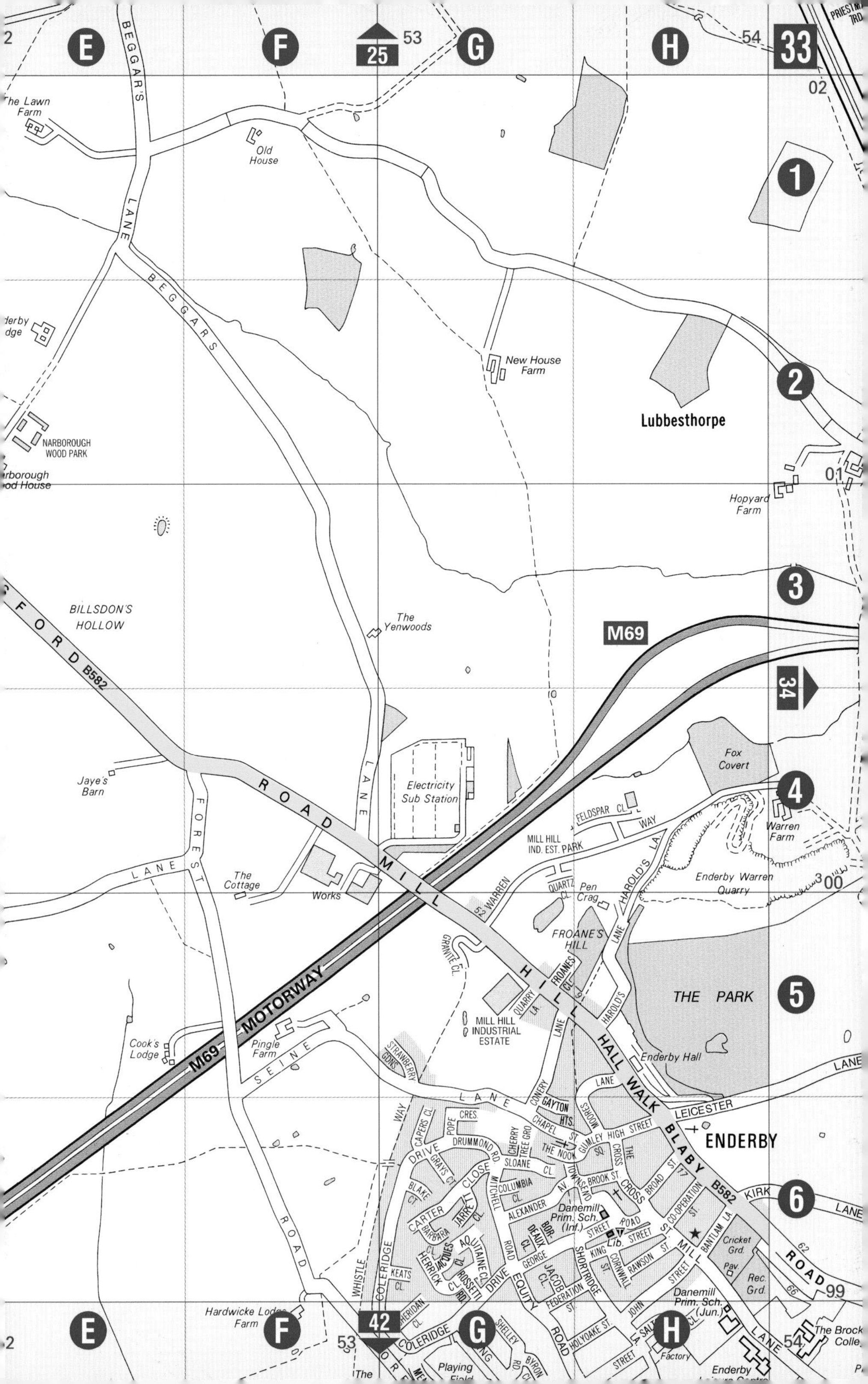

33
25
42
34
E
F
G
H
1
2
3
4
5
6
The Lawn Farm
Old House
New House Farm
Lubbesthorpe
Hopyard Farm
NARBOROUGH WOOD PARK
BILLSDON'S HOLLOW
The Yenwoods
M69
Fox Covert
Warren Farm
Electricity Sub Station
Jaye's Barn
The Cottage
Works
Enderby Warren Quarry
Pen Crag
FROANE'S HILL
THE PARK
MILL HILL INDUSTRIAL ESTATE
MILL HILL IND. EST. PARK
Enderby Hall
ENDERBY
Cook's Lodge
Pingle Farm
M69 MOTORWAY
Danemill Prim. Sch. (Inf.)
Danemill Prim. Sch. (Jun.)
Cricket Grd.
Rec. Grd.
Hardwicke Lodge Farm
Factory
Playing Field
The Brock
BEGGAR'S LANE
BEGGARS LANE
FOREST ROAD
MILL HILL
HALL WALK
BLABY ROAD
LEICESTER LANE
KIRK LANE
SEINE LANE
WARREN
HAROLD'S LANE
FELDSPAR CL.
WAY
QUARTZ CL.
GRANITE CL.
STRAWBERRY GDNS.
FROANES CL.
QUARRY LA.
GAYTON HTS.
CONERY
CHAPEL ST.
MOORES
GUMLEY SQ.
HIGH STREET
CROSS STREET
BROAD ST.
CO-OPERATION ST.
THE NOOK
TOWNSEND
BROOK ST.
CHERRY TREE GRO.
SLOANE CL.
COLUMBIA CL.
MITCHELL
ALEXANDER AV.
DRUMMOND RD.
CAPERS CL.
POPE CRES.
GRAY'S CT.
BLAKE CT.
CLOSE
CARTER
BARBARA
JARRETT CL.
JACQUES CL.
AQUITAINE CL.
ROSSETTI RD.
HERRICK
KEATS CL.
COLERIDGE DRIVE
WHISTLE WAY
SHERIDAN
DEAUX CL.
BOR. CL.
GEORGE
EQUITY ROAD
JACOB CL.
FEDERATION ST.
SHORTRIDGE ST.
KING ST.
CORNWALL
RAWSON ST.
MILL STREET
BANTLAM LA.
JOHN
SALT
HOLYOAKE ST.
SHELLEY
BYRON
Lib.

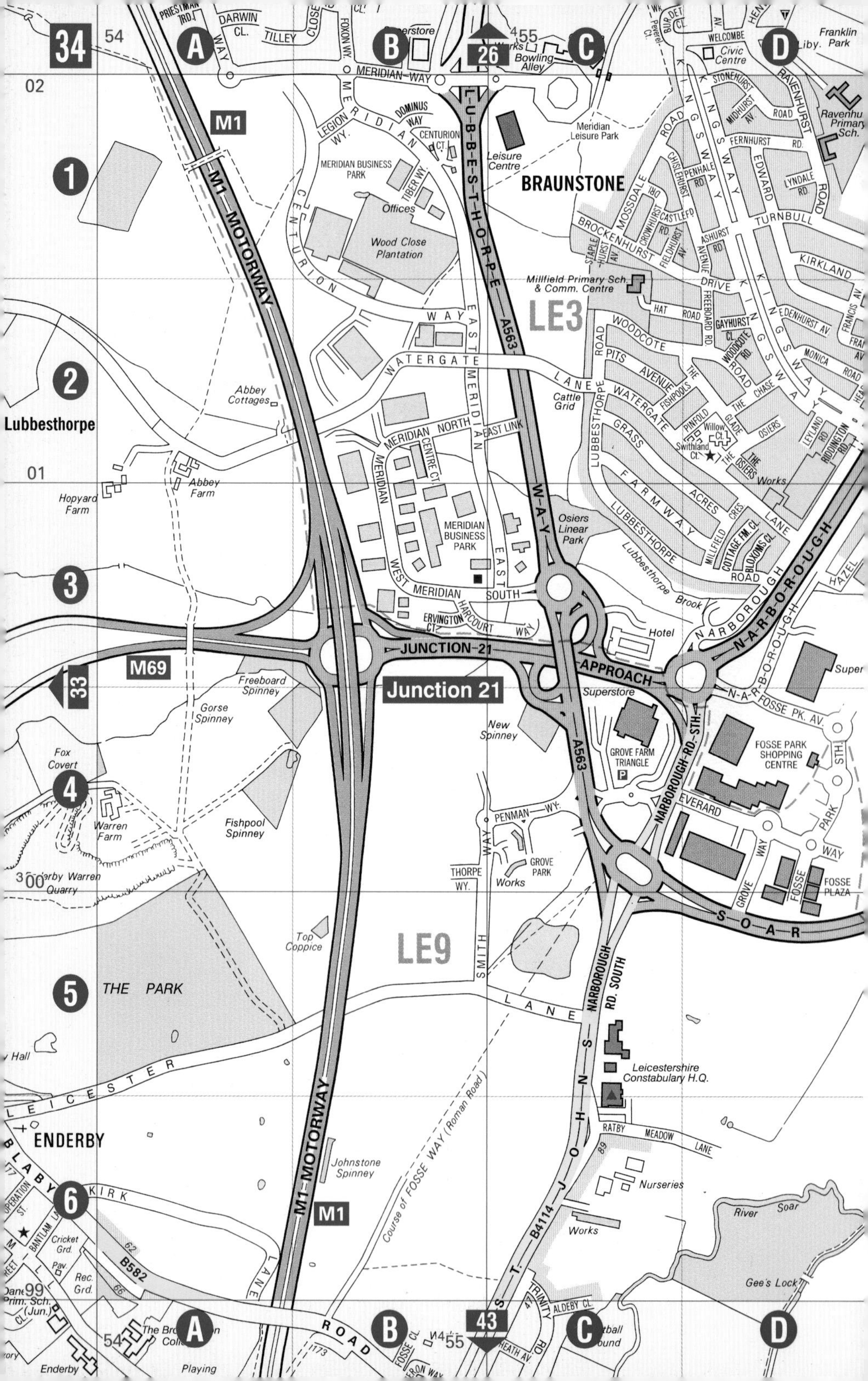
BRAUNSTONE
LE3
Lubbesthorpe
LE9
ENDERBY
M1 MOTORWAY
M69
Junction 21
JUNCTION 21 APPROACH
MERIDIAN WAY
MERIDIAN BUSINESS PARK
Wood Close Plantation
Offices
Leisure Centre
Meridian Leisure Park
Bowling Alley
Superstore
LUBBESTHORPE WAY
A563
WATERGATE LANE
Abbey Cottages
Abbey Farm
Hopyard Farm
Millfield Primary Sch. & Comm. Centre
Osiers Linear Park
Lubbesthorpe Brook
Hotel
Freeboard Spinney
Gorse Spinney
Fox Covert
Warren Farm
Fishpool Spinney
New Spinney
GROVE FARM TRIANGLE
FOSSE PARK SHOPPING CENTRE
FOSSE PLAZA
NARBOROUGH ROAD SOUTH
SOAR VALLEY WAY
Top Coppice
THE PARK
LEICESTER LANE
Leicestershire Constabulary H.Q.
RATBY MEADOW LANE
Nurseries
Works
Johnstone Spinney
Course of FOSSE WAY (Roman Road)
ST. JOHNS
B4114
B582
River Soar
Gee's Lock
Cricket Grd.
Rec. Grd.
Civic Centre
Franklin Park
KINGSWAY
26
33
43

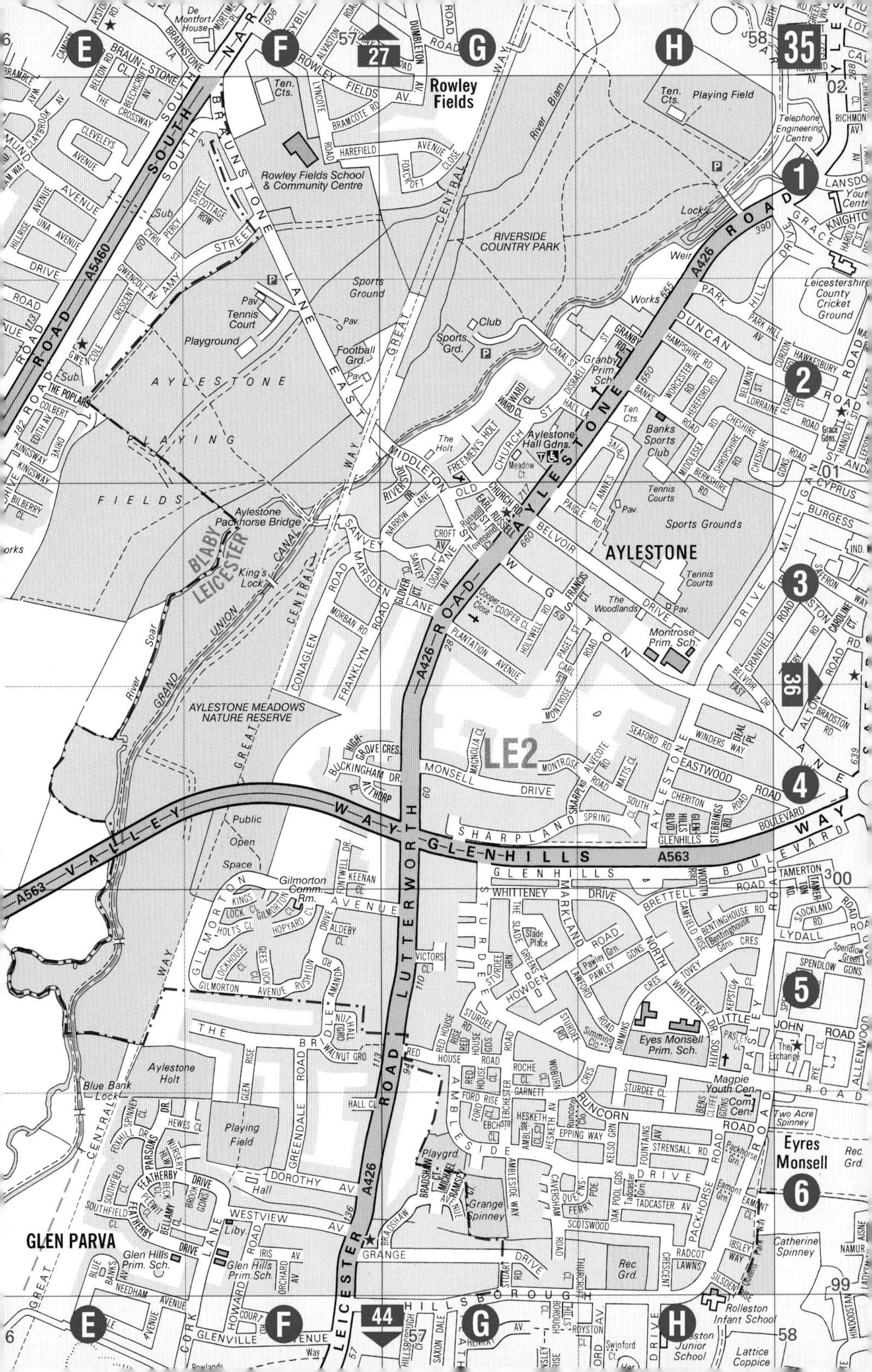

35
27
36
44
E
F
G
H
1
2
3
4
5
6
Rowley Fields
Rowley Fields School & Community Centre
RIVERSIDE COUNTRY PARK
Sports Ground
AYLESTONE PLAYING FIELDS
Aylestone Packhorse Bridge
King's Lock
BLABY
LEICESTER
GRAND UNION CANAL
River Soar
River Biam
AYLESTONE MEADOWS NATURE RESERVE
Public Open Space
Aylestone Hall Gdns.
Granby Prim. Sch.
Banks Sports Club
Sports Grounds
AYLESTONE
Montrose Prim. Sch.
Leicestershire County Cricket Ground
Telephone Engineering Centre
LE2
A426 AYLESTONE ROAD
A426 LUTTERWORTH ROAD
LEICESTER ROAD
A563 VALLEY WAY
A563 GLENHILLS WAY
GLENHILLS BOULEVARD
A5460 SOUTH ROAD
SOUTH NARBOROUGH ROAD
BRAUNSTONE LANE EAST
GREAT CENTRAL WAY
WIGSTON ROAD
MILLIGAN DRIVE
BELVOIR DRIVE EAST
SAFFRON LANE
EASTWOOD ROAD
MONSELL DRIVE
SHARPLAND
WHITTENEY DRIVE
MARKLAND ROAD
AMBLESIDE DRIVE
RUNCORN ROAD
PACKHORSE ROAD
HILLSBOROUGH ROAD
GRANGE DRIVE
Gilmorton Comm. Rm.
GILMORTON AVENUE
Eyes Monsell Prim. Sch.
Magpie Youth Cen.
Com. Cen.
Eyres Monsell
The Exchange
Two Acre Spinney
Catherine Spinney
Grange Spinney
Aylestone Holt
Blue Bank Lock
Playing Field
GLEN PARVA
Glen Hills Prim. Sch.
Rolleston Infant School
Rolleston Junior School
Lattice Coppice

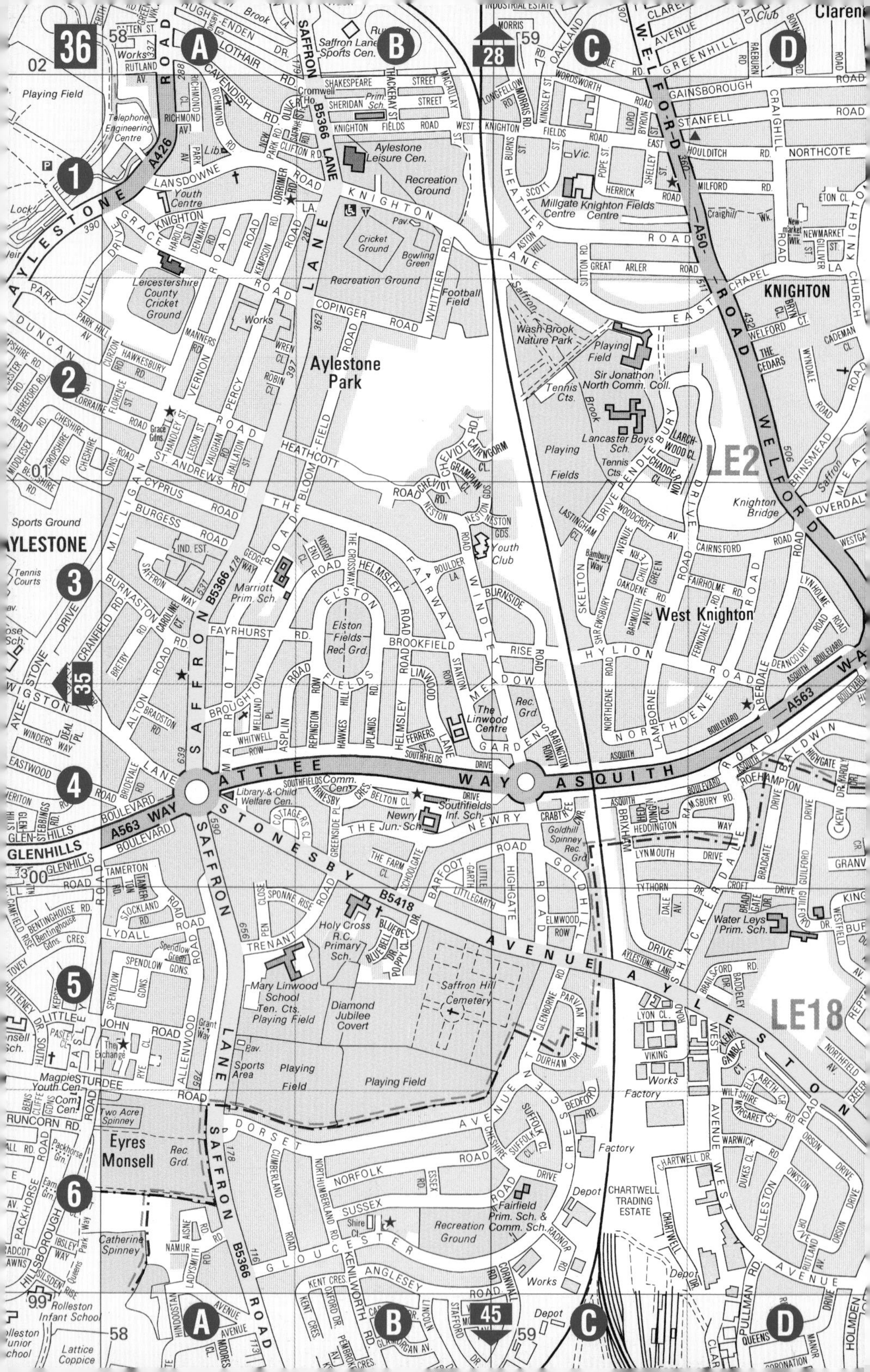
36
A
B
C
D
28
1
2
3
4
5
6
35
45
58
59
02
01
00
99
Playing Field
Telephone Engineering Centre
AYLESTONE
A426
LANSDOWNE ROAD
Youth Centre
Leicestershire County Cricket Ground
Saffron Lane Sports Cen.
Aylestone Leisure Cen.
Recreation Ground
Cricket Ground
Bowling Green
Football Field
Aylestone Park
KNIGHTON
Knighton Bridge
LE2
LE18
WELFORD ROAD
A50
Millgate Centre
Knighton Fields Centre
Wash Brook Nature Park
Sir Jonathon North Comm. Coll.
Lancaster Boys Sch.
Playing Fields
Tennis Cts.
West Knighton
Youth Club
Marriott Prim. Sch.
Elston Fields Rec. Grd.
The Linwood Centre
Rec. Grd.
ATTLEE WAY
ASQUITH WAY
A563
Library & Child Welfare Cen.
Southfields Comm. Cen.
Southfields Inf. Sch.
Newry Jun. Sch.
Goldhill Spinney Rec. Grd.
STONESBY AVENUE
B5418
AYLESTONE
Holy Cross R.C. Primary Sch.
Mary Linwood School
Diamond Jubilee Covert
Saffron Hill Cemetery
Water Leys Prim. Sch.
Sports Area
Playing Field
Eyres Monsell
Two Acre Spinney
Catherine Spinney
Rolleston Infant School
Fairfield Prim. Sch. & Comm. Sch.
Recreation Ground
CHARTWELL TRADING ESTATE
Factory
Works
Depot
SAFFRON LANE
B5366
SAFFRON ROAD
GLENHILLS
Sports Ground
DORSET AVENUE
GLOUCESTER CRES
NORFOLK RD.
SUSSEX
KENILWORTH RD.
ANGLESEY ROAD
CORNWALL
ROLLESTON
PULLMAN RD.

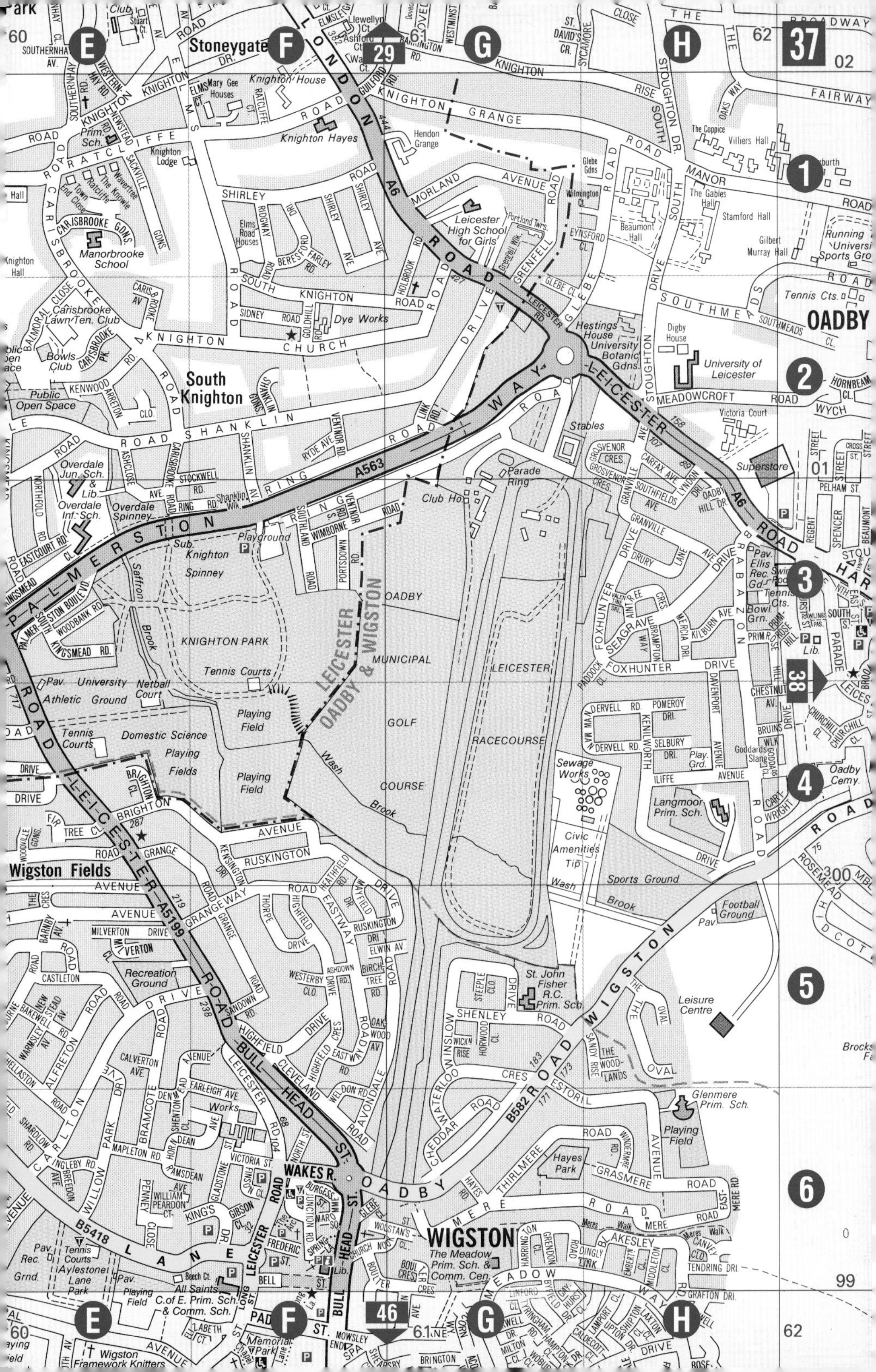
37
29
46
38
E
F
G
H
1
2
3
4
5
6
60
61
62
02
01
99
Stoneygate
South Knighton
OADBY
Wigston Fields
WIGSTON
LONDON ROAD
A6
LEICESTER ROAD
RING ROAD
PALMERSTON WAY
A563
PALMERSTON BOULEVD.
LEICESTER ROAD
A5199
BULL HEAD ST.
OADBY RD.
WIGSTON ROAD
B582
B5418
LANE
KNIGHTON ROAD
KNIGHTON GRANGE ROAD
KNIGHTON RISE
KNIGHTON CHURCH ROAD
SOUTH KNIGHTON ROAD
RATCLIFFE ROAD
CARISBROOKE ROAD
SHANKLIN ROAD
STOUGHTON DRIVE SOUTH
STOUGHTON ROAD
MANOR ROAD
SOUTHMEADS ROAD
MEADOWCROFT ROAD
GLEBE ROAD
MORLAND AVENUE
SHIRLEY ROAD
GRANVILLE AVE
GRANVILLE ROAD
FOXHUNTER DRIVE
BRABAZON ROAD
ILIFFE AVENUE
GRANGE ROAD
RUSKINGTON AVENUE
KENSINGTON DRI
HIGHFIELD DRIVE
THIRLMERE ROAD
GRASMERE ROAD
MERE ROAD
MEADOW WAY
SHENLEY ROAD
WATERLOO CRES
CHEDDAR ROAD
ESTORIL AVENUE
HAYES RD.
KING'S DR.
FREDERIC ST.
BELL ST.
LONG ST.
Knighton House
Knighton Hayes
Hendon Grange
Knighton Lodge
Mary Gee Houses
Manorbrooke School
Carisbrooke Lawn Ten. Club
Bowls Club
Public Open Space
Leicester High School for Girls
Dye Works
Hestings House
University Botanic Gdns.
University of Leicester
Digby House
Beaumont Hall
Stamford Hall
The Gables Hall
Villiers Hall
The Coppice
Gilbert Murray Hall
Victoria Court
Superstore
Stables
Parade Ring
Club Ho.
Overdale Jun. Sch. & Lib.
Overdale Inf. Sch.
Overdale Spinney
Knighton Spinney
Playground
KNIGHTON PARK
Tennis Courts
Playing Field
Saffron Brook
University Athletic Ground
Netball Court
Domestic Science Playing Fields
LEICESTER
OADBY & WIGSTON
OADBY MUNICIPAL GOLF COURSE
Wash Brook
LEICESTER RACECOURSE
Sewage Works
Civic Amenities Tip
Sports Ground
Football Ground
Leisure Centre
Langmoor Prim. Sch.
St. John Fisher R.C. Prim. Sch.
Glenmere Prim. Sch.
Hayes Park
Recreation Ground
Works
The Meadow Prim. Sch. & Comm. Cen.
All Saints C.of E. Prim. Sch. & Comm. Sch.
Aylestone Lane Park
Memorial Park
Wigston Framework Knitters
Oadby Cemy.
Ellis Rec. Gd.
Running Universi Sports Gro
Tennis Cts.
WAKES R.

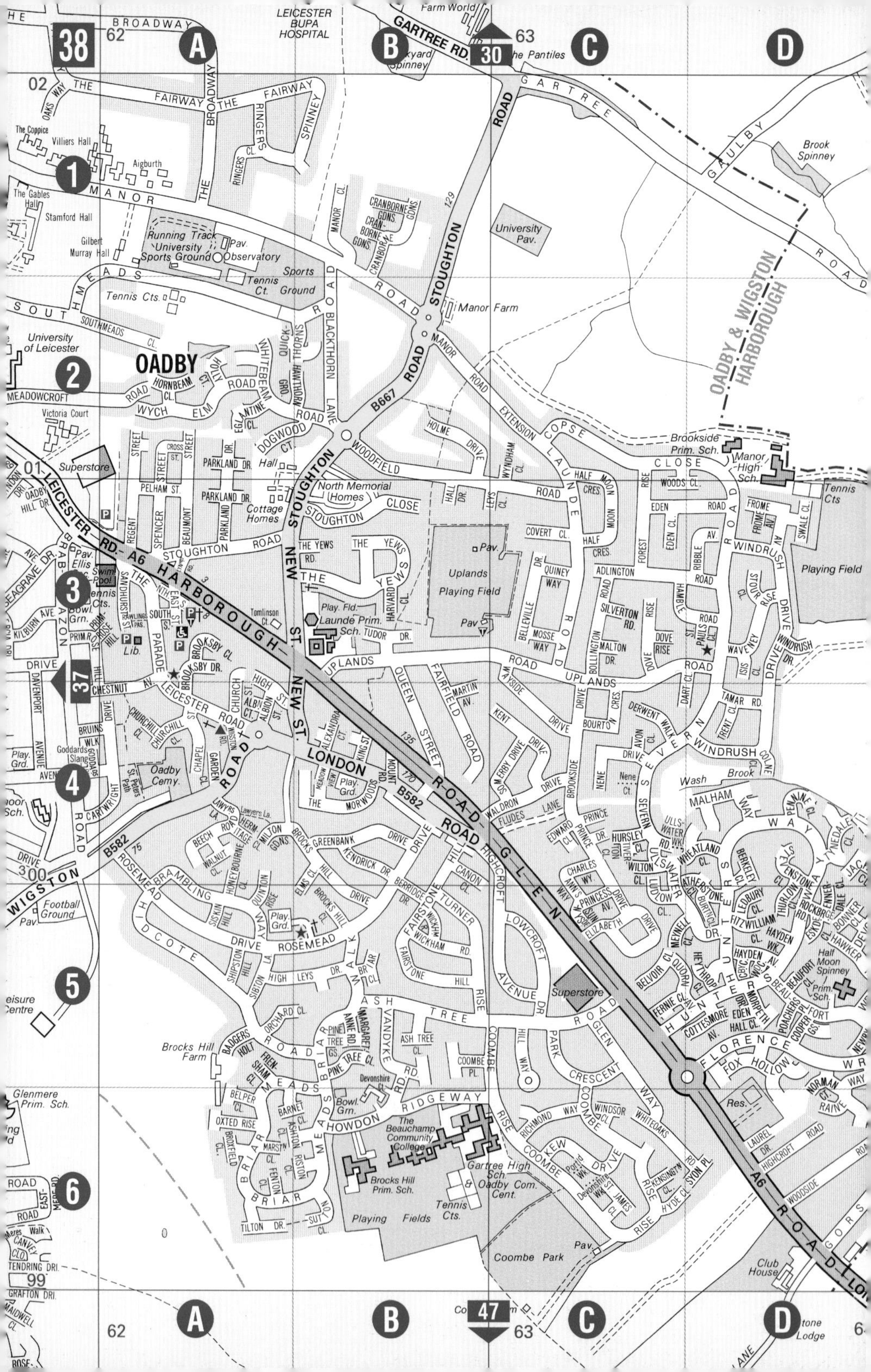
38
A
B
C
D
1
2
3
4
5
6
62
63
02
01
300
99
30
37
47
OADBY
OADBY & WIGSTON HARBOROUGH
LEICESTER BUPA HOSPITAL
Farm World
The Pantiles
GARTREE RD.
BROADWAY
THE FAIRWAY
OAKS WAY
RINGERS
RINGERS CL.
SPINNEY
The Coppice
Villiers Hall
Aigburth
The Gables Hall
Stamford Hall
Gilbert Murray Hall
MANOR
Running Track
University Sports Ground
Pav.
Observatory
Tennis Ct.
Sports Ground
Tennis Cts.
SOUTHMEADS
SOUTHMEADS CL.
University of Leicester
MANOR CL.
CRANBORNE GDNS.
University Pav.
STOUGHTON ROAD
Manor Farm
Brook Spinney
GAULBY
GARTREE ROAD
MEADOWCROFT
HORNBEAM CL.
HOLLY CL.
WYCH ELM ROAD
Victoria Court
WHITEBEAM
QUICKTHORNS
HAWTHORN GRO.
BLACKTHORN LANE
EGLANTINE CL.
DOGWOOD CT.
B667
MANOR ROAD EXTENSION
HOLME DRIVE
WYNDHAM CL.
COPSE CLOSE
LAUNDE ROAD
HALF MOON CRES.
Brookside Prim. Sch.
Manor High Sch.
Tennis Cts
Superstore
LEICESTER RD. A6 HARBOROUGH ROAD
PARKLAND DR.
PELHAM ST.
WOODFIELD
North Memorial Homes
STOUGHTON CLOSE
Cottage Homes
Hall
HALL DR.
LEYS CL.
WOODS CL.
EDEN ROAD
FROME AV.
SWALE CL.
EDEN CL.
RIBBLE AV.
WINDRUSH
Playing Field
REGENT
SPENCER
BEAUMONT
STOUGHTON ROAD
THE YEWS
Uplands Playing Field
COVERT CL.
QUINEY WAY
ADLINGTON ROAD
SILVERTON RD.
HAMBLE
STOUR RISE
Pav. Ellis
Swim. Pool
Tennis Cts.
Bowl. Grn.
SEAGRAVE DR.
KILBURN AVE
Lib.
THE PARADE
Tomlinson Ct.
Play. Fld.
Launde Prim. Sch.
HARVARD CL.
TUDOR DR.
BELLEVILLE DR.
MOSSE WAY
BOLLINGTON ROAD
MALTON DR.
DOVE RISE
PAULS CL.
WAVENEY
WINDRUSH DR.
UPLANDS ROAD
DAVENPORT AVENUE
CHESTNUT AV.
BROOKSBY DR.
BROOKSBY CL.
CHURCH ST.
HIGH ST.
ALBION ST.
QUEEN STREET
FAIRFIELD ROAD
MARTIN AV.
KENT DRIVE
WAYSIDE DRIVE
BOURTON CRES.
DERWENT WALK
DART CL.
TAMAR RD.
ISIS CL.
TRENT CL.
CHURCHILL CL.
BRUINS WLK
Goddards Slang
Play. Grd.
ALEXANDRA CT.
KING ST.
NEW ST.
LONDON ROAD
MOUNT RD.
SOMERBY DRIVE
AVON DRIVE
SEVERN
WINDRUSH
COLNE
Oadby Cemy.
St. Peters Path
CHAPEL ST.
GARDEN ST.
CARTWRIGHT
MEADOW VIEW
THE MORWOODS
B582
GLEN ROAD
WALDRON DRIVE
FLUDES LANE
BROOKSIDE
NENE
Nene Ct.
Wash Brook
MALHAM WAY
PENNINE CL.
TYNEDALE
Lawyers La.
BEECH
WALNUT CL.
HERMITAGE
MILTON GDNS.
GREENBANK DRIVE
KENDRICK DR.
BROCKS HILL
HIGHCROFT
CANON CL.
EDWARD CL.
PRINCE DR.
CHARLES WY.
HURSLEY CL.
WILTON CL.
ULLSWATER DR.
WHEATLAND CL.
BERKELEY CL.
WIGSTON ROAD
Football Ground
Pav.
ROSEMEAD
BRAMBLING WAY
HONEYBOURNE CL.
QUINTON RISE
SISKIN HILL
ELMS CL.
BROCKS HILL CL.
BERRIDGE DR.
FAIRSTONE
TURNER
WICKHAM RD.
LOWCROFT
PRINCESS AV.
ELIZABETH DRIVE
LUDLOW CL.
ATHERSTONE
BURTON CL.
LEDBURY CL.
FITZWILLIAM CL.
HAYDEN WK.
THURLOW
ROCKBRIDGE RD.
HIDCOTE
ROSEMEAD DRIVE
SHIPSTON HILL
SIBTON LA.
HIGH LEYS DR.
WALK
BRIAR CL.
FAIRSTONE HILL
RISE
AVENUE
Superstore
BELVOIR CL.
QUORN
HEYTHROP
MEYNELL CL.
HUNTERS
MORPETH
BEAUFORT
Half Moon Spinney
Prim. Sch.
Leisure Centre
Glenmere Prim. Sch.
Brocks Hill Farm
BADGERS HOLT
ORCHARD CL.
ASH TREE ROAD
PINE TREE GS
ANNE RD.
MARGARET CL.
VANDYKE RD.
ASH TREE CL.
COOMBE PL.
COOMBE RISE
HILL WAY
GLEN PARK
CRESCENT
WAY
FERNIE CL.
COTTESMORE AV.
EDEN HALL CL.
POACHERS
COOPER GST.
FLORENCE
FOX HOLLOW
NORMAN CT.
RAINE
FRENSHAM CL.
MEADS
BELPER CL.
BARNET
Devonshire CL.
Bowl. Grn.
RIDGEWAY
HOWDON
The Beauchamp Community College
RICHMOND WAY
WINDSOR CL.
COOMBE
WHITEOAKS
Res.
LAUREL DR.
HIGHCROFT ROAD
OXTED RISE
BROXFIELD
BRIAR
ASHTON
RISTON
MARSTON CL.
FENTON
Brocks Hill Prim. Sch.
Gartree High Sch. & Oadby Com. Cent.
Tennis Cts.
KEW DRIVE
ST. JAMES
KENSINGTON
SYON PL.
HYDE CL.
A6 ROAD
WOODSIDE
GORSE
EAST-MERE RD.
TENDRING DRI.
GRAFTON DRI.
MAIDWELL CL.
CANVEY CLO.
Playing Fields
TILTON DR.
SUTTON CL.
Coombe Park
Pav.
Club House
Stone Lodge
LANE
ROSE

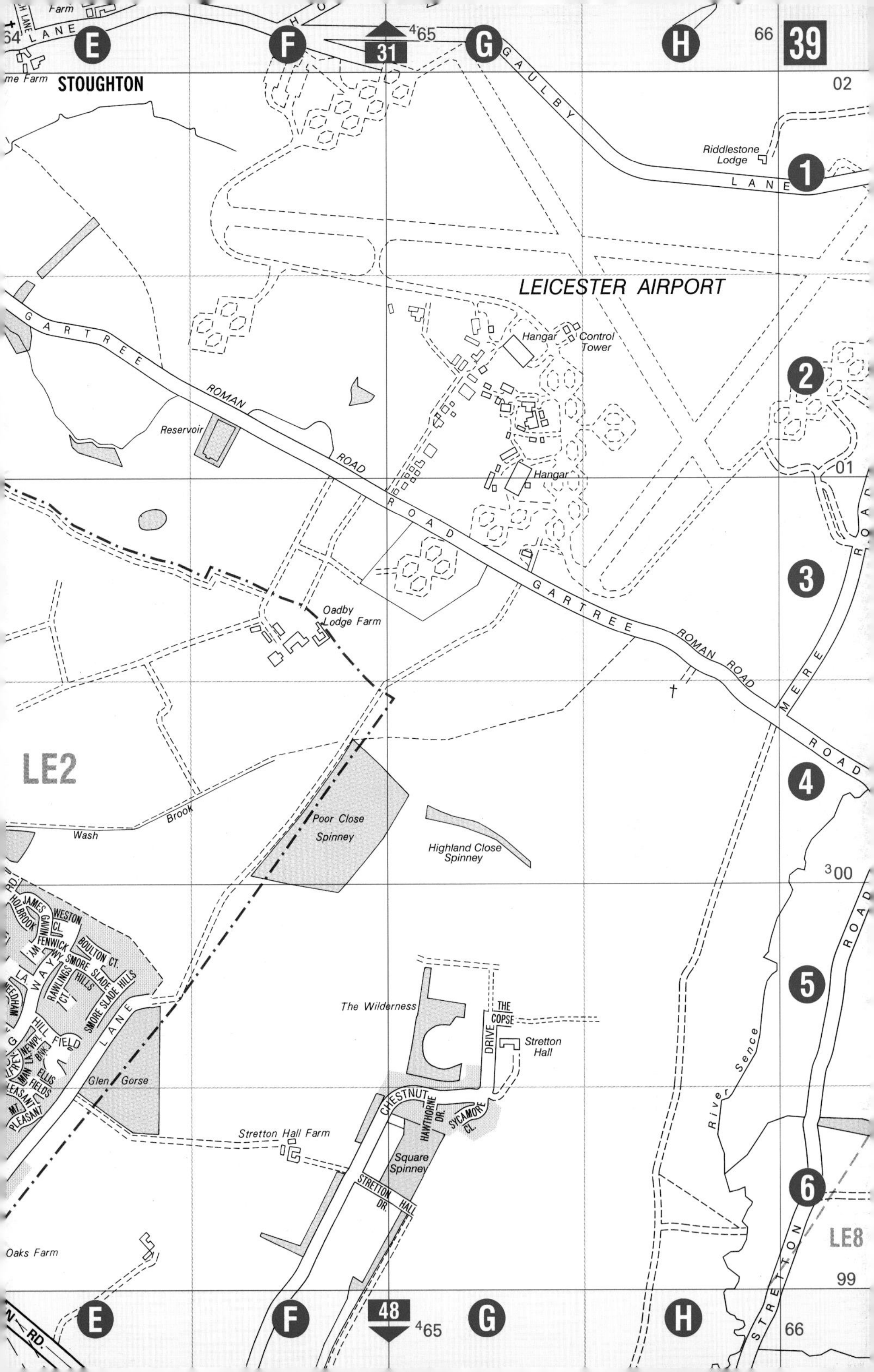
39
31
48
E
F
G
H
1
2
3
4
5
6
465
66
02
01
300
99
STOUGHTON
LEICESTER AIRPORT
GAULBY
LANE
Riddlestone Lodge
Hangar
Control Tower
Hangar
GARTREE ROMAN ROAD
Reservoir
Oadby Lodge Farm
MERE ROAD
LE2
LE8
Wash Brook
Poor Close Spinney
Highland Close Spinney
The Wilderness
THE COPSE
DRIVE
Stretton Hall
CHESTNUT
HAWTHORNE DR.
SYCAMORE CL.
Square Spinney
STRETTON HALL DR.
Stretton Hall Farm
Glen Gorse
Oaks Farm
River Sence
STRETTON
ROAD
JAMES
HOLBROOK
WESTON CL.
GAVIN
FENWICK
BOULTON CT.
SMORE SLADE HILLS
RAWLINGS CT.
WAY
FIELD
ELLIS
FIELDS
MT PLEASANT
LANE
Farm

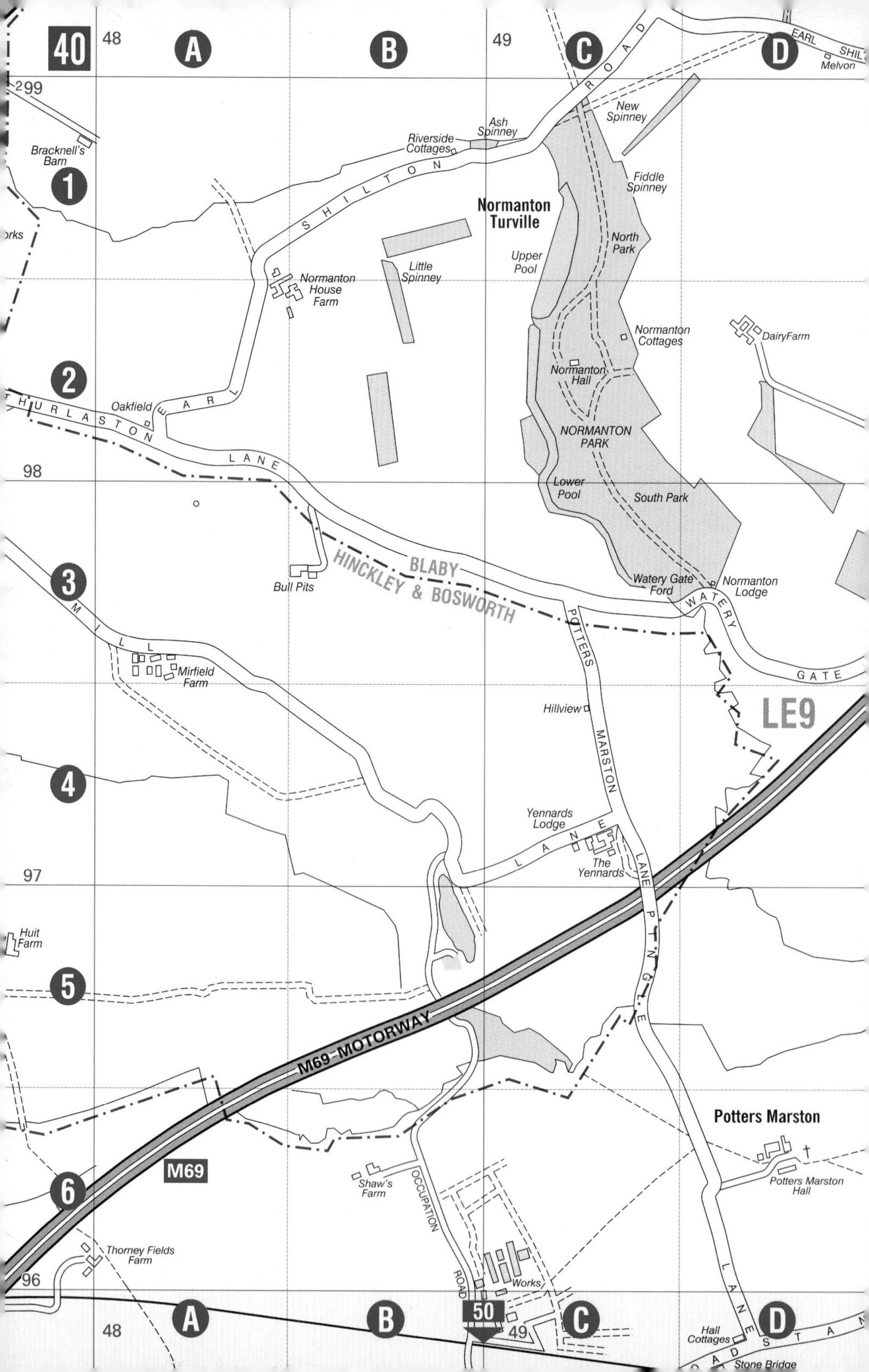

48
A
B
49
C
D
299
ROAD
EARL
SHILT
Melvon
Bracknell's Barn
Riverside Cottages
Ash Spinney
SHILTON
New Spinney
Fiddle Spinney
Normanton Turville
North Park
Upper Pool
Little Spinney
Normanton House Farm
Normanton Cottages
DairyFarm
Normanton Hall
Oakfield
EARL
THURLASTON
NORMANTON PARK
LANE
98
Lower Pool
South Park
BLABY
HINCKLEY & BOSWORTH
Bull Pits
Watery Gate Ford
Normanton Lodge
WATERY
GATE
MILL
POTTERS
Mirfield Farm
Hillview
LE9
MARSTON
Yennards Lodge
LANE
The Yennards
97
LANE
PINGLE
Huit Farm
M69 MOTORWAY
M69
Potters Marston
Shaw's Farm
OCCUPATION
ROAD
Potters Marston Hall
Thorney Fields Farm
Works
96
48
50
49
Hall Cottages
STAN
ROAD
Stone Bridge
1
2
3
4
5
6

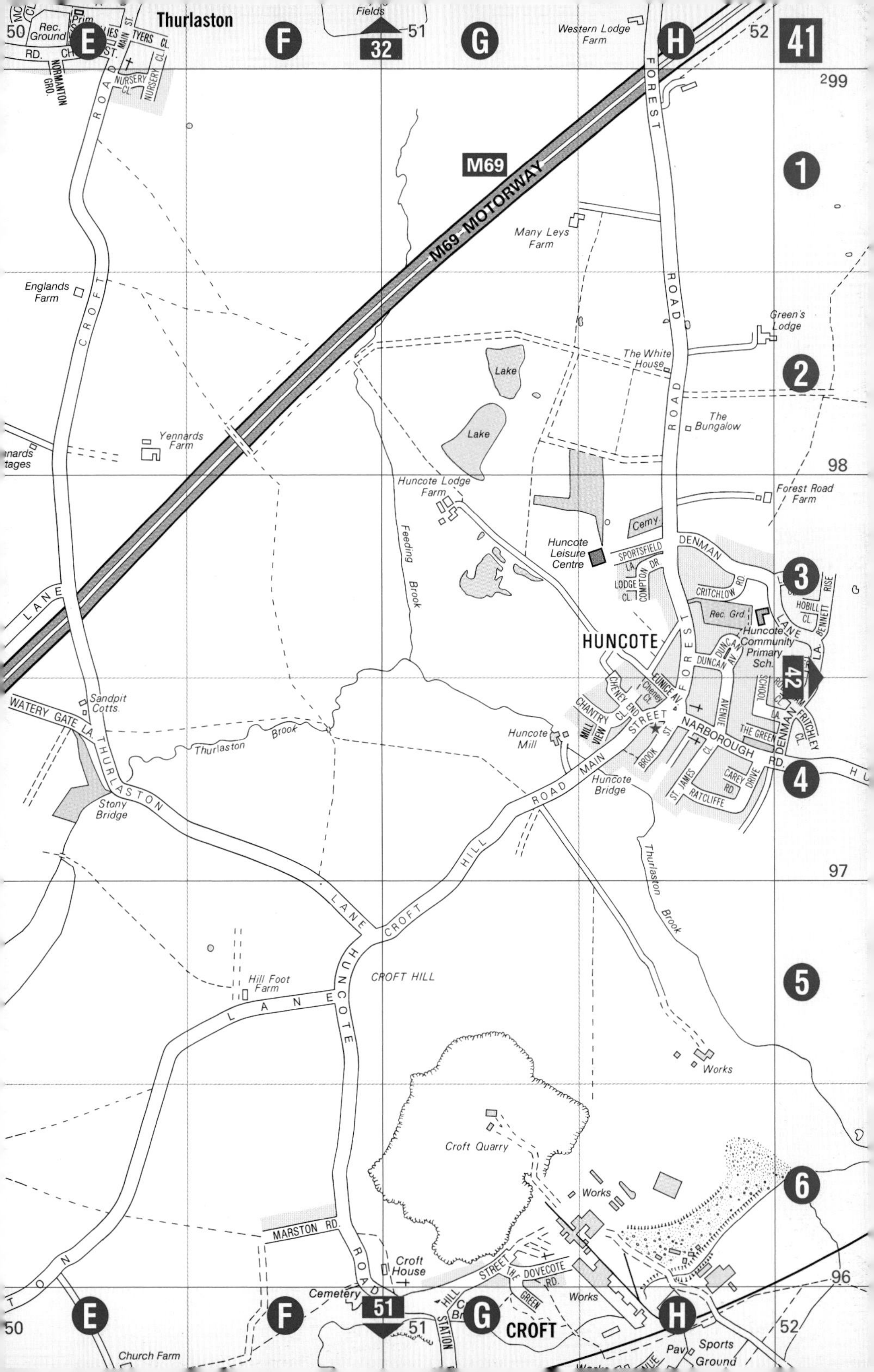

Thurlaston
Rec. Ground
NORMANTON GRO.
TYERS CL.
NURSERY CL.
Fields
32
Western Lodge Farm
M69
M69 MOTORWAY
FOREST ROAD
CROFT ROAD
Englands Farm
Many Leys Farm
Green's Lodge
The White House
Lake
The Bungalow
Yennards Farm
Huncote Lodge Farm
Forest Road Farm
Cemy.
Huncote Leisure Centre
SPORTSFIELD LA.
LODGE CL.
COMPTON DR.
DENMAN LANE
CRITCHLOW RD.
HOBILL CL.
BENNETT RISE
Rec. Grd.
Huncote Community Primary Sch.
HUNCOTE
DUNCAN AV.
EUNICE AV.
CHENEY CL.
Cheney Cl.
CHANTRY CL.
MILL VIEW
MAIN STREET
NARBOROUGH RD.
AVENUE
SCHOOL LA.
THE GREEN
FRITCHLEY CL.
BROOK ST.
ST. JAMES CL.
CAREY RD.
DRIVE
RATCLIFFE
Huncote Mill
Huncote Bridge
42
Sandpit Cotts.
WATERY GATE LA.
THURLASTON LANE
Thurlaston Brook
Feeding Brook
Stony Bridge
CROFT HILL ROAD
HUNCOTE LANE
CROFT HILL
Hill Foot Farm
Works
Croft Quarry
MARSTON RD.
Croft House
HILL STREET
DOVECOTE RD.
THE GREEN
Cemetery
51
STATION
CROFT
Sports Ground
Pav.
Church Farm
E
F
G
H
1
2
3
4
5
6
50
51
52
299
98
97
96

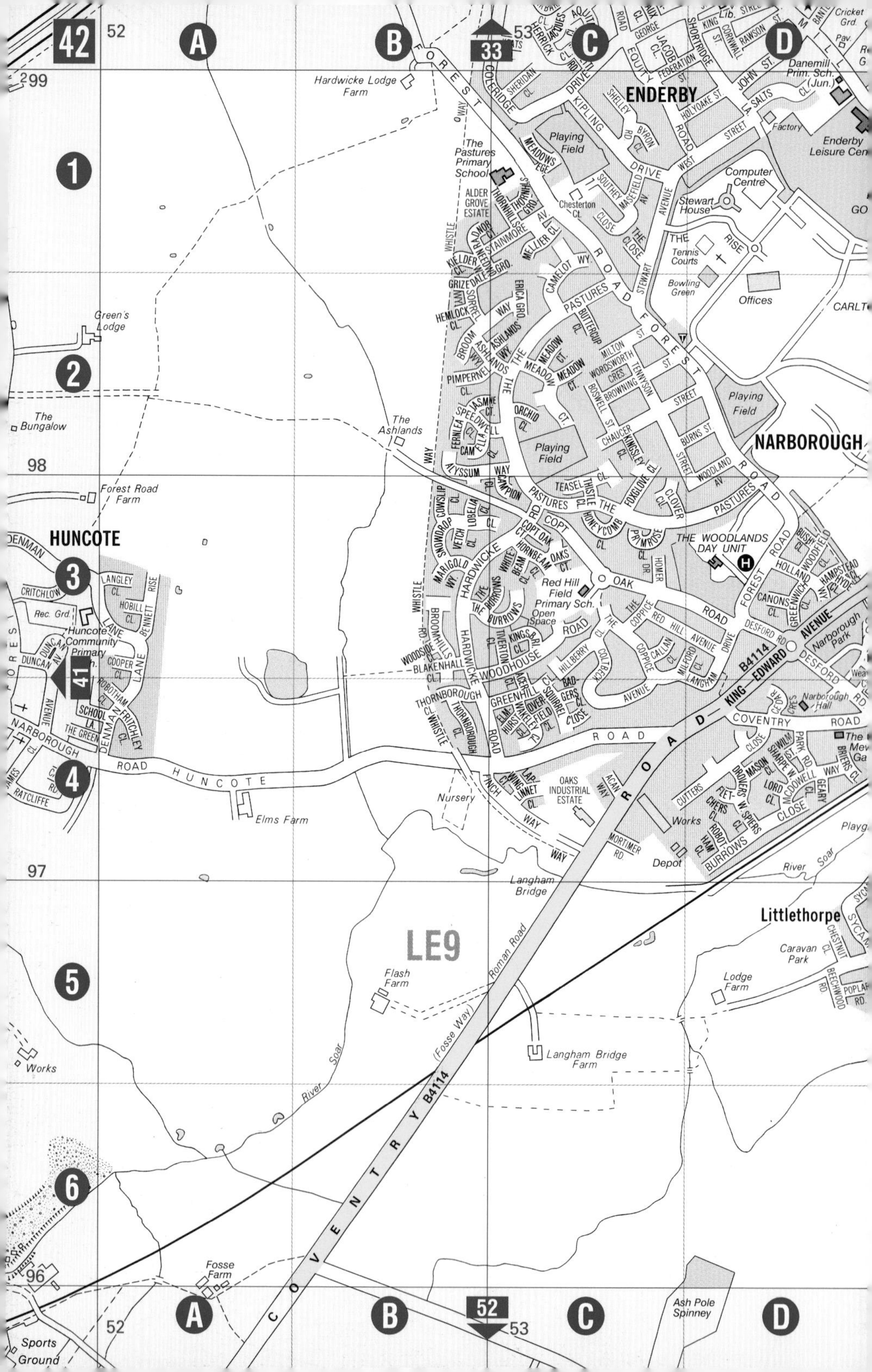
ENDERBY
NARBOROUGH
HUNCOTE
Littlethorpe
LE9
Hardwicke Lodge Farm
The Pastures Primary School
Green's Lodge
The Bungalow
The Ashlands
Forest Road Farm
Huncote Community Primary Sch.
Red Hill Field Primary Sch.
THE WOODLANDS DAY UNIT
Danemill Prim. Sch. (Jun.)
Enderby Leisure Cen
Computer Centre
Stewart House
Tennis Courts
Bowling Green
Offices
Playing Field
Narborough Park
Narborough Hall
Elms Farm
Nursery
OAKS INDUSTRIAL ESTATE
Works
Depot
Langham Bridge
Flash Farm
Roman Road (Fosse Way)
COVENTRY B4114
River Soar
Caravan Park
Lodge Farm
Langham Bridge Farm
Fosse Farm
Ash Pole Spinney
Sports Ground
FOREST ROAD
KING EDWARD AVENUE
HUNCOTE ROAD
NARBOROUGH ROAD
COVENTRY ROAD
THE PASTURES
HARDWICKE RD.
OAK ROAD
33
41
52
A B C D
1 2 3 4 5 6
52 53 96 97 98 99

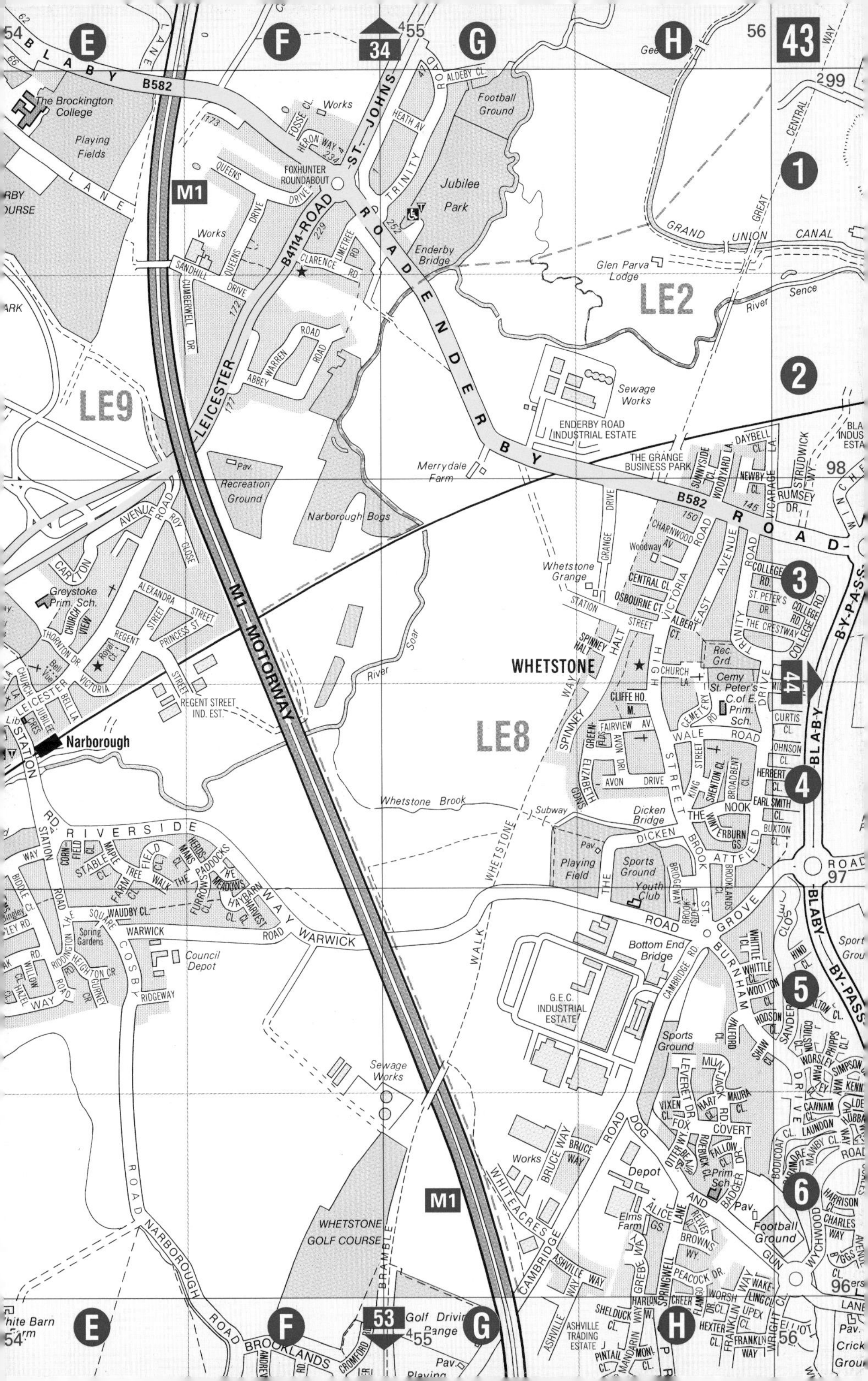
43
34
53
44
E
F
G
H
1
2
3
4
5
6
54
55
56
299
98
97
96
LE2
LE8
LE9
M1
M1 MOTORWAY
BLABY B582
The Brockington College
Playing Fields
FOXHUNTER ROUNDABOUT
ST. JOHNS
B4114 ROAD
LEICESTER
ENDERBY ROAD
B582 ROAD
Football Ground
Jubilee Park
Enderby Bridge
GRAND UNION CANAL
Glen Parva Lodge
River Sence
Sewage Works
ENDERBY ROAD INDUSTRIAL ESTATE
THE GRANGE BUSINESS PARK
Merrydale Farm
Recreation Ground
Narborough Bogs
River Soar
Whetstone Grange
WHETSTONE
Greystoke Prim. Sch.
REGENT STREET IND. EST.
Narborough
Whetstone Brook
RIVERSIDE
WARWICK ROAD
Spring Gardens
Council Depot
Dicken Bridge
Playing Field
Sports Ground
Youth Club
Bottom End Bridge
G.E.C. INDUSTRIAL ESTATE
Sports Ground
Works
Depot
Elms Farm
Football Ground
WHETSTONE GOLF COURSE
ASHVILLE TRADING ESTATE
Golf Driving Range
BLABY BY-PASS
BROOKLANDS
NARBOROUGH ROAD
COSBY ROAD
WHITEACRES
CAMBRIDGE ROAD
DOG AND GUN LANE
BURNHAM DRIVE

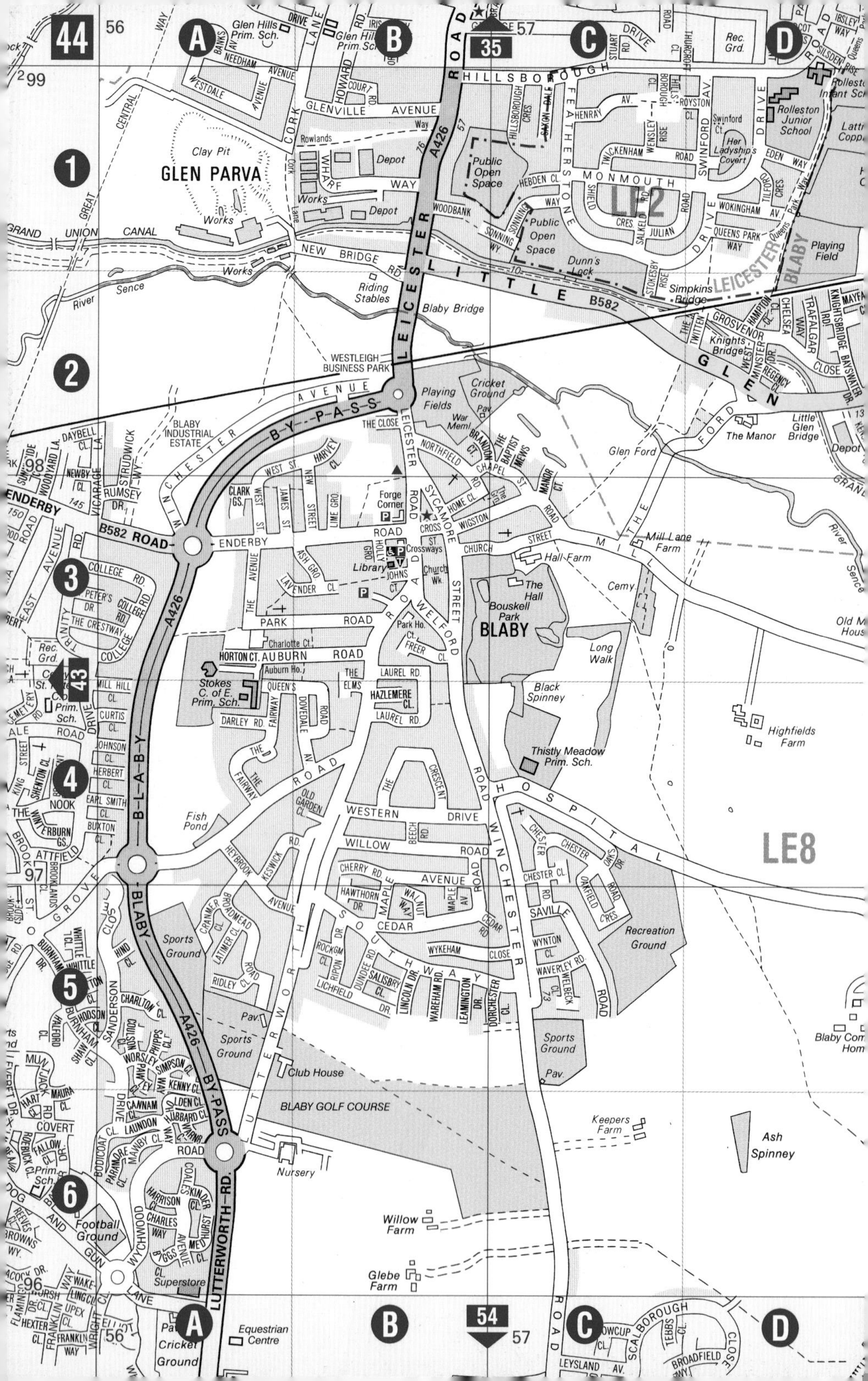

GLEN PARVA
BLABY
LE2
LE8
ENDERBY
35
43
54
Glen Hills Prim. Sch.
Clay Pit
Works
Depot
Rowlands
Public Open Space
Her Ladyship's Covert
Rolleston Junior School
Rolleston Infant Sch.
Rec. Grd.
Playing Field
GRAND UNION CANAL
River Sence
Riding Stables
Blaby Bridge
Simpkins Bridge
Dunn's Lock
WESTLEIGH BUSINESS PARK
BLABY INDUSTRIAL ESTATE
Playing Fields
Cricket Ground
Pav.
War Meml
Forge Corner
Crossways
Library
Church Wk.
Hall Farm
The Hall
Bouskell Park
Long Walk
Black Spinney
Thistly Meadow Prim. Sch.
Mill Lane Farm
Cemy.
Glen Ford
The Manor
Little Glen Bridge
Highfields Farm
Old Mill House
Stokes C. of E. Prim. Sch.
Auburn Ho.
Charlotte Ct.
Fish Pond
Recreation Ground
Sports Ground
Club House
BLABY GOLF COURSE
Nursery
Keepers Farm
Ash Spinney
Willow Farm
Glebe Farm
Superstore
Football Ground
Prim. Sch.
Equestrian Centre
Cricket Ground
Blaby Community Home
LEICESTER ROAD
A426
BLABY BY-PASS
LUTTERWORTH RD.
B582 ROAD
LITTLE GLEN B582
HOSPITAL
WINCHESTER ROAD
SOUTHWAY
WESTERN DRIVE
WILLOW ROAD
ENDERBY ROAD
PARK ROAD
AUBURN ROAD
WELFORD ROAD
SYCAMORE STREET
CHURCH STREET
WIGSTON ROAD
MILL LANE
WINCHESTER AVENUE
HILLSBOROUGH
FEATHERSTONE
MONMOUTH
NEW BRIDGE RD.
WHARF WAY
GLENVILLE AVENUE

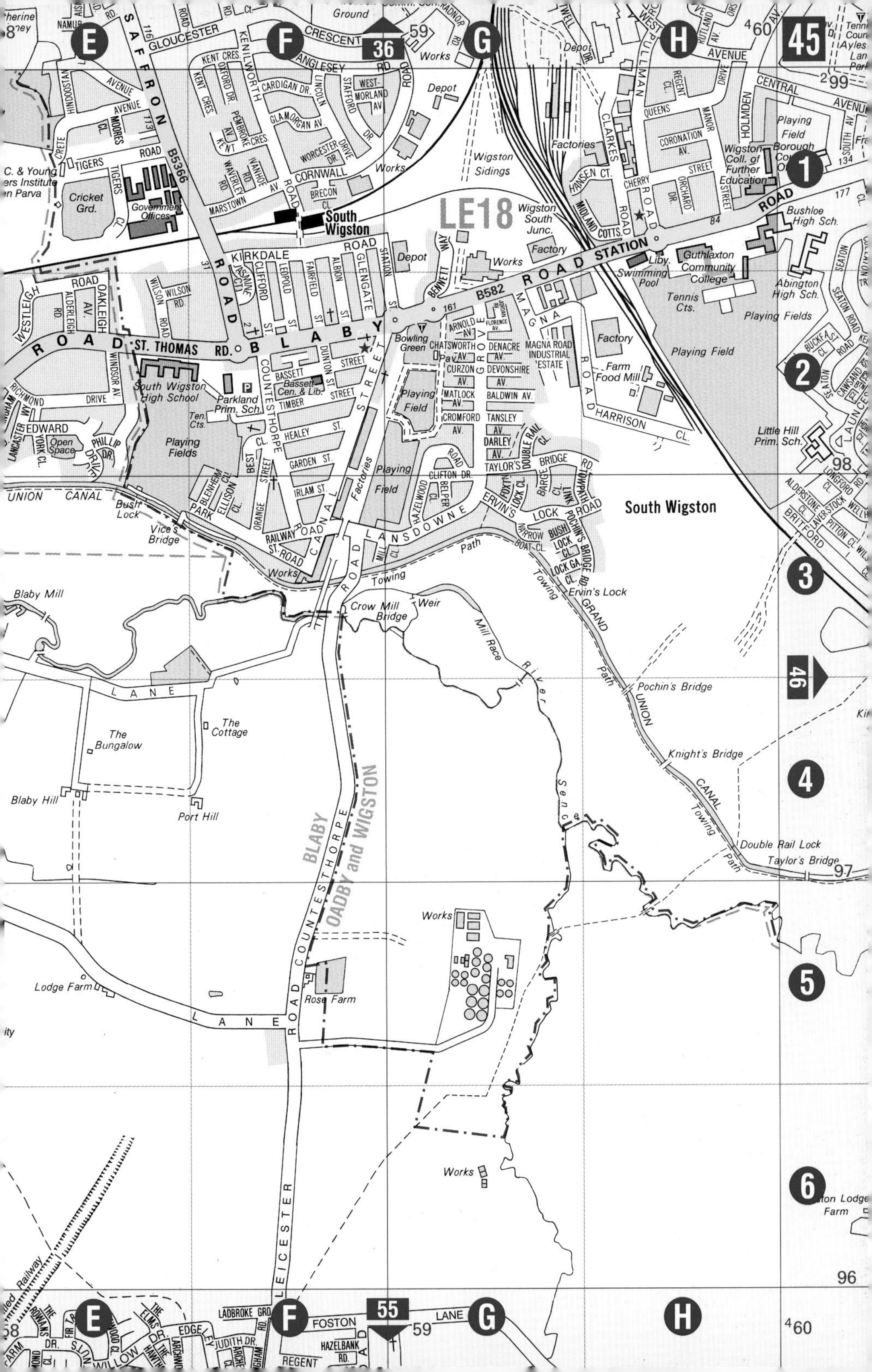
E
F
G
H
36
59
LE18
South Wigston
Wigston Sidings
Wigston South Junc.
SAFFRON ROAD B5366
BLABY ROAD
ST. THOMAS RD.
B582 ROAD STATION ROAD
GLOUCESTER
CRESCENT
ANGLESEY RD.
KENILWORTH
CORNWALL
CARDIGAN DR.
GLAMORGAN AV.
WORCESTER DRIVE
KIRKDALE ROAD
Cricket Grd.
Government Offices
South Wigston High School
Parkland Prim. Sch.
Playing Fields
Open Space
Bassett Cen. & Lib.
COUNTESTHORPE
Bowling Green
Playing Field
Factories
Works
Depot
MAGNA ROAD INDUSTRIAL ESTATE
Farm Food Mill
HARRISON CL.
Wigston Coll. of Further Education
Bushloe High Sch.
Guthlaxton Community College
Abington High Sch.
Tennis Cts.
Playing Field
Little Hill Prim. Sch.
Liby.
Swimming Pool
UNION CANAL
Bush Lock
Vice's Bridge
Towing Path
Crow Mill Bridge
Weir
Mill Race
River Sence
Ervin's Lock
GRAND UNION CANAL
Pochin's Bridge
Knight's Bridge
Double Rail Lock
Taylor's Bridge
Blaby Mill
LANE
The Bungalow
The Cottage
Blaby Hill
Port Hill
BLABY
OADBY and WIGSTON
COUNTESTHORPE ROAD
LEICESTER ROAD
Works
Rose Farm
Lodge Farm
Railway
FOSTON LANE
REGENT
HAZELBANK RD.
LADBROKE GRO.
46
55
1
2
3
4
5
6
97
96
98
99
460

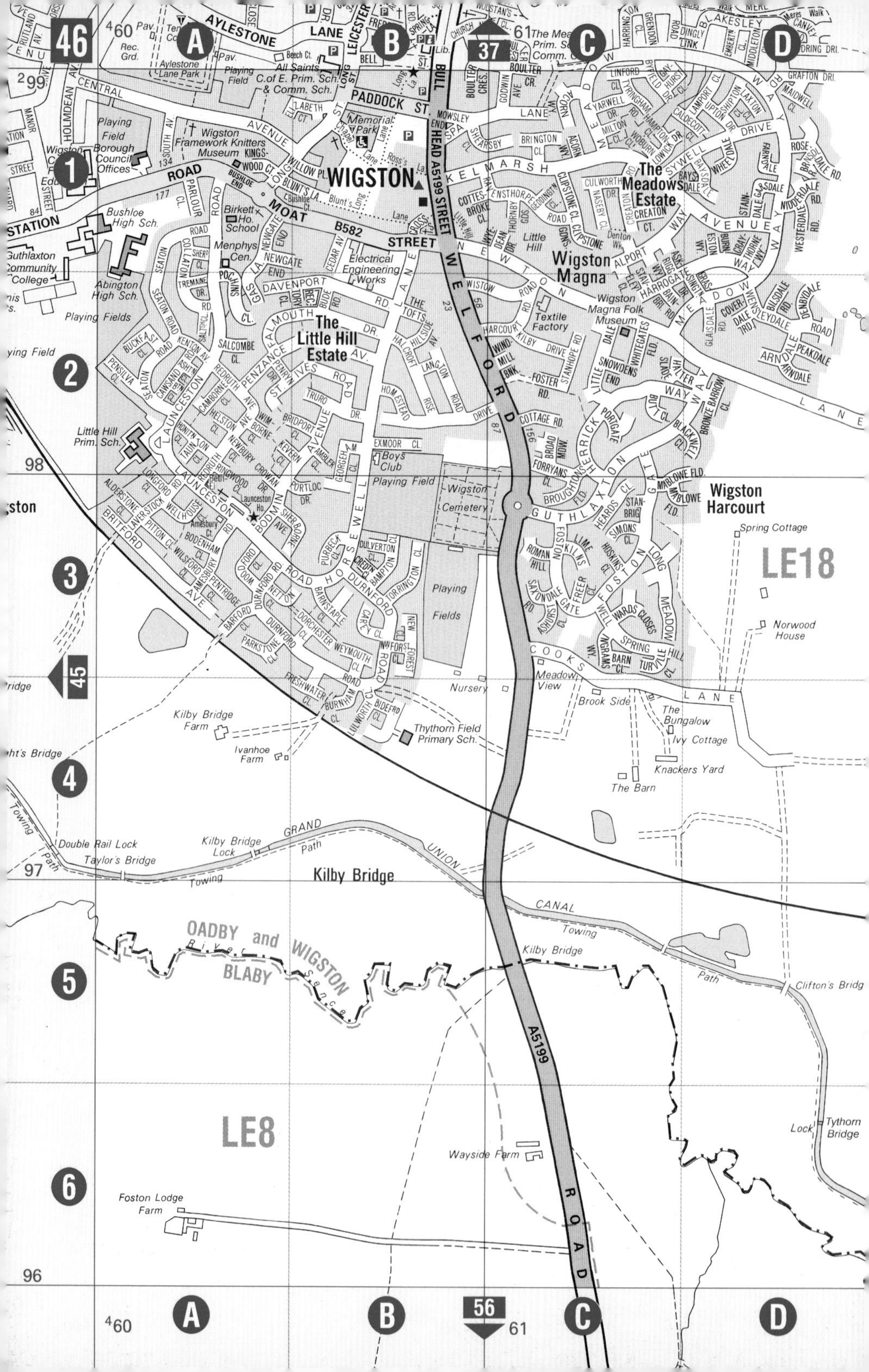

A
B
C
D
1
2
3
4
5
6
37
45
56
460
61
99
98
97
96
WIGSTON
The Meadows Estate
The Little Hill Estate
Wigston Magna
Wigston Harcourt
Kilby Bridge
LE18
LE8
OADBY and WIGSTON
BLABY
AYLESTONE LANE
LEICESTER RD
BULL HEAD A5199 STREET
WELFORD
A5199
ROAD
CENTRAL AVENUE
STATION ROAD
MOAT
B582
STREET
PADDOCK ST.
NEWTON LANE
MEADOW WAY
LAUNCESTON ROAD
HORSEWELL LANE
GUTHLAXTON
LONG MEADOW
COOKS LANE
KELMARSH
SYWELL AVENUE
GRAND UNION CANAL
Towing Path
River Sence
Aylestone Lane Park
Playing Field
All Saints C.of E. Prim. Sch. & Comm. Sch.
Memorial Park
Wigston Framework Knitters Museum
Borough Council Offices
Bushloe High Sch.
Guthlaxton Community College
Abington High Sch.
Playing Fields
Birkett Ho. School
Menphys Cen.
Electrical Engineering Works
Little Hill Prim. Sch.
Boys Club
Wigston Cemetery
Textile Factory
Wigston Magna Folk Museum
Thythorn Field Primary Sch.
Kilby Bridge Farm
Ivanhoe Farm
Double Rail Lock
Kilby Bridge Lock
Taylor's Bridge
Meadow View
Nursery
Brook Side
The Bungalow
Ivy Cottage
Knackers Yard
The Barn
Spring Cottage
Norwood House
Clifton's Bridg
Tythorn Bridge
Lock
Wayside Farm
Foston Lodge Farm
Little Hill

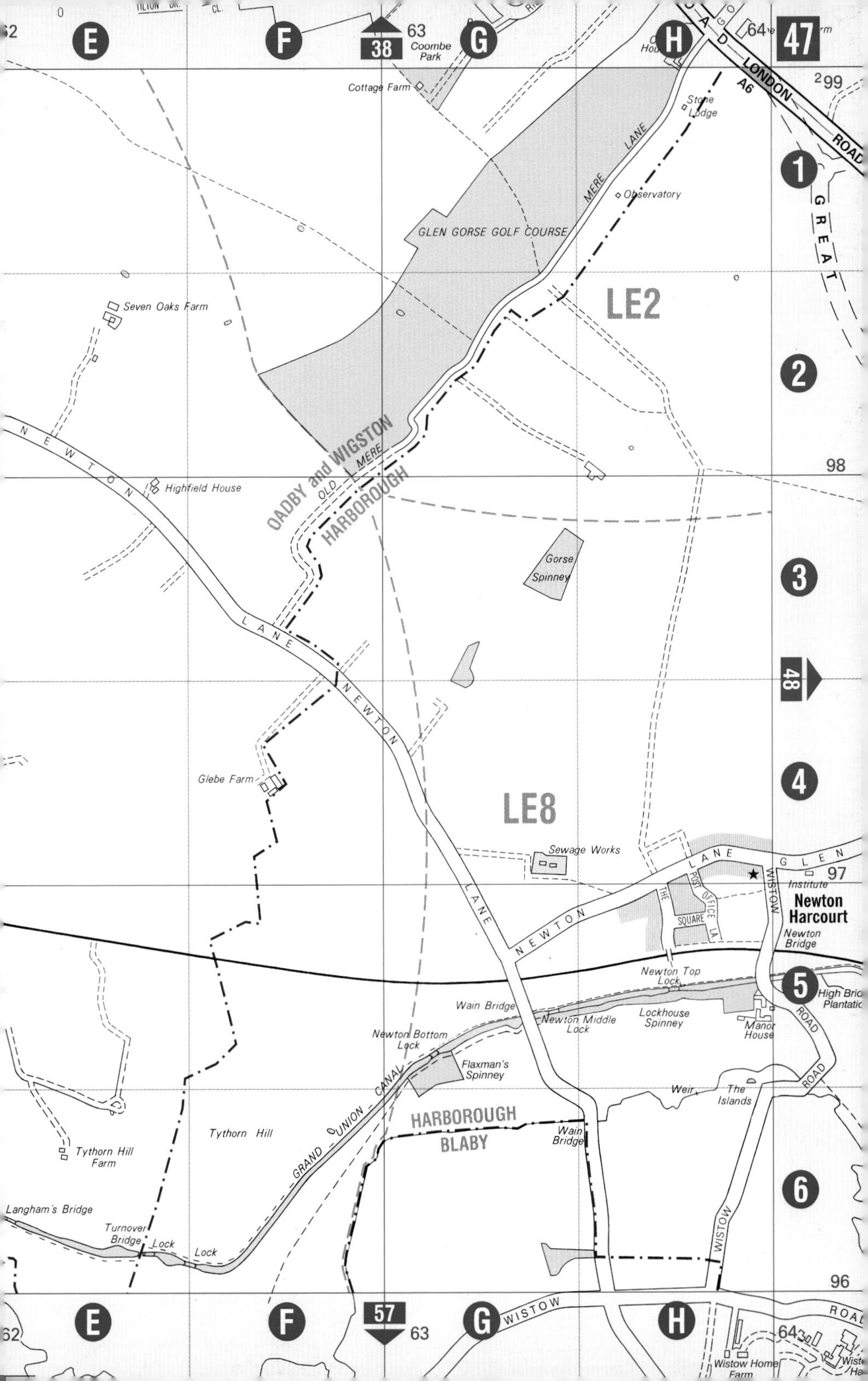
47
38
57
48
E
F
G
H
1
2
3
4
5
6
62
63
64
99
98
97
96
Coombe Park
Cottage Farm
Stone Lodge
LONDON ROAD
A6
GREAT
Observatory
MERE LANE
GLEN GORSE GOLF COURSE
LE2
Seven Oaks Farm
NEWTON LANE
Highfield House
OADBY and WIGSTON
HARBOROUGH
OLD MERE
Gorse Spinney
Glebe Farm
LE8
Sewage Works
GLEN
Institute
Newton Harcourt
Newton Bridge
THE SQUARE
POST OFFICE LA
WISTOW
Newton Top Lock
High Bridge Plantation
Wain Bridge
Newton Middle Lock
Lockhouse Spinney
Manor House
Newton Bottom Lock
Flaxman's Spinney
ROAD
Weir
The Islands
HARBOROUGH
BLABY
GRAND UNION CANAL
Tythorn Hill
Tythorn Hill Farm
Langham's Bridge
Turnover Bridge
Lock
Lock
WISTOW ROAD
Wistow Home Farm

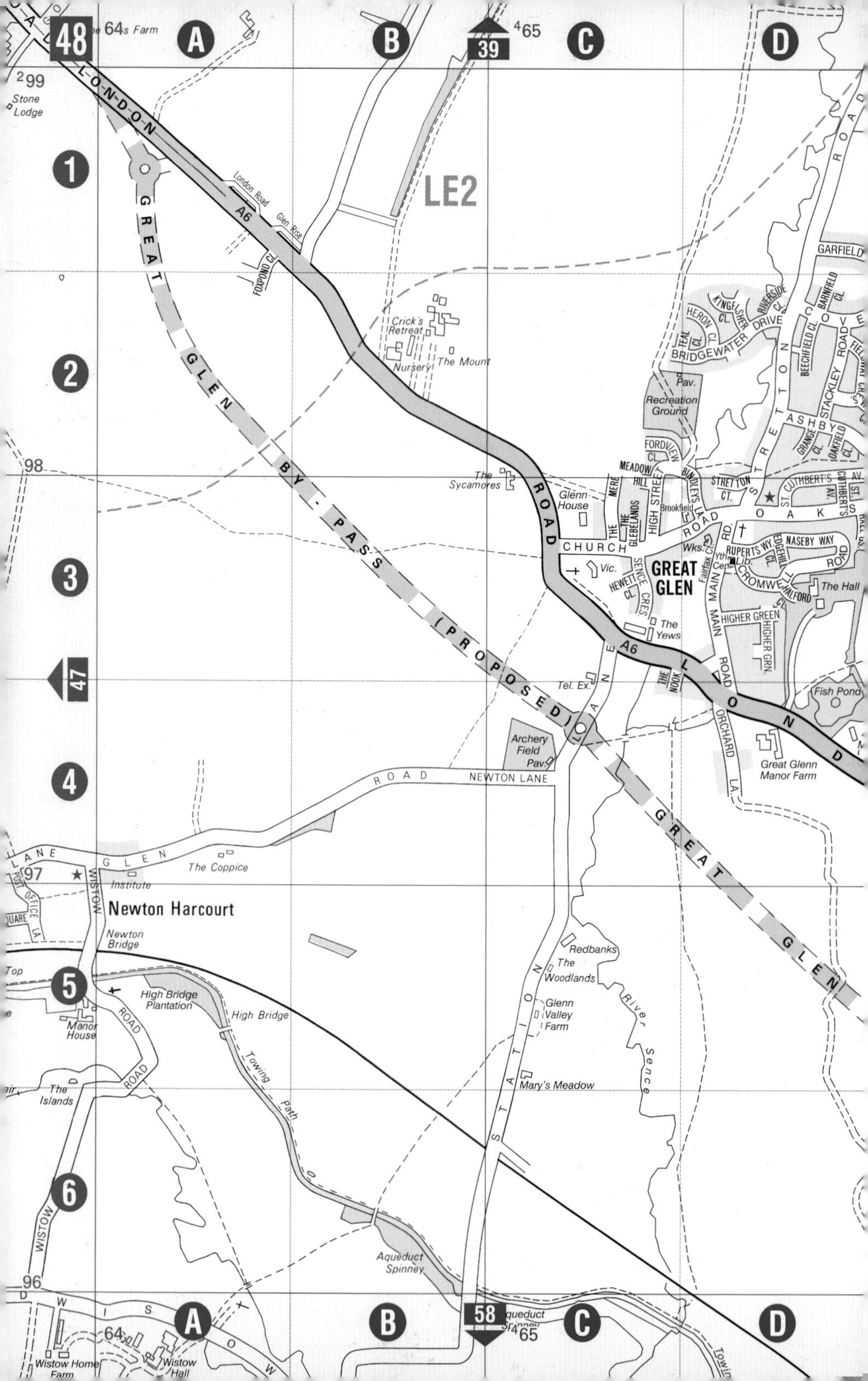
A
B
C
D
1
2
3
4
5
6
39
47
58
LE2
LONDON ROAD
A6
GREAT GLEN BY-PASS (PROPOSED)
GREAT GLEN
Newton Harcourt
Stone Lodge
London Road
Glen Rise
Foxpond Cl.
Crick's Retreat
Nursery
The Mount
The Sycamores
Glenn House
Recreation Ground
Pav.
Church Road
Vic.
The Yews
Tel. Ex.
Archery Field
Newton Lane
Glen Lane
The Coppice
Institute
Wistow Road
Post Office La.
Newton Bridge
High Bridge Plantation
High Bridge
Towing Path
Manor House
The Islands
Redbanks
The Woodlands
Glenn Valley Farm
Mary's Meadow
River Sence
Station Road
Aqueduct Spinney
Wistow Home Farm
Wistow Hall
Great Glenn Manor Farm
Fish Pond
The Hall
Orchard La.
Main Road
Higher Green
Cromwell Road
Naseby Way
Stretton Road
Oaks Road
Bridgewater Drive
Heron Cl.
Kingfisher Cl.
Riverside
Garfield
Barnfield Cl.
Beechfield Cl.
Stackley Road
Ashby
Grange Cl.
Oakfield
St. Cuthbert's Av.
Stretton Ct.
Bindleys La.
High Street
Meadow Hill
The Mere
The Glebelands
Fordview Cl.
Hewett Cl.
Sence Cres.
The Nook
Brookfield
Wks.
Fairfax Cl.
Rupert's Wy
Edgehill Cl.
Halford
Lib.
Yth. Cen.

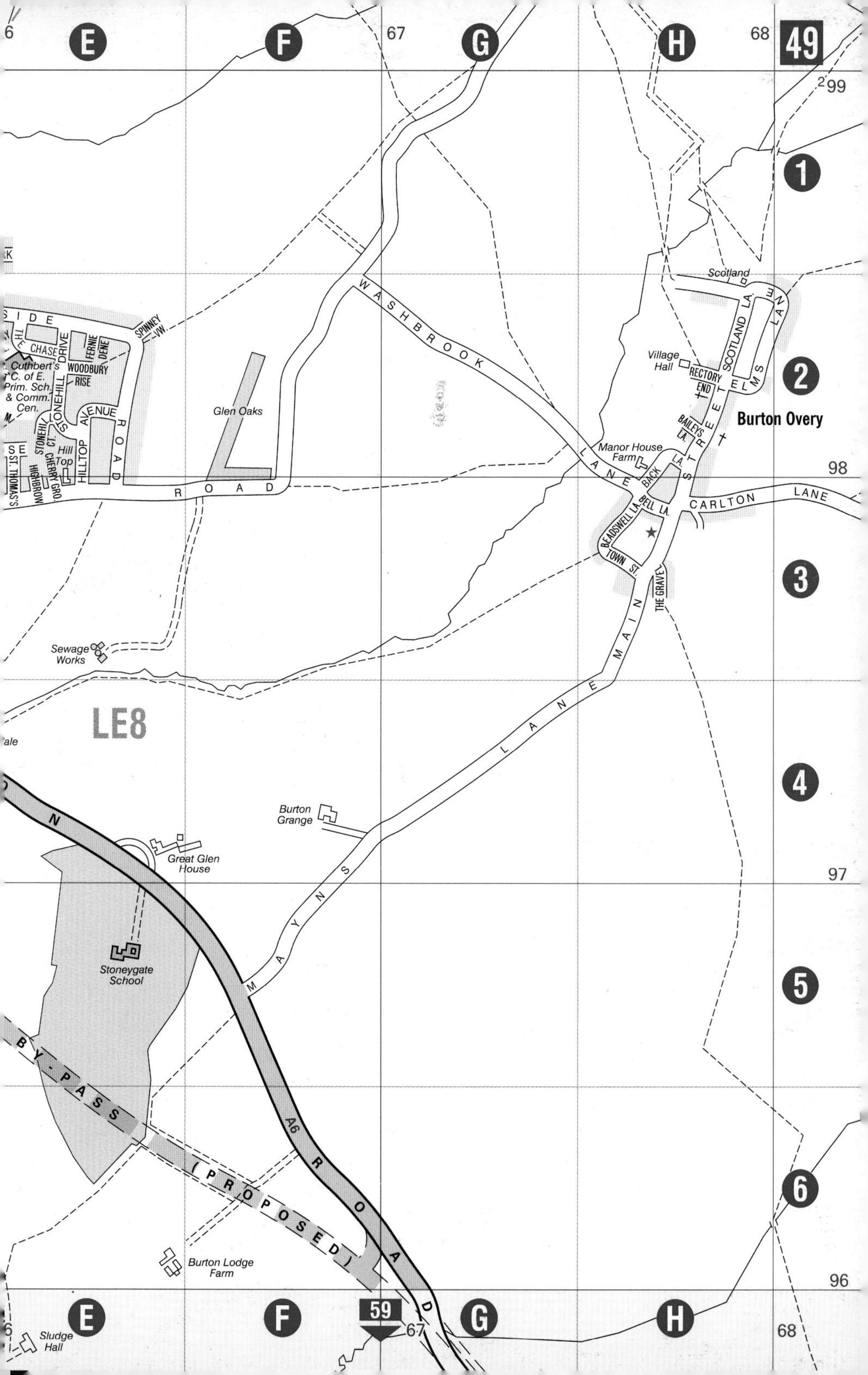

99

1

Scotland

W A S H B R O O K

Village Hall

SPINNEY VW
CHASE
FERNIE DENE
WOODBURY RISE

Cuthbert's
C. of E.
Prim. Sch.
& Comm.
Cen.

STONEHILL DRIVE
AVENUE
HILLTOP

Hill Top

ST.SYMONDS ST.
WOODBURY RD.
CHERRY CT.
STONEHILL

SE

Glen Oaks

R O A D

RECTORY END

BAILEYS LA.

SCOTLAND LA.

ELMS

S T R E E T

Burton Overy

2

98

Manor House Farm

BACK LA.

BELL LA.

BRADSWELL LA.

TOWN ST.

★

CARLTON LANE

THE GRAVEL

3

Sewage Works

LE8

ale

M A I N L A N E

4

Burton Grange

97

Great Glen House

M A Y N S

5

Stoneygate School

B Y - P A S S

A6 R O A D

6

(P R O P O S E D)

96

Burton Lodge Farm

Sludge Hall

96

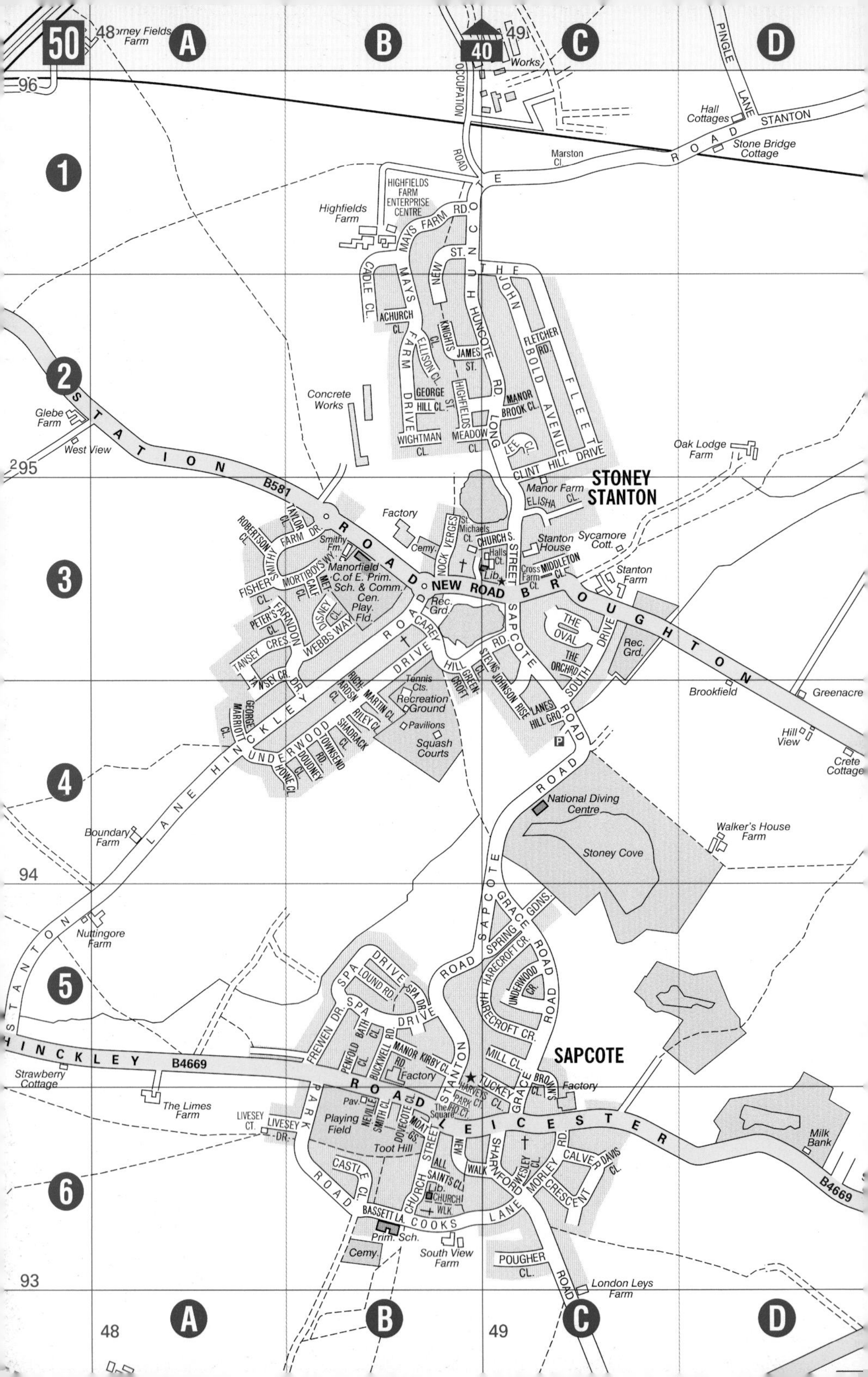

STONEY STANTON
SAPCOTE
STATION ROAD
B581
NEW ROAD
BROUGHTON
HINCKLEY ROAD
B4669
LEICESTER ROAD
HINCKLEY LANE
STANTON ROAD
SAPCOTE ROAD
Highfields Farm
Concrete Works
Glebe Farm
West View
Factory
Manorfield C.of E. Prim. Sch. & Comm. Cen.
Play. Fld.
Rec. Grd.
Stanton House
Sycamore Cott.
Stanton Farm
Oak Lodge Farm
Brookfield
Greenacre
Hill View
Crete Cottage
National Diving Centre
Stoney Cove
Walker's House Farm
Boundary Farm
Nuttingore Farm
Strawberry Cottage
The Limes Farm
Playing Field
Toot Hill
Prim. Sch.
Cemy.
South View Farm
London Leys Farm
Milk Bank
Hall Cottages
Stone Bridge Cottage
Recreation Ground
Squash Courts
Pavilions
Tennis Cts.
Manor Farm
Works

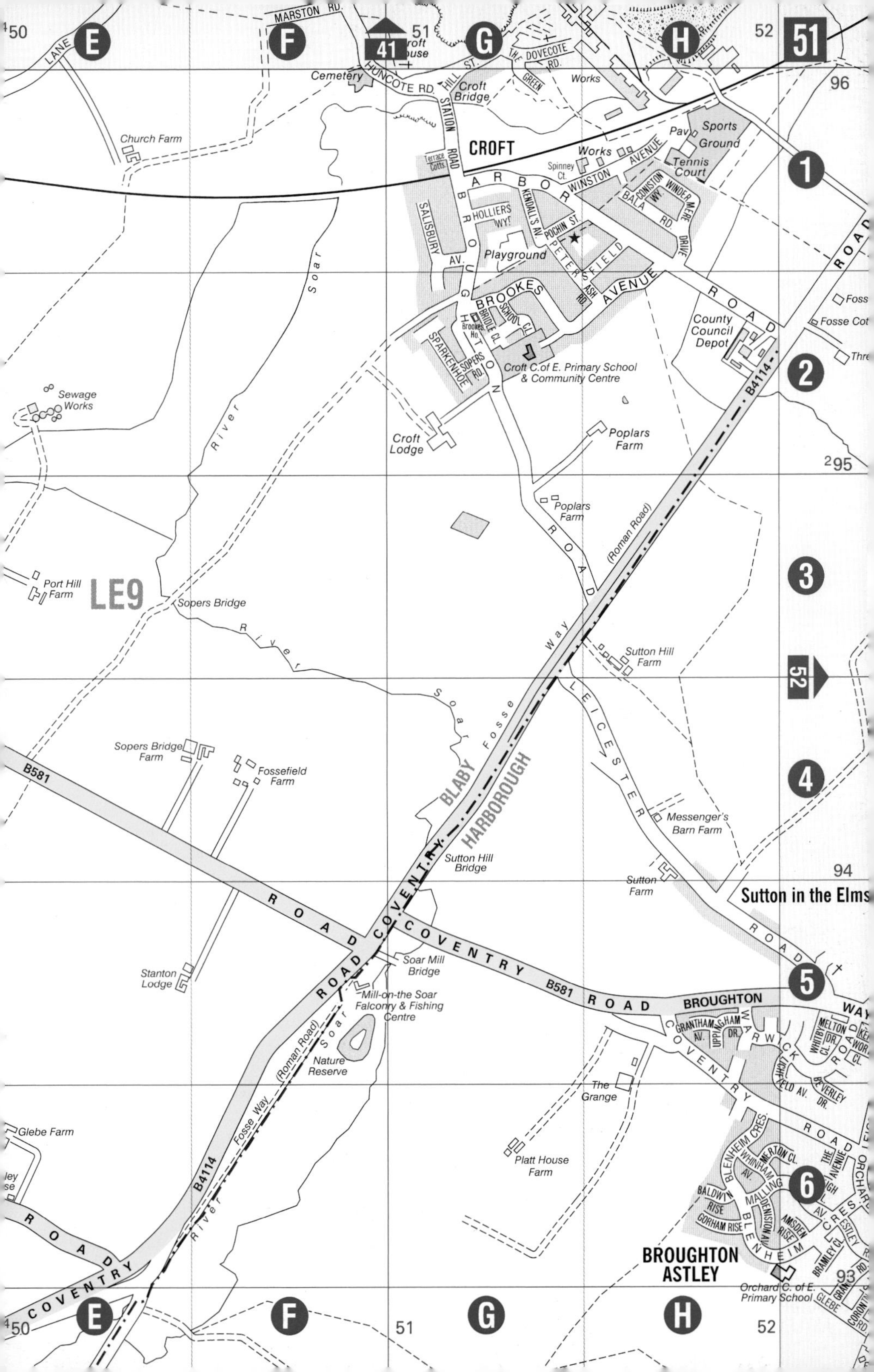
CROFT
Huncote Rd.
Marston Rd.
Hill St.
Station Road
Croft Bridge
Cemetery
Dovecote Rd.
The Green
Works
Church Farm
Terrace Cotts.
Arbor Road
Winston Avenue
Spinney Ct.
Sports Ground
Pav.
Tennis Court
Coniston Wy.
Windermere Drive
Bala Rd.
Salisbury Av.
Holliers Wy.
Kendall's Av.
Pochin St.
Petersfield
Ash Rd.
Playground
Brookes Avenue
Broughton Road
School Cl.
Bridle Cl.
Brookes Ho.
Sparkenhoe
Sopers Rd.
Croft C. of E. Primary School & Community Centre
County Council Depot
Fosse Cott.
Sewage Works
Croft Lodge
Poplars Farm
River Soar
Port Hill Farm
LE9
Sopers Bridge
Sopers Bridge Farm
Fossefield Farm
Sutton Hill Farm
Fosse Way (Roman Road)
B4114
Leicester Road
BLABY
HARBOROUGH
Messenger's Barn Farm
Sutton Hill Bridge
Sutton Farm
Sutton in the Elms
B581
Coventry Road
Soar Mill Bridge
Mill-on-the Soar Falconry & Fishing Centre
Nature Reserve
Stanton Lodge
Broughton Way
Grantham Av.
Uppingham Dr.
Warwick Road
Melton Dr.
Whitby Cl.
Lichfield Av.
Beverley Dr.
The Grange
Platt House Farm
Glebe Farm
Blenheim Cres.
Whinham Av.
Merton Cl.
Malling
Denston Av.
Amsden Rise
Baldwin Rise
Gorham Rise
The Avenue
Orchard
Bramley Cl.
BROUGHTON ASTLEY
Orchard C. of E. Primary School
Glebe
E F G H
1 2 3 4 5 6
50 51 52
96 95 94 93
41
52

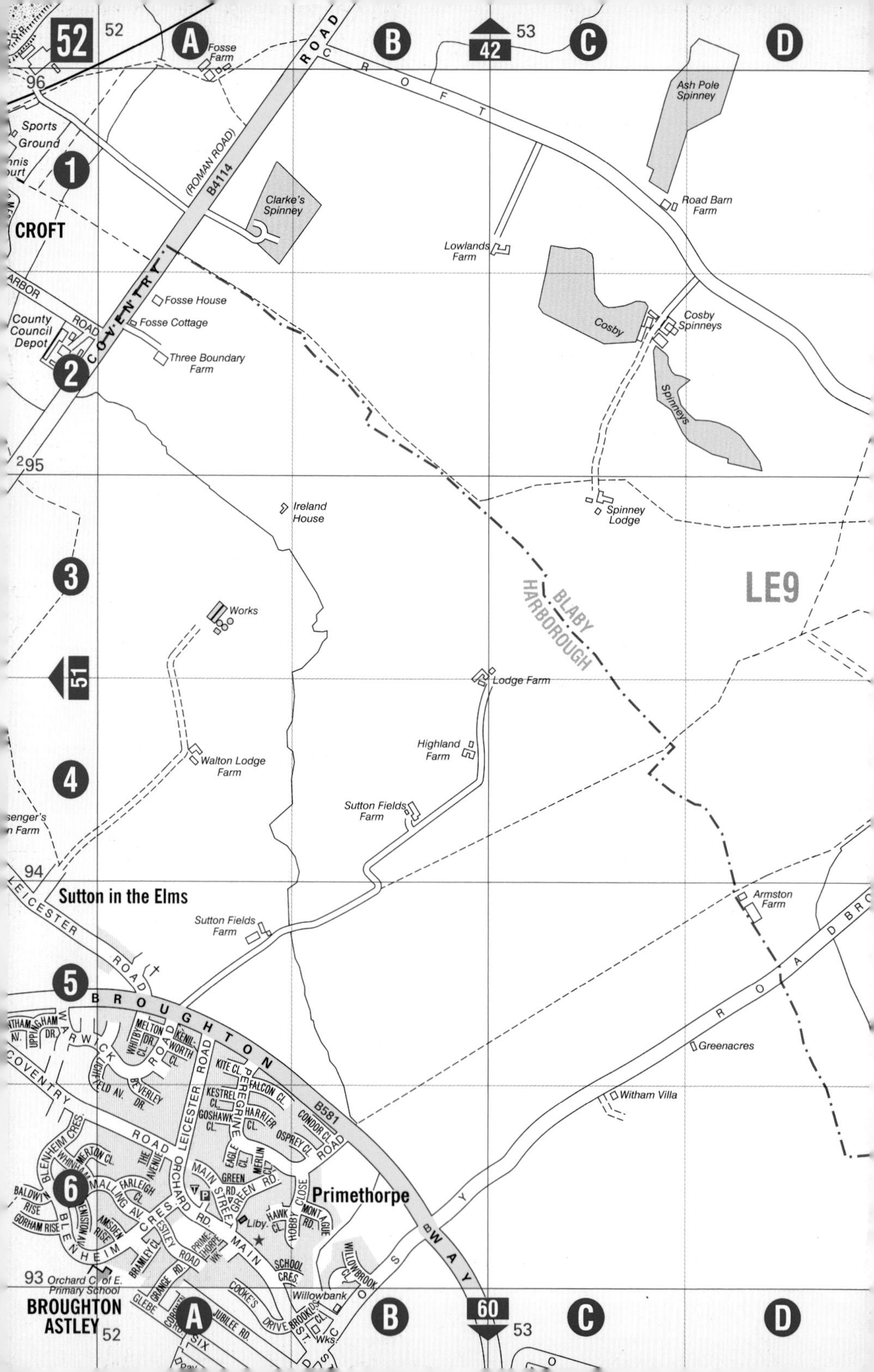

52
A
B
C
D
42
53
Fosse Farm
COVENTRY ROAD
CROFT
(ROMAN ROAD)
B4114
Sports Ground
Clarke's Spinney
Ash Pole Spinney
Road Barn Farm
Lowlands Farm
CROFT
HARBOR ROAD
Fosse House
Fosse Cottage
Three Boundary Farm
County Council Depot
Cosby
Cosby Spinneys
Spinneys
Ireland House
Spinney Lodge
LE9
BLABY
HARBOROUGH
Works
51
Lodge Farm
Highland Farm
Walton Lodge Farm
Sutton Fields Farm
Sutton in the Elms
LEICESTER ROAD
Sutton Fields Farm
Armston Farm
BROUGHTON WAY
B581
BROUGHTON ROAD
Greenacres
Witham Villa
Primethorpe
BROUGHTON ASTLEY
Orchard C. of E. Primary School
Willowbank
60

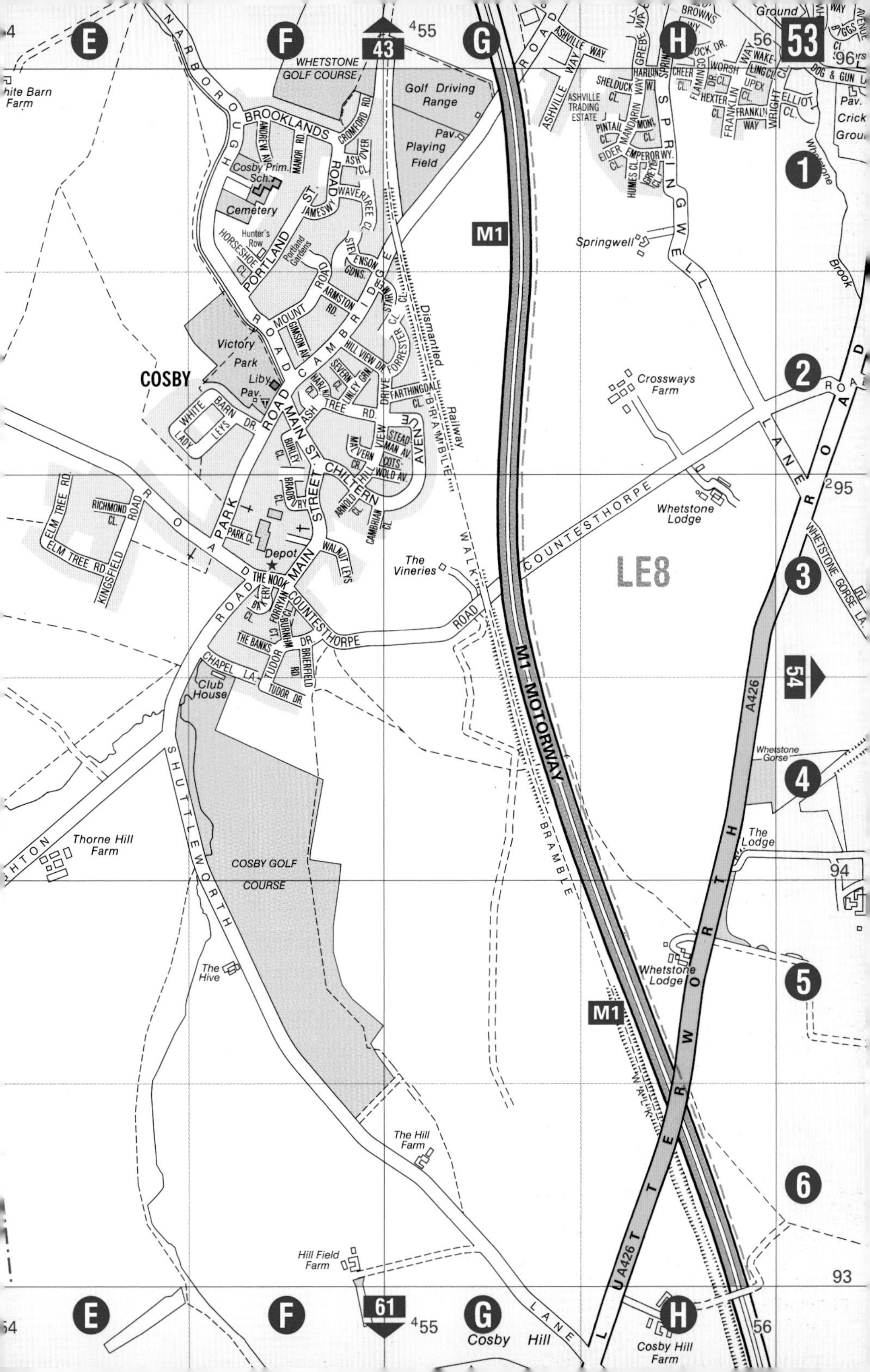
COSBY
LE8
WHETSTONE GOLF COURSE
Golf Driving Range
Pav.
Playing Field
Cosby Prim. Sch.
Cemetery
Victory Park
Liby
Pav.
Depot
Club House
COSBY GOLF COURSE
Thorne Hill Farm
The Hive
The Hill Farm
Hill Field Farm
Cosby Hill
Cosby Hill Farm
The Vineries
Springwell
Crossways Farm
Whetstone Lodge
Whetstone Gorse
The Lodge
ASHVILLE TRADING ESTATE
M1
M1 MOTORWAY
A426
Dismantled Railway
BRAMBLE WALK
NARBOROUGH ROAD
BROOKLANDS
PORTLAND ROAD
CAMBRIDGE ROAD
PARK ROAD
MAIN ST.
MAIN STREET
CHILTERN
COUNTESTHORPE ROAD
SHUTTLEWORTH LANE
LUTTERWORTH ROAD
SPRINGWELL LANE
WHETSTONE GORSE LA.
White Barn Farm
Whetstone Brook
43
61
54
4 55
2 95
94
93
56

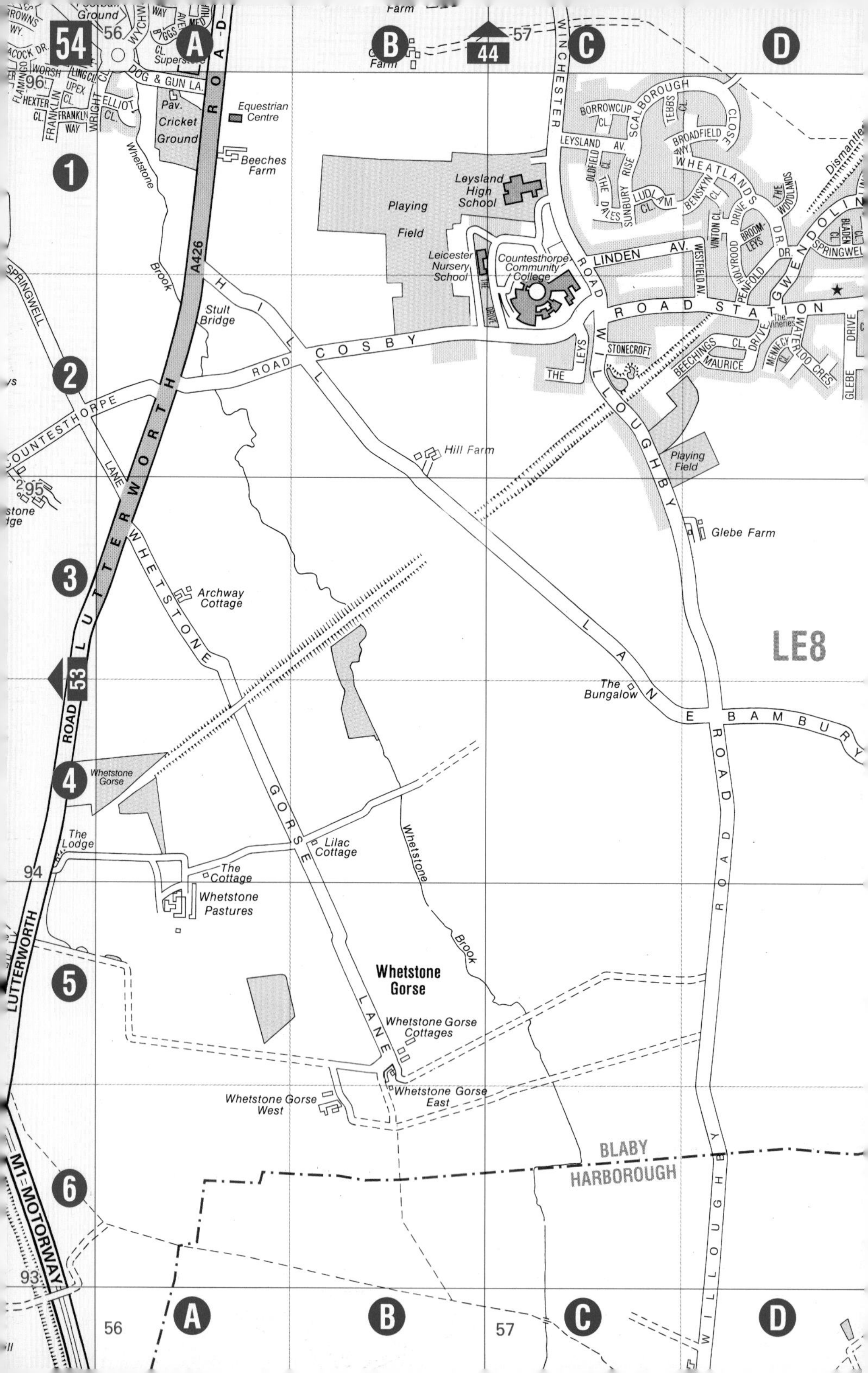

A
B
C
D
1
2
3
4
5
6
56
57
44
53
96
95
94
93
LUTTERWORTH ROAD
A426
DOG & GUN LA.
Pav. Cricket Ground
Equestrian Centre
Beeches Farm
Whetstone Brook
Playing Field
Leysland High School
Leicester Nursery School
THE DRIVE
Countesthorpe Community College
WINCHESTER ROAD
BORROWCUP CL.
SCALBOROUGH CLOSE
TEBBS CL.
BROADFIELD WY.
LEYSLAND AV.
OLDFIELD CL.
THE DALES
SUNBURY RISE
LUDLAM CL.
WHEATLANDS DRIVE
BENSKYN CL.
THE WOODLANDS
LINDEN AV.
VINTON CL.
WESTFIELD AV.
HOLYROOD
BROOM-LEYS
PENFOLD
GWENDOLIN DR.
SPRINGWELL
BLADEN CL.
STATION ROAD
STONECROFT
THE LEYS
BEECHINGS CL.
MAURICE DRIVE
MENNECY CL.
WATERLOO CRES
The Vineries
GLEBE DRIVE
Dismantled
HILL LANE
COSBY ROAD
Stult Bridge
COUNTESTHORPE
SPRINGWELL LANE
WHETSTONE GORSE LANE
Hill Farm
WILLOUGHBY ROAD
Playing Field
Glebe Farm
LE8
Archway Cottage
The Bungalow
BAMBURY LANE
Whetstone Gorse
The Lodge
Lilac Cottage
The Cottage
Whetstone Pastures
Whetstone Gorse
Whetstone Gorse Cottages
Whetstone Gorse West
Whetstone Gorse East
BLABY
HARBOROUGH
M1 MOTORWAY

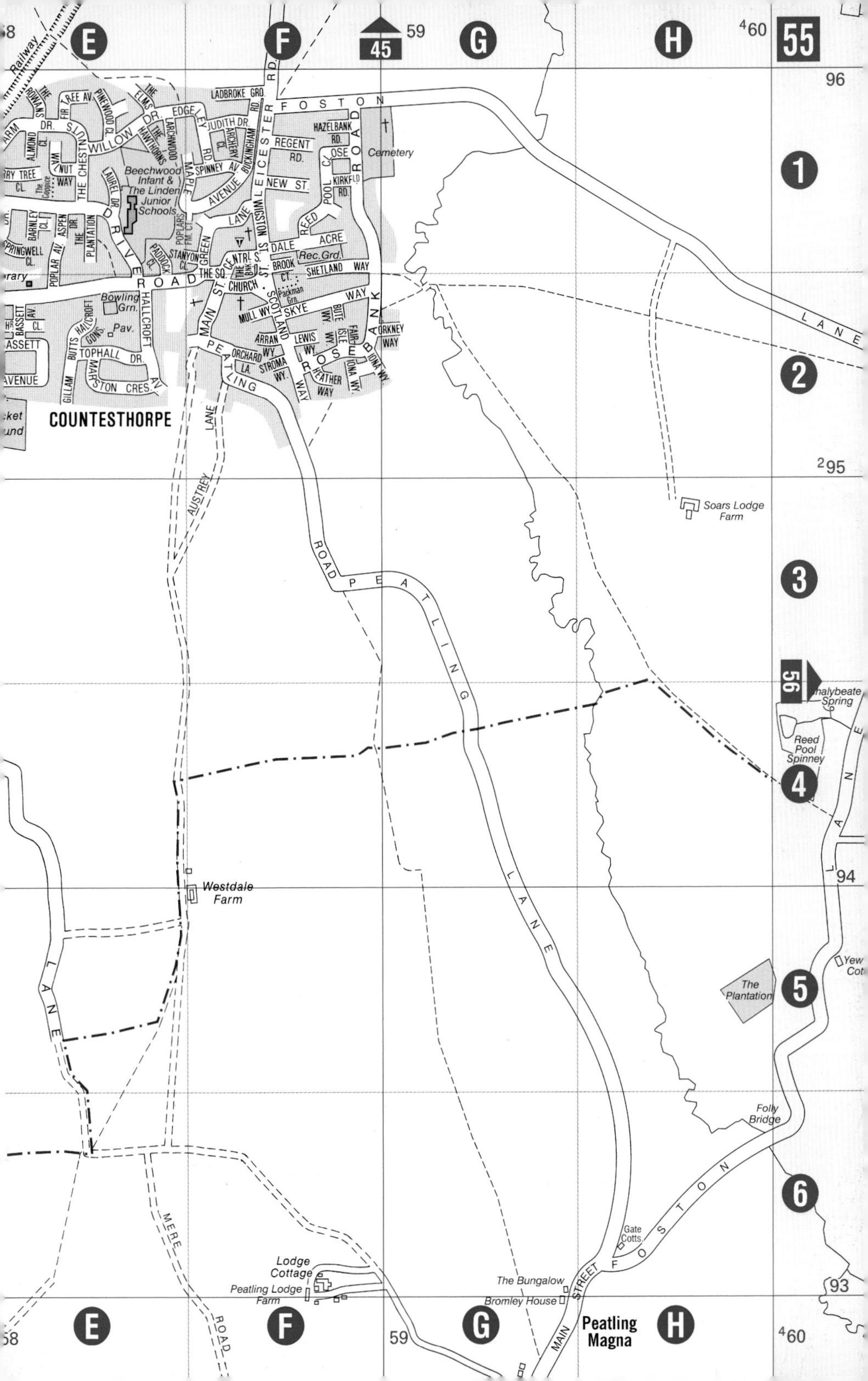
COUNTESTHORPE
Beechwood Infant & The Linden Junior Schools
Cemetery
FOSTON ROAD
LEICESTER RD.
PEATLING ROAD
PEATLING LANE
Soars Lodge Farm
Westdale Farm
Lodge Cottage
Peatling Lodge Farm
MERE ROAD
AUSTREY LANE
The Bungalow
Bromley House
Gate Cotts.
MAIN STREET
FOSTON
Folly Bridge
The Plantation
Reed Pool Spinney
Peatling Magna
Railway
45
56
59
60
58
96
95
94
93
E
F
G
H
1
2
3
4
5
6

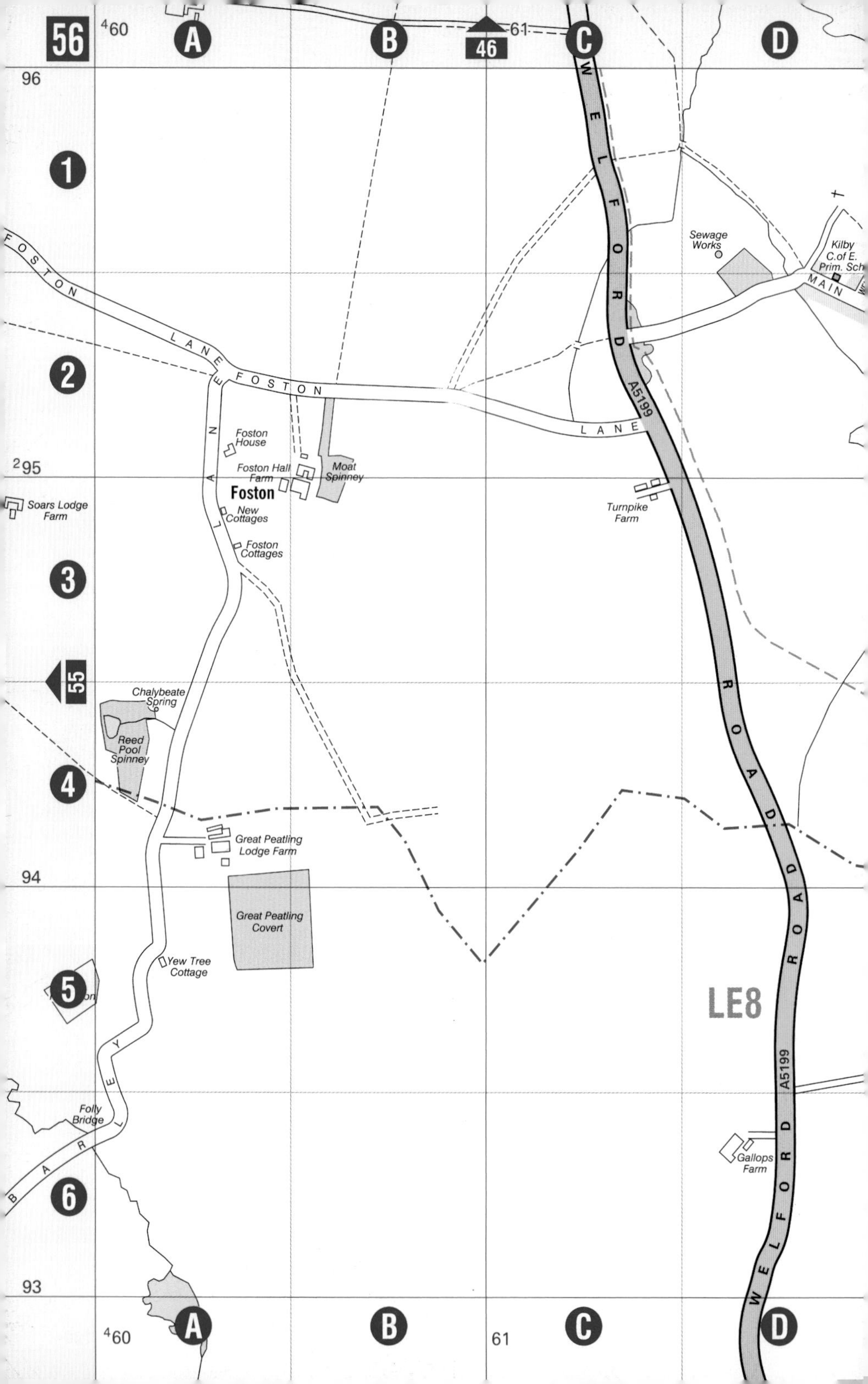
460
A
B
46
61
C
D
96
1
FOSTON LANE
2
FOSTON LANE
LANE
Foston House
Foston Hall Farm
Moat Spinney
Foston
New Cottages
Foston Cottages
295
Soars Lodge Farm
3
55
Chalybeate Spring
Reed Pool Spinney
4
Great Peatling Lodge Farm
94
Great Peatling Covert
Yew Tree Cottage
5
BARLEY LANE
Folly Bridge
6
93
WELFORD ROAD
A5199
Sewage Works
Kilby C.of E. Prim. Sch
MAIN
Turnpike Farm
LE8
Gallops Farm
460
61

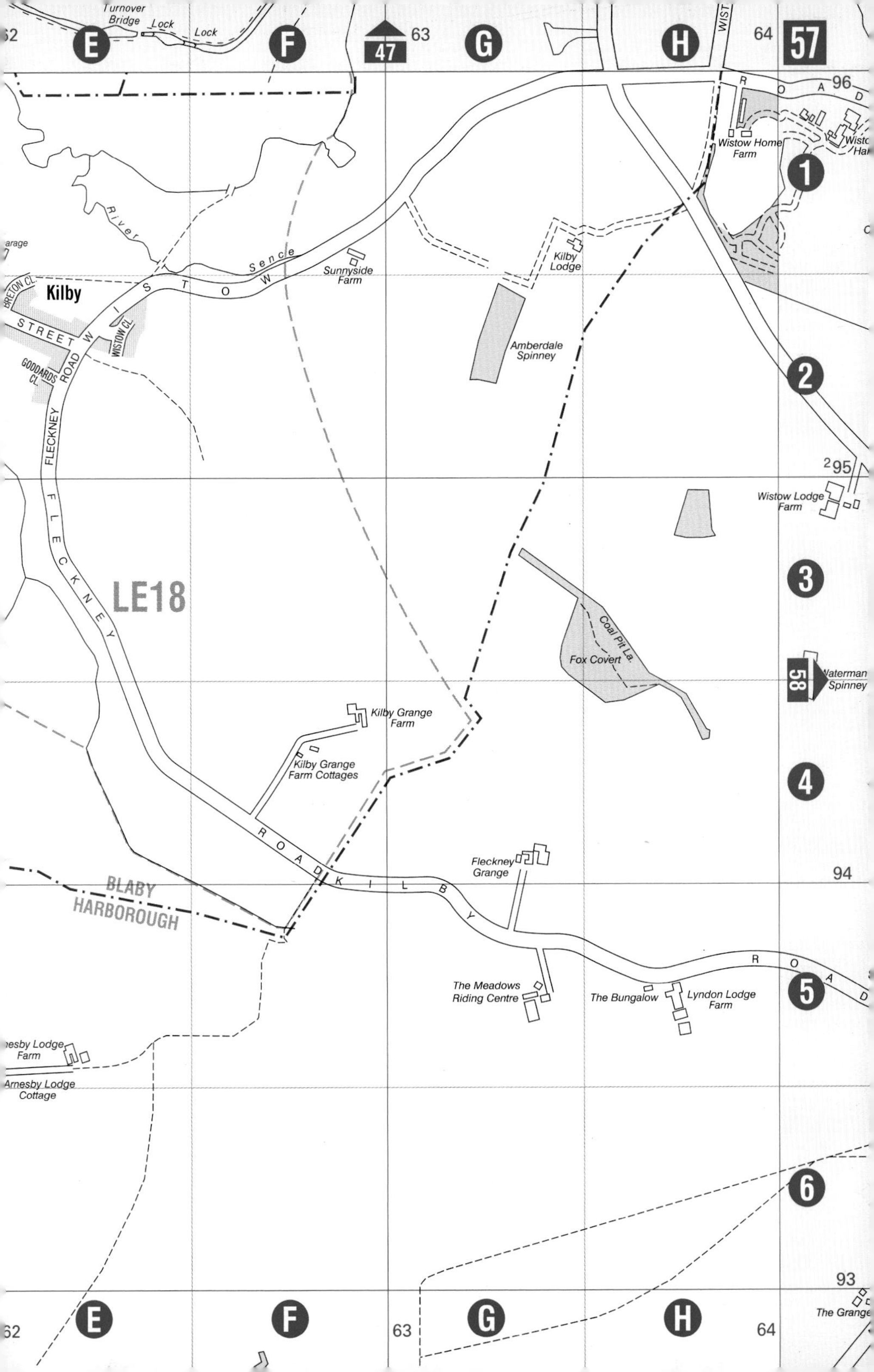
Turnover Bridge
Lock
Lock
E
F
47
63
G
H
64
62
96
ROAD
Wistow Home Farm
River
Sence
Kilby
BRETON CL.
STREET
WISTOW ROAD
WISTOW CL.
GODDARDS CL.
Sunnyside Farm
Kilby Lodge
Amberdale Spinney
FLECKNEY ROAD
FLECKNEY
LE18
95
Wistow Lodge Farm
Coal Pit La.
Fox Covert
58
Waterman Spinney
Kilby Grange Farm
Kilby Grange Farm Cottages
ROAD
KILBY
Fleckney Grange
94
BLABY
HARBOROUGH
The Meadows Riding Centre
The Bungalow
Lyndon Lodge Farm
ROAD
Arnesby Lodge Cottage
1
2
3
4
5
6
93
The Grange
E
F
63
G
H
64
62

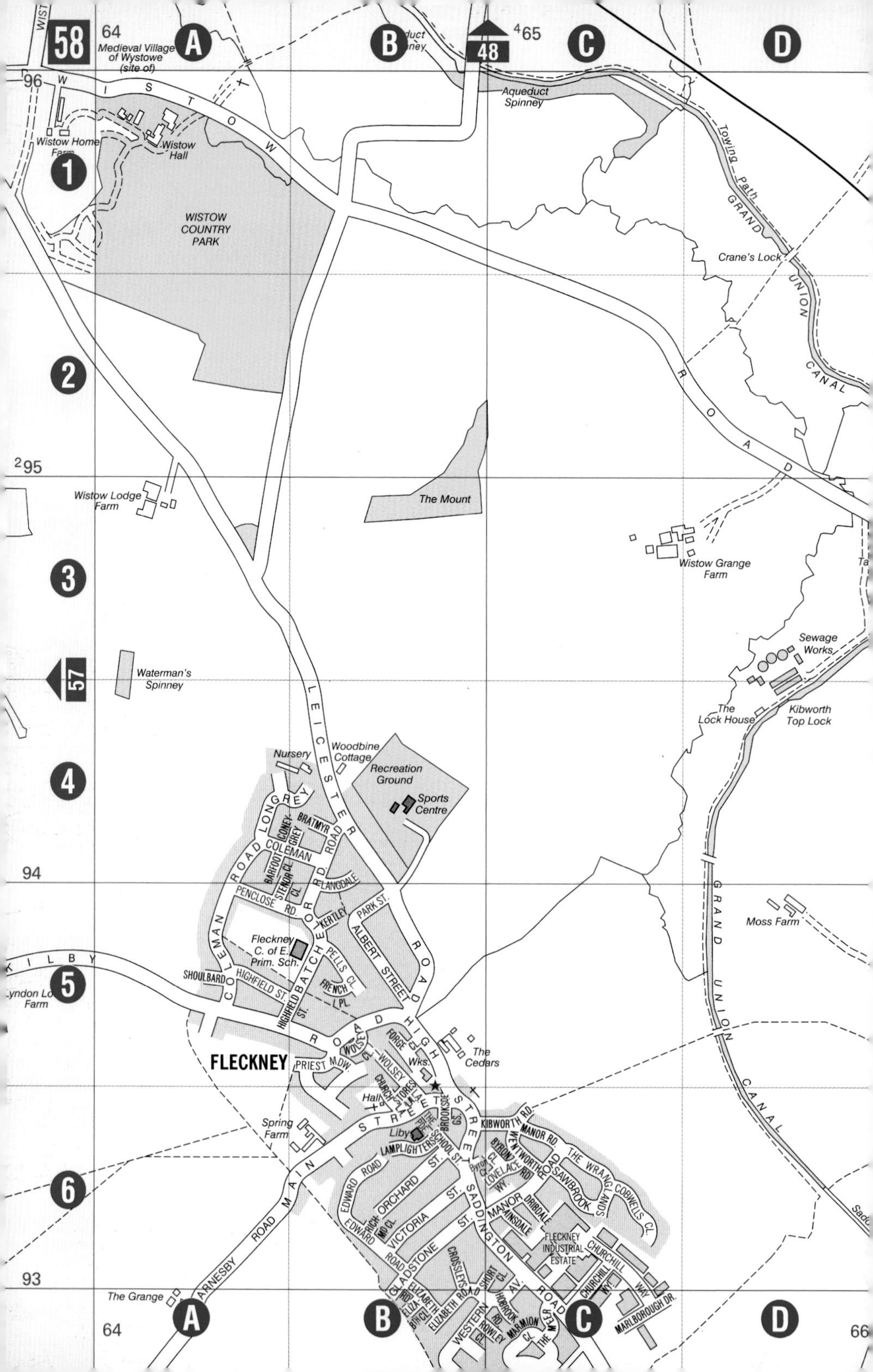
Medieval Village of Wystowe (site of)
Aqueduct Spinney
Wistow Home Farm
Wistow Hall
WISTOW COUNTRY PARK
WISTOW ROAD
Towing Path
GRAND UNION CANAL
Crane's Lock
Wistow Lodge Farm
The Mount
Wistow Grange Farm
Waterman's Spinney
Sewage Works
The Lock House
Kibworth Top Lock
Nursery
Woodbine Cottage
Recreation Ground
Sports Centre
LEICESTER ROAD
LONGREY
BRATMYR
CONEY GREY
COLEMAN ROAD
BARFOOT
STENOR CL.
LANGDALE
PENCLOSE RD.
KERTLEY
PARK ST.
ALBERT STREET
Fleckney C. of E. Prim. Sch.
BATCHELOR RD.
PELLS CL.
FRENCH
SHOULBARD
HIGHFIELD ST.
KILBY ROAD
Lyndon Lodge Farm
Moss Farm
FLECKNEY
PRIEST MDW.
WOLSEY CL.
FORGE CL.
Wks.
The Cedars
HIGH STREET
Hall
CHURCH ST.
STORES LANE
BROOKSIDE
Spring Farm
Liby.
LAMPLIGHTERS
SCHOOL ST.
KIBWORTH RD.
MANOR RD.
BYRON CL.
WENTWORTH RD.
THE WRANGLANDS
SAWBROOK
COBWELLS CL.
LOVELACE WY.
MAIN STREET
EDWARD ROAD
ORCHARD ST.
RICHMOND CL.
VICTORIA ST.
SADDINGTON ROAD
MANOR ST.
DRIBDALE
INSDALE
FLECKNEY INDUSTRIAL ESTATE
CHURCHILL WAY
ARNESBY ROAD
GLADSTONE ST.
CROSSLEYS
ELIZABETH RD.
ELIZABETH CL.
ELIZABETH ROAD
SHORT CL.
AV.
HOBROOK RD.
ROWLEY CL.
MARMION CL.
THE MEER
WESTERN
MARLBOROUGH DR.
The Grange
A B C D
1 2 3 4 5 6
64 65 66
96 95 94 93
48
57

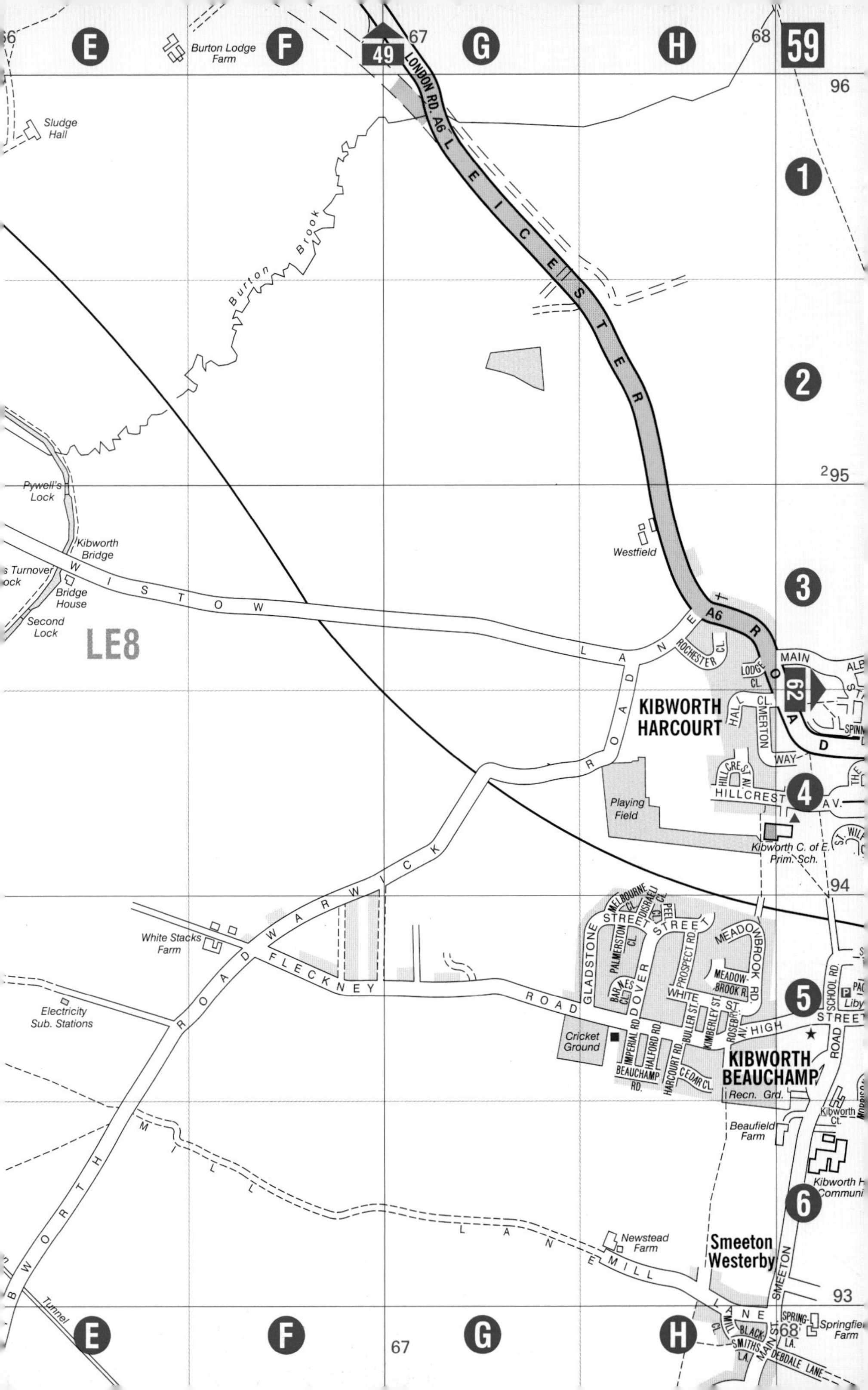

Burton Lodge Farm
Sludge Hall
LONDON RD. A6
LEICESTER
Burton Brook
49
Pywell's Lock
Kibworth Bridge
Bridge House
Second Lock
WISTOW LANE
LE8
Westfield
A6 ROAD
ROCHESTER CL.
LODGE CL.
MAIN
62
HALL CL.
MERTON WAY
KIBWORTH HARCOURT
ROAD
HILLCREST AV.
HILLCREST AV.
Playing Field
Kibworth C. of E. Prim. Sch.
WARWICK ROAD
White Stacks Farm
FLECKNEY ROAD
Electricity Sub. Stations
GLADSTONE STREET
MELBOURNE CL.
DISRAELI CL.
PEEL CL.
PALMERSTON CL.
STREET
PROSPECT RD.
MEADOWBROOK RD.
MEADOW-BROOK R.
DOVER STREET
BARNES CL.
WHITE ST.
Cricket Ground
IMPERIAL RD.
HALFORD RD.
BULLER ST.
KIMBERLEY ST.
ROSEBERY AV.
HIGH STREET
SCHOOL RD.
ROAD
KIBWORTH BEAUCHAMP
BEAUCHAMP RD.
HARCOURT RD.
CEDAR CL.
Recn. Grd.
Beaufield Farm
Kibworth Ct.
KIBWORTH ROAD
MILL LANE
Newstead Farm
Smeeton Westerby
SMEETON
SPRING-LA.
Springfield Farm
MILL CL.
BLACK-SMITHS LA.
MAIN ST.
DEBDALE LANE
Tunnel
E
F
G
H
1
2
3
4
5
6
66
67
68
96
95
94
93

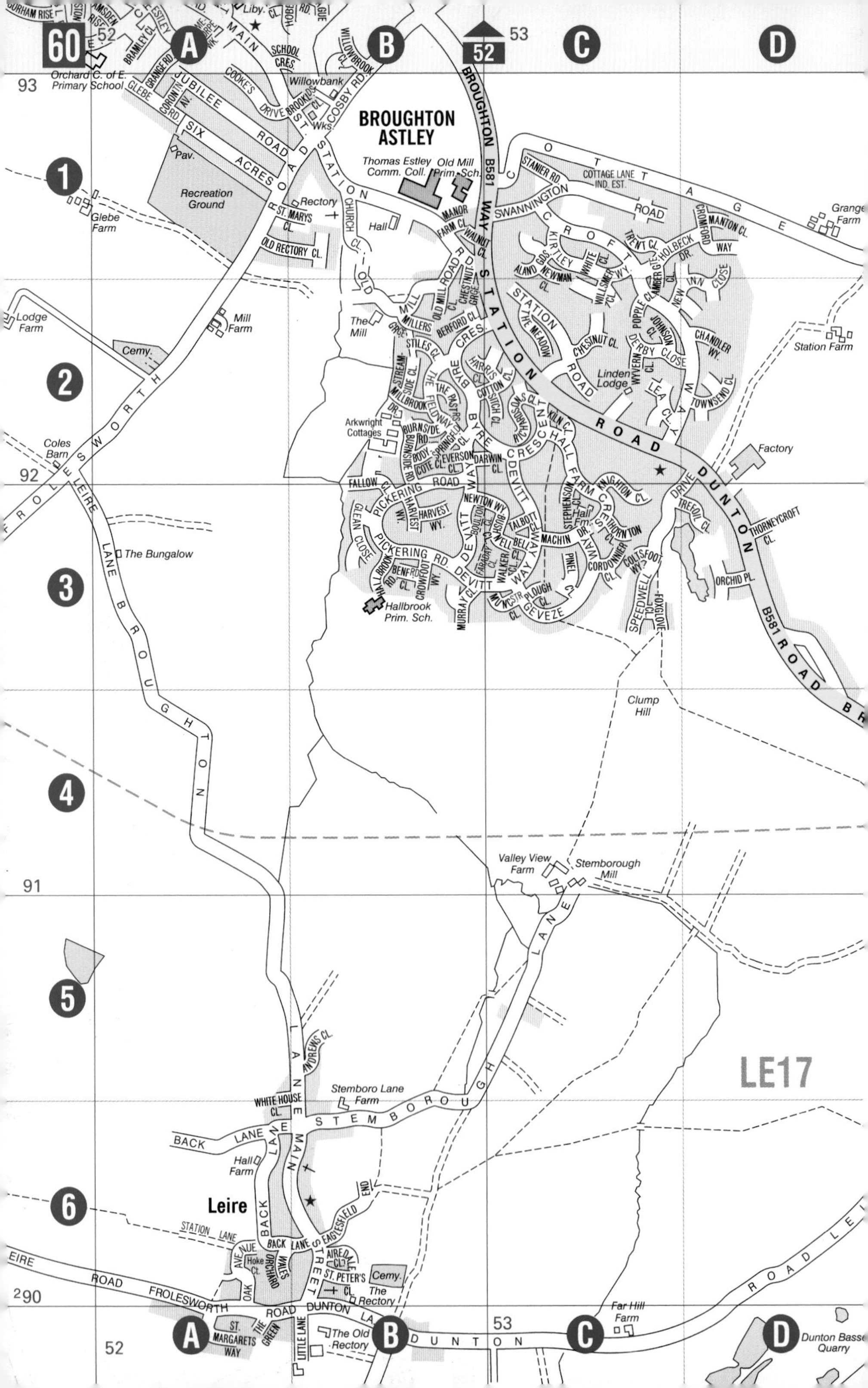

60
52
A
B
52
53
C
D
93
Orchard C. of E. Primary School
BROUGHTON ASTLEY
Thomas Estley Comm. Coll.
Old Mill Prim. Sch.
Recreation Ground
Pav.
Glebe Farm
Rectory
Hall
Lodge Farm
Mill Farm
Cemy.
The Mill
COTTAGE LANE IND. EST.
Grange Farm
Station Farm
Linden Lodge
Factory
Arkwright Cottages
Coles Barn
92
The Bungalow
Hallbrook Prim. Sch.
Clump Hill
Valley View Farm
Stemborough Mill
91
LE17
Stemboro Lane Farm
Hall Farm
Leire
Hoke Ct.
The Rectory
The Old Rectory
Far Hill Farm
Dunton Basset Quarry
290
1
2
3
4
5
6
JUBILEE AV.
JUBILEE ROAD
SIX ACRES
STATION ROAD
COSBY RD.
BROUGHTON WAY
B581
STATION ROAD
DUNTON ROAD
COTTAGE LANE
SWANNINGTON ROAD
CROFT WAY
STANIER RD.
FROLESWORTH ROAD
LEIRE LANE
BROUGHTON LANE
STEMBOROUGH LANE
BACK LANE
MAIN STREET
DUNTON LANE
LEIRE ROAD
STATION LANE
PICKERING ROAD
DEVITT WAY
BYRE CRES.
HALL FARM CRESCENT
ST. MARYS CL.
OLD RECTORY CL.
CHURCH CL.
OLD MILL ROAD
MANOR FARM CL.
WALNUT CL.
MILLERS
STILES CL.
BERFORD CL.
CHESTNUT CL.
THE MEADOW
HARRIS CL.
COTTON CL.
KILN CL.
KNIGHTON CL.
MACHIN DR.
GEVEZE
TREFOIL CL.
THORNEYCROFT CL.
ORCHID PL.
SPEEDWELL
FOXGLOVE
COLTSFOOT WY.
CORDONNIER CL.
PINEL CL.
ST. MARGARETS WAY
THE GREEN
LITTLE LANE
ST. PETER'S CL.
AIREDALE CL.
EAGLESFIELD END
WHITE HOUSE CL.
ANDREWS CL.
AVENUE
ORCHARD
OAK

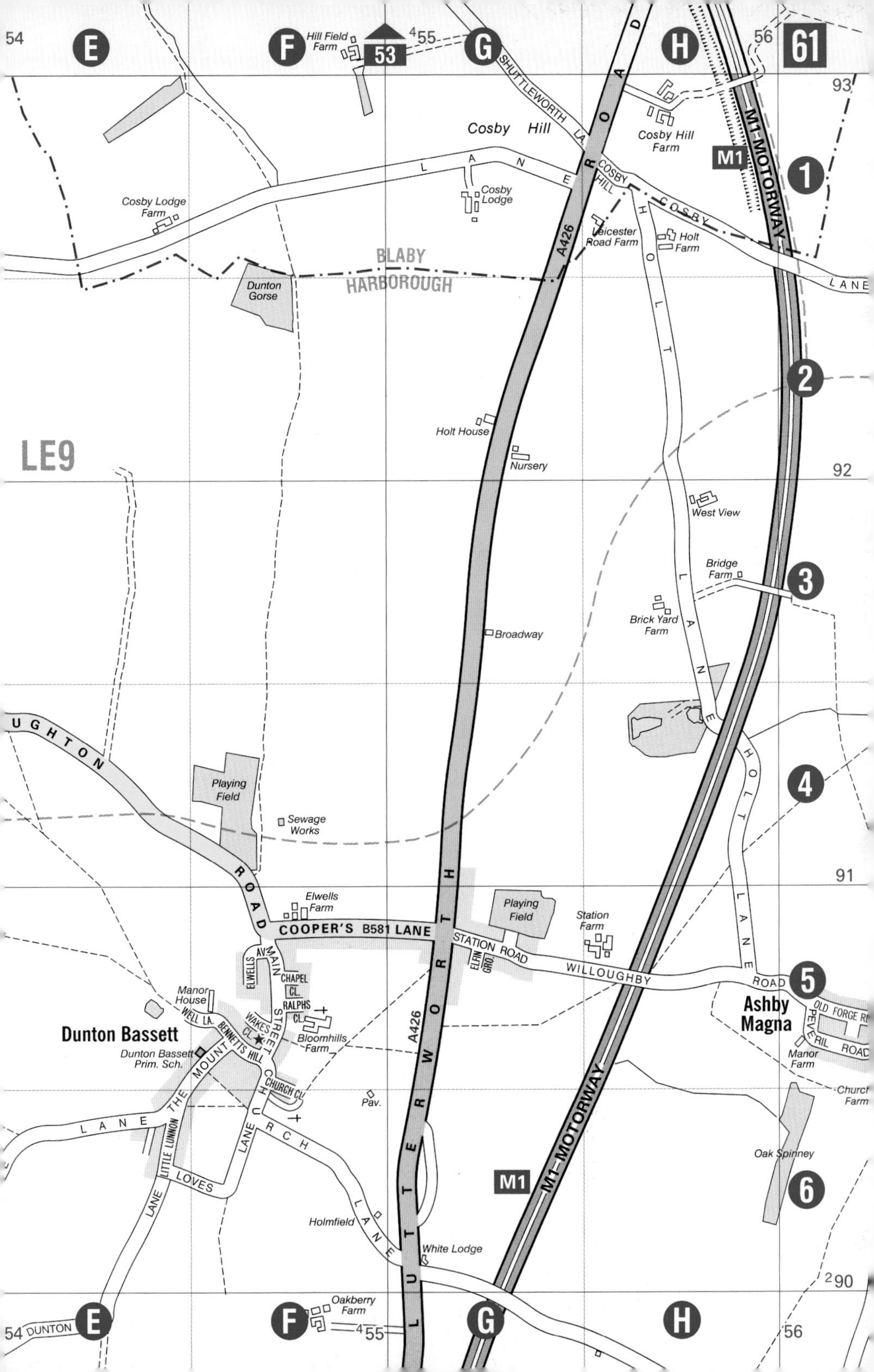

54
E
F
Hill Field Farm
53
455
G
H
56
93
Cosby Hill
SHUTTLEWORTH LA
ROAD
Cosby Hill Farm
M1
M1-MOTORWAY
1
LANE
COSBY HILL
COSBY
Cosby Lodge
Cosby Lodge Farm
A426
Leicester Road Farm
Holt Farm
BLABY
HARBOROUGH
Dunton Gorse
LANE
2
HOLT LANE
Holt House
Nursery
LE9
92
West View
Bridge Farm
3
Brick Yard Farm
Broadway
UGHTON ROAD
HOLT LANE
4
Playing Field
Sewage Works
91
Elwells Farm
COOPER'S B581 LANE
Playing Field
Station Farm
STATION ROAD
WILLOUGHBY
ROAD
5
ELWELLS AV
MAIN STREET
CHAPEL CL.
RALPHS CL.
ELFIN GRO.
Ashby Magna
OLD FORGE RD
PEVERIL ROAD
Manor House
WELL LA.
WAKES CL.
BENNETTS HILL
Dunton Bassett
Dunton Bassett Prim. Sch.
Bloomhills Farm
Manor Farm
Church Farm
THE MOUNT
CHURCH CL.
CHURCH LANE
LUTTERWORTH
Pav.
LANE
LITTLE LUNNON
Oak Spinney
LOVES LANE
M1
M1-MOTORWAY
6
Holmfield
LANE
White Lodge
290
54 DUNTON
E
Oakberry Farm
F
455
G
H
56

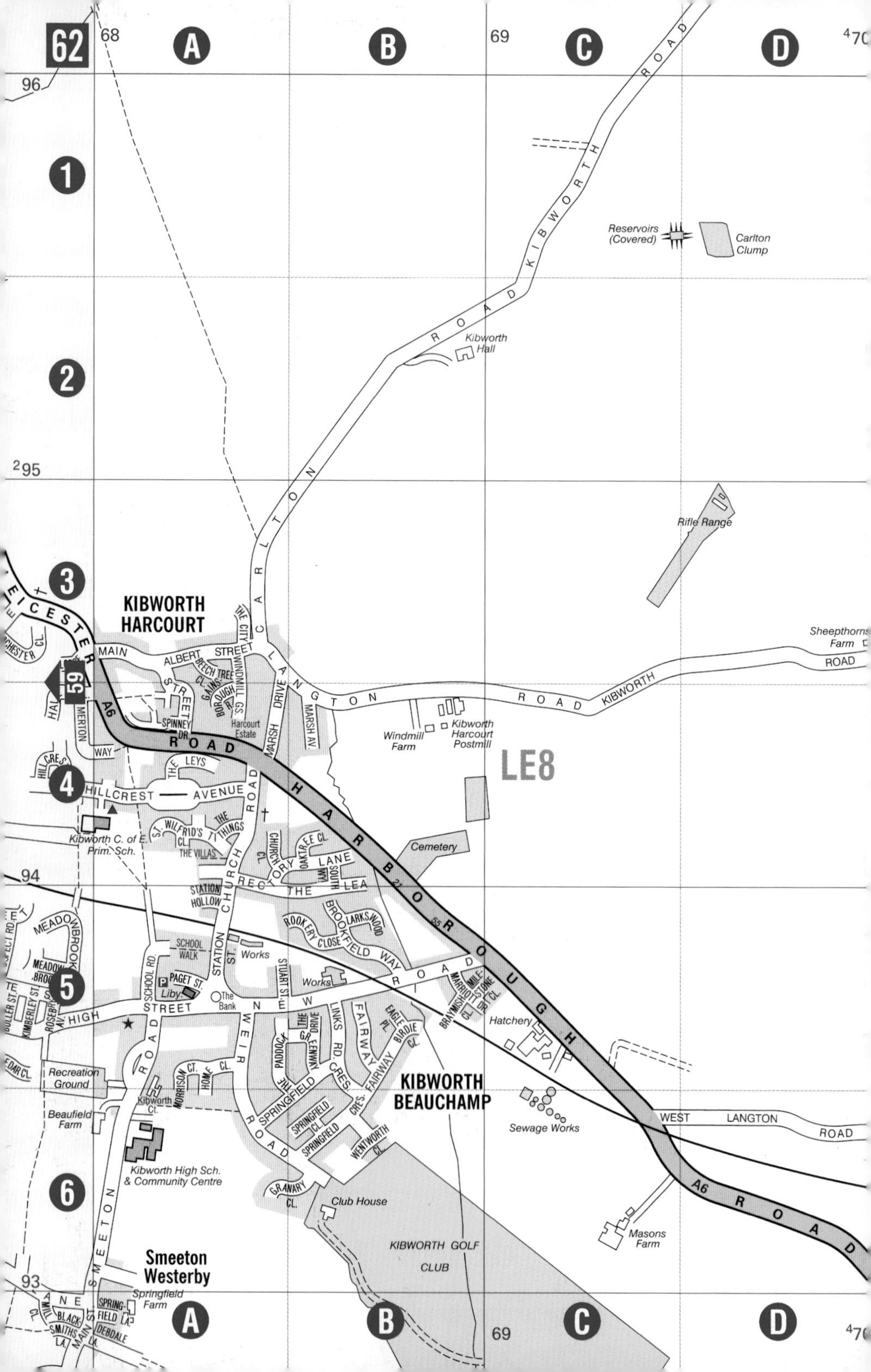
KIBWORTH HARCOURT
KIBWORTH BEAUCHAMP
Smeeton Westerby
LE8
LEICESTER ROAD
HARBOROUGH ROAD
A6
MAIN STREET
ALBERT STREET
CARLTON ROAD
KIBWORTH ROAD
LANGTON ROAD
KIBWORTH ROAD
HILLCREST AVENUE
THE LEYS
CHURCH ROAD
STATION STREET
NEW ROAD
HIGH STREET
SCHOOL ROAD
WEIR ROAD
SMEETON ROAD
WEST LANGTON ROAD
A6 ROAD
Reservoirs (Covered)
Carlton Clump
Kibworth Hall
Rifle Range
Sheepthorns Farm
Windmill Farm
Kibworth Harcourt Postmill
Cemetery
Harcourt Estate
Kibworth C. of E. Prim. Sch.
Works
Liby.
The Bank
Hatchery
Sewage Works
Recreation Ground
Beaufield Farm
Kibworth High Sch. & Community Centre
Club House
KIBWORTH GOLF CLUB
Masons Farm
Springfield Farm
THE CITY
BEECH TREE CL.
GAINSBOROUGH RD.
WINDMILL GS.
MARSH DRIVE
MARSH AV.
SPINNEY DR.
MERTON WAY
HILL CRES.
ST. WILFRID'S CL.
THE TYTHINGS
THE VILLAS
CHURCH CL.
RECTORY LANE
OAKTREE CL.
SOUTH WY.
THE LEA
STATION HOLLOW
ROOKERY CLOSE
BROOKFIELD WAY
LARKSWOOD
SCHOOL WALK
STUART ST.
PAGET ST.
MARRIOTT DR.
MILESTONE CL.
BRAYMISH CL.
MEADOWBROOK
KIMBERLEY ST.
ROSEBERY AV.
FAIRWAY
EAGLE PL.
BIRDIE CL.
LINKS RD.
CRES.
THE PADDOCK
THE GREENWAY DRIVE
MORRISON CT.
HOME CL.
Kibworth Ct.
SPRINGFIELD
SPRINGFIELD CL.
WENTWORTH CL.
GRANARY CL.
SPRINGFIELD LA.
DEBDALE
BLACKSMITHS LA.
MILL LA.
MAIN ST.
ELDAR CL.
59
68
69
96
95
94
93
470
A B C D
1 2 3 4 5 6

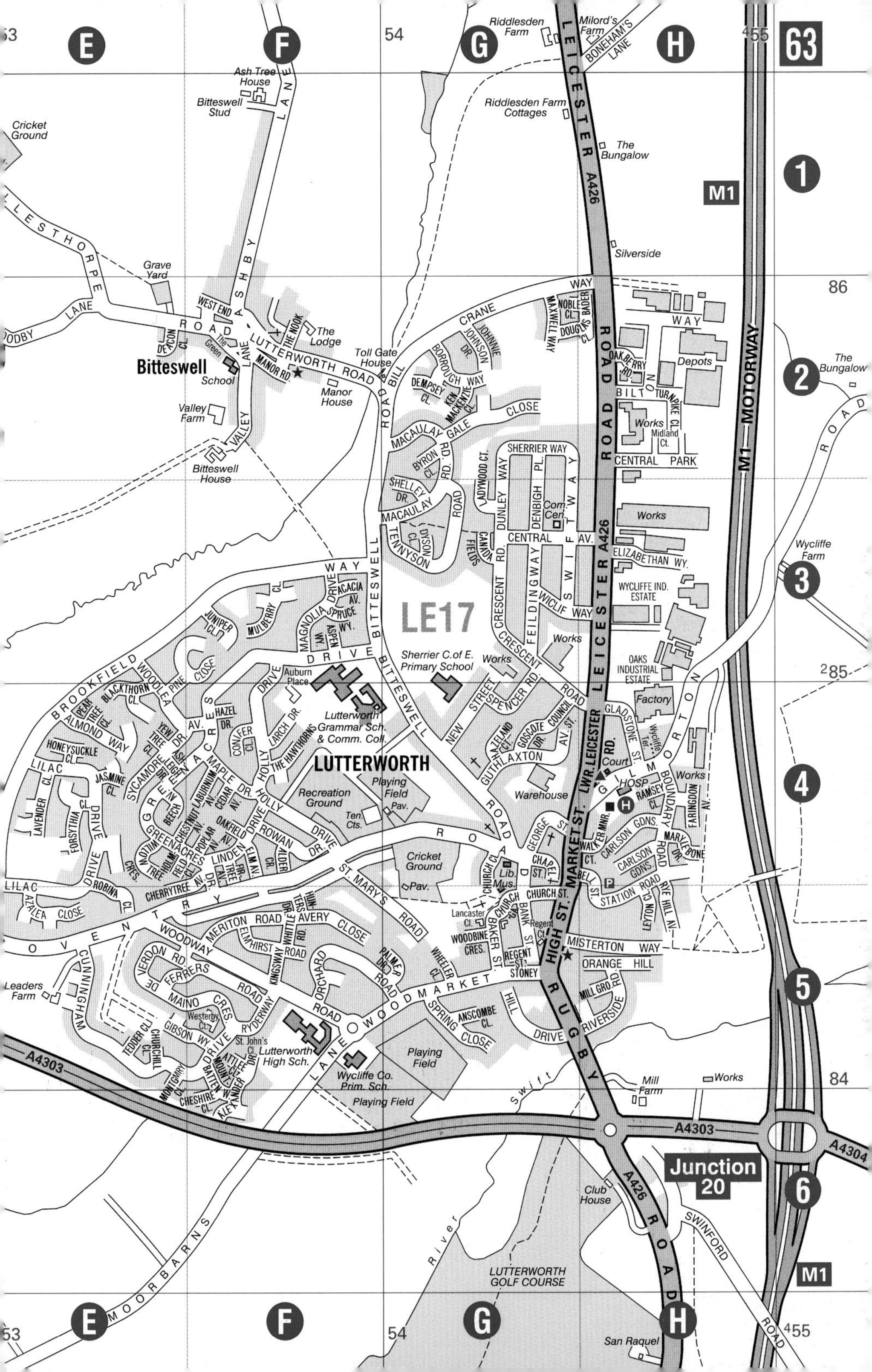
E
F
54
G
H
455
Riddlesden Farm
Milord's Farm
BONEHAM'S LANE
Ash Tree House
Bitteswell Stud
Riddlesden Farm Cottages
Cricket Ground
The Bungalow
LEICESTER
A426
M1
Silverside
1
Grave Yard
LESTHORPE
LANE
ODBY
ASHBY
WEST END
ROAD
DEACON CL.
The Green
LUTTERWORTH ROAD
THE NOOK
The Lodge
Toll Gate House
Bitteswell
School
MANOR RD.
Manor House
Valley Farm
VALLEY
Bitteswell House
86
WAY
CRANE
JOHNSON DR.
JOHNNIE
NOBLE CL.
MAXWELL WAY
DOUGLAS BADER CL.
OAKBERRY RD.
Depots
BILTON
TURNPIKE CL.
M1 MOTORWAY
The Bungalow
2
ROAD
BORROUGH WAY
DEMPSEY CL.
KEN MACKENZIE CL.
CLOSE
MACAULAY GALE
BYRON CL.
SHELLEY DR.
MACAULAY
TENNYSON CL.
DYSON CL.
SHERRIER WAY
LADYWOOD CT.
DUNLEY WAY
DENBIGH PL.
SWIFT WAY
Com. Cen.
CENTRAL AV.
Works
Midland Ct.
CENTRAL PARK
Works
ELIZABETHAN WY.
Wycliffe Farm
3
CANADA FIELDS
CRESCENT RD.
FEILDING WAY
WICLIF WAY
WYCLIFFE IND. ESTATE
OAKS INDUSTRIAL ESTATE
Factory
BITTESWELL
WAY
DRIVE
ACACIA AV.
SPRUCE WY.
ASPEN WY.
MAGNOLIA
MULBERRY CL.
JUNIPER CL.
LE17
Sherrier C.of E. Primary School
Works
CRESCENT
Works
85
BROOKFIELD
WOODLEA
PINE
CLOSE
PEAR TREE CL.
BLACKTHORN CL.
ALMOND WAY
Auburn Place
Lutterworth Grammar Sch. & Comm. Coll.
NEW STREET
SPENCER RD.
ROAD
GLADSTONE ST.
Wycliffe Ter.
HONEYSUCKLE CL.
YEW TREE DR.
HAZEL DR.
CONIFER CL.
LARCH DR.
THE HAWTHORNS
GREENACRES
AV.
MAPLE DR.
HOLLY
LUTTERWORTH
HAZELAND CT.
GOSCOTE DR.
COUNCIL AV. ST.
LAXTON
GUTHLAXTON
LWR. LEICESTER RD.
Court
MORTON
Works
4
LILAC
JASMINE CL.
SYCAMORE
LEIGH
ASH
BEECH
LABURNUM AV.
CEDAR AV.
Playing Field
Pav.
Recreation Ground
Ten. Cts.
Warehouse
HOSP
RAMSEY CL.
BOUNDARY
FARINGDON AV.
LAVENDER
FORSYTHIA CL.
DRIVE
CHESTNUT
POPLAR AV.
OAKFIELD
ROWAN
DRIVE
DRIVE
ROAD
GEORGE ST.
WALKER MNR.
CARLSON GDNS.
MARYLEBONE DR.
HOLME
TREFOIL
FIELD
CRES.
LINDEN DR.
ELM AV.
ALDER CR.
FIR-TREE
Cricket Ground
Pav.
CHURCH CL.
Lib. Mus.
CHAPEL ST.
CT.
CARLSON GDNS.
BELL ST.
STATION ROAD
LEYTON CL.
RYE HILL AV.
LILAC
AZALEA CLOSE
ROBINA CL.
CHERRYTREE AV.
COVENTRY
ST. MARY'S
ROAD
HUNTERS DR.
MERITON ROAD
AVERY CLOSE
Lancaster Cl.
CHURCH ST.
CHURCH
BANK ST.
Regent Cl.
WOODWAY
WHITTLE RD.
ELMHIRST ROAD
KINGSWAY
WOODBINE CRES.
BAKER ST.
HIGH ST.
MARKET ST.
MISTERTON WAY
DE VERDON RD.
FERRERS
ORCHARD
PALMER DR.
WHEELER CL.
REGENT ST.
STONEY
ORANGE HILL
5
Leaders Farm
CUNNINGHAM
MAINO
CRES.
ROAD
ROAD
ROAD
WOODMARKET
SPRING CLOSE
ANSCOMBE CL.
HILL
MILL GRO. RD.
RIVERSIDE
DRIVE
Westerby Ct.
GIBSON WY.
RYDERWAY
TEDDER CL.
CHURCHILL
DRIVE
St. John's Cl.
Lutterworth High Sch.
LANE
Playing Field
RUGBY
A4303
MONTGOMERY CL.
ATTLEE DR.
MOUNTBATTEN W.
ALEXANDER
CHESHIRE CL.
Wycliffe Co. Prim. Sch.
Playing Field
Swift
Mill Farm
Works
84
A4303
A4304
Junction 20
6
Club House
A426
ROAD
SWINFORD
ROAD
River
LUTTERWORTH GOLF COURSE
MOORBARNS
M1
53
San Raquel

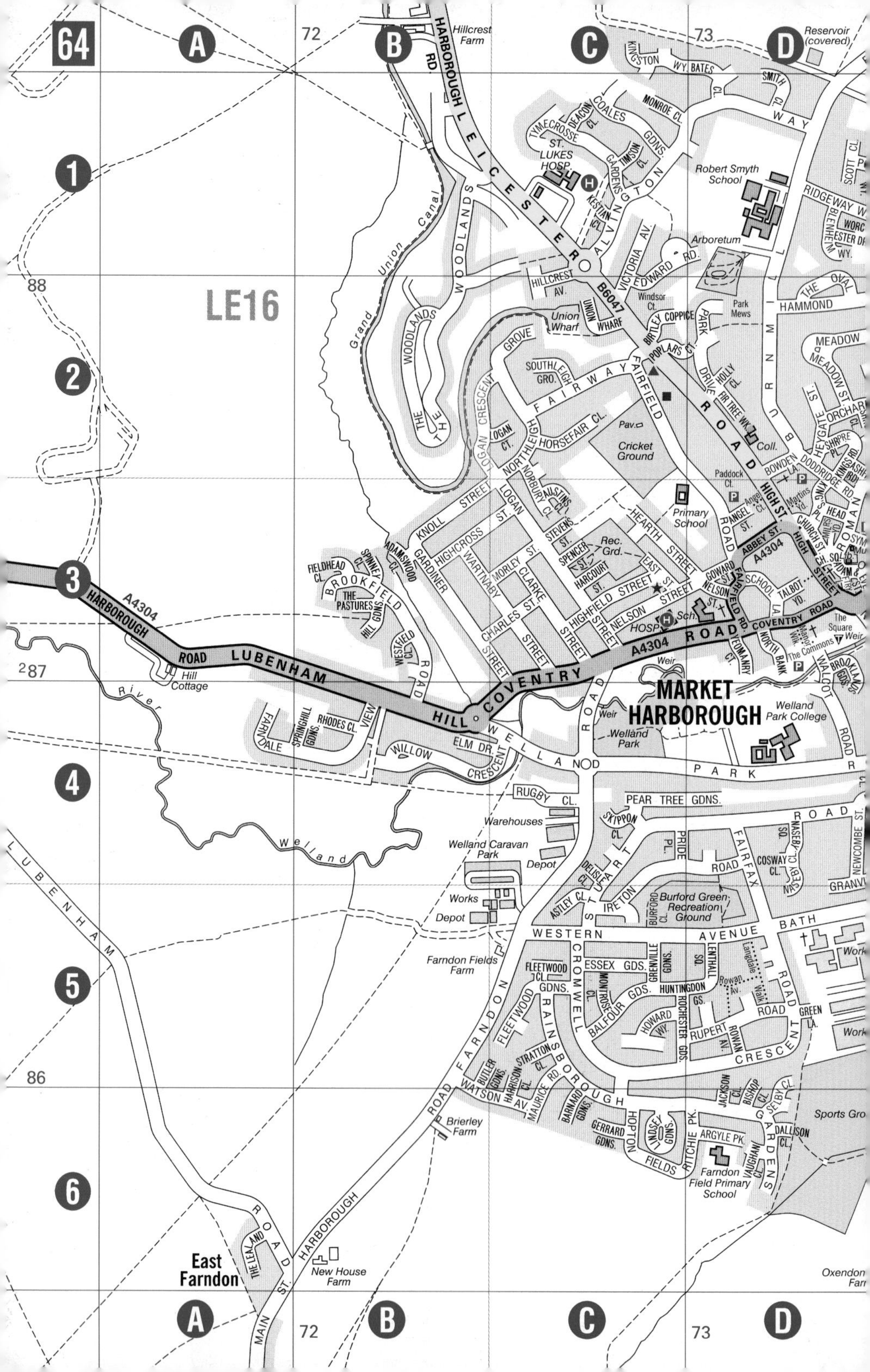
A
B
C
D
72
73
1
2
3
4
5
6
88
87
86
LE16
MARKET HARBOROUGH
East Farndon
Hillcrest Farm
Reservoir (covered)
HARBOROUGH RD.
LEICESTER ROAD
B6047
A4304
HARBOROUGH ROAD
LUBENHAM HILL
COVENTRY ROAD
Grand Union Canal
River Welland
WOODLANDS
THE WOODLANDS
KINGSTON WY.
BATES CL.
SMITH CL.
MONROE CL.
WAY
COALES GDNS.
DEACON CL.
TYMECROSSE GARDENS
TIMSON CL.
ST. LUKES HOSP.
KESTIAN CL.
ALVINGTON
Robert Smyth School
RIDGEWAY WY.
SCOTT CL.
BLENHEIM WY.
WORCESTER DR.
Arboretum
VICTORIA AV.
EDWARD RD.
HILLCREST AV.
Windsor Ct.
Park Mews
THE OVAL
HAMMOND
UNION WHARF
Union Wharf
BIRTLEY
COPPICE
PARK DRIVE
POPLARS CL.
MEADOW
MEADOW ST.
GROVE
SOUTHLEIGH GRO.
FAIRWAY
FAIRFIELD
HOLLY CL.
FIR TREE WK.
BURNMILL
LOGAN CRESCENT
LOGAN CT.
NORTHLEIGH
HORSEFAIR CL.
Pav.
Cricket Ground
Coll.
HEYGATE ST.
ORCHARD
SHROPSHIRE PL.
DODDRIDGE RD.
KINGS RD.
BOWDEN LA.
Paddock Cl.
NORBURY CL.
AUSTINS CL.
KNOLL STREET
LOGAN ST.
Primary School
Angel Ct.
Martins Yd.
HIGH ST.
ANGEL ST.
CHURCH ST.
HEAD
ROMAN
HIGHCROSS ST.
STEVENS ST.
HEARTH STREET
ABBEY ST.
HIGH STREET
GARDINER
ADAMSWOOD CL.
SPINNEY CL.
FIELDHEAD CL.
BROOKFIELD
THE PASTURES
HILL GDNS.
WARTNABY
MORLEY ST.
CLARKE
SPENCER ST.
Rec. Grd.
HARCOURT ST.
EAST ST.
GOWARD ST.
NELSON ST.
FAIRFIELD RD.
SCHOOL LA.
TALBOT YD.
CH. SQ.
CHARLES ST.
STREET
HIGHFIELD STREET
NELSON STREET
HOSP.
Sch.
ST.
WESTFIELD CL.
ROAD
YEOMANRY CT.
NORTH BANK
Manor Wlk.
The Square
Weir
The Commons
WALCOT
BROOKLANDS GDNS.
Hill Cottage
FARNDALE
SPRINGHILL GDNS.
RHODES CL.
VIEW
WILLOW
ELM DR.
CRESCENT
WELLAND
Welland Park
Welland Park College
PARK
RUGBY CL.
PEAR TREE GDNS.
SKIPPON CL.
Warehouses
Welland Caravan Park
Depot
Works
DELISLE CL.
STUART
PRIDE PL.
FAIRFAX
ROAD
COSWAY CL.
NASEBY SQ.
NEWCOMBE ST.
GRANVILLE
ASTLEY CL.
IRETON
BURFORD CL.
Burford Green Recreation Ground
BATH
WESTERN AVENUE
Langdale
Farndon Fields Farm
FLEETWOOD CL.
ESSEX GDS.
CROMWELL
GRENVILLE GDNS.
LENTHALL SQ.
MONTROSE CL.
BALFOUR GDS.
HUNTINGDON GS.
ROCHESTER GDS.
Rowan Av.
Walk
HOWARD WY.
RUPERT
ROWAN AV.
GREEN LA.
RAINSBOROUGH
FLEETWOOD GDNS.
FARNDON ROAD
CRESCENT
BUTLER GDNS.
HARRISON CL.
STRATTON CL.
MAURICE RD.
WATSON AV.
BARNARD GDNS.
HOPTON FIELDS
GERRARD GDNS.
LINDSEY GDNS.
RITCHIE PK.
ARGYLE PK.
JACKSON CL.
BISHOP CL.
SELBY CL.
DALLISON CL.
VAUGHAN CL.
GARDENS
Sports Gro
Brierley Farm
Farndon Field Primary School
LUBENHAM ROAD
HARBOROUGH
THE LEALAND
New House Farm
MAIN ST.
Oxendon Farm

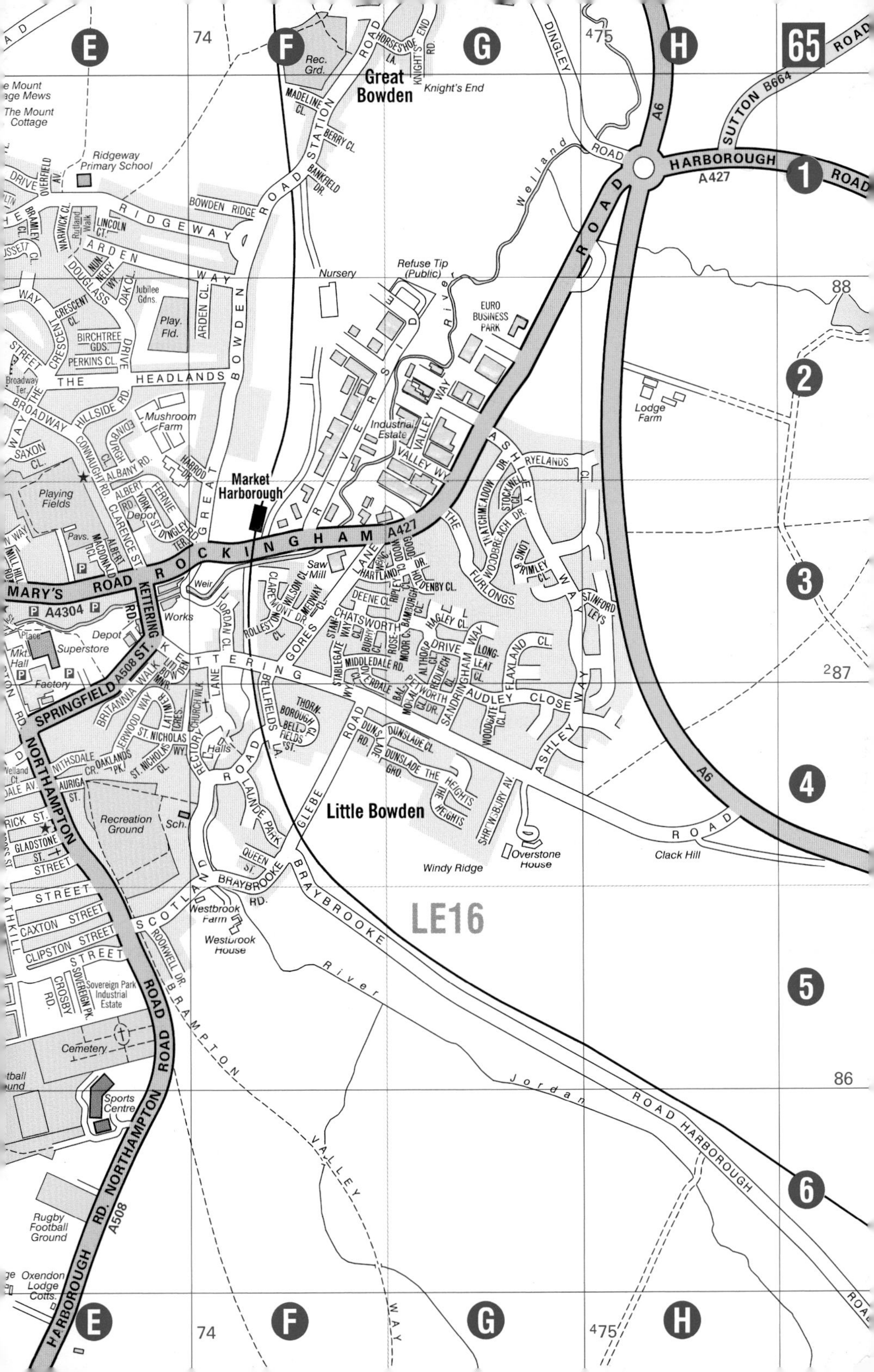
E
F
G
H
74
475
1
2
3
4
5
6
88
87
86
Great Bowden
Knight's End
Rec. Grd.
HORSESHOE LA.
KNIGHT'S END RD.
DINGLEY ROAD
MADELINE CL.
STATION ROAD
BERRY CL.
BANKFIELD DR.
SUTTON B664 ROAD
HARBOROUGH A427 ROAD
A6
Welland
The Mount Cottage
Ridgeway Primary School
OVERFIELD AV.
DRIVE
RIDGEWAY
BOWDEN RIDGE
BRAMLEY CL.
WARWICK CL.
Rutland Walk
LINCOLN CT.
ARDEN WAY
NUNNELEY WY.
OAK CL.
DOUGLASS
Jubilee Gdns.
Play. Fld.
ARDEN CL.
GREAT BOWDEN RD
CRESCENT CL.
BIRCHTREE GDS.
PERKINS CL.
DRIVE
THE HEADLANDS
Broadway Ter.
BROADWAY
HILLSIDE RD
EDINBURGH CL.
Mushroom Farm
SAXON CL.
CONNAUGHT RD.
ALBANY RD.
HARROD DR.
Playing Fields
ALBERT RD.
YORK ST.
FERNIE
Depot
DINGLEY TER.
CLARENCE ST.
ALBERT MACDONALD CL.
Pavs.
MILL HILL RD.
MARY'S ROAD
A4304
ROCKINGHAM A427 ROAD
Market Harborough
Refuse Tip (Public)
Nursery
River
RIVERSIDE
EURO BUSINESS PARK
Industrial Estate
VALLEY WAY
VALLEY WY.
Lodge Farm
ASHLEY WAY
RYELANDS
HATCHMEADOW
STOCKWELL CL.
WOODBREACH DR.
THE FURLONGS
LONG
PRIMLEY CL.
STINFORD LEYS
Saw Mill
Weir
Works
KETTERING RD.
Depot
Mkt. Hall
Superstore
Factory
SPRINGFIELD A508 ST.
CLAREMONT DR.
WILSON CL.
MEDWAY CL.
ROLLESTON CL.
JORDAN CL.
GORES LANE
HARTLAND DR.
RIPLEY CL.
GOODWOOD CL.
DENBY CL.
DEENE CL.
CHATSWORTH
BAMBURGH CL.
HAGLEY CL.
STANSTEAD WAY
BURHILL CL.
ROSEMOOR CL.
DRIVE
SANDRINGHAM WAY
LONGLEAT CL.
FLAXLAND CL.
STABLEGATE WY.
MIDDLEDALE RD.
ALTHORP CL.
REDLIECH CL.
PETWORTH DR.
AUDLEY CLOSE
WOODGATE CL.
KETTERING ROAD
BRITANNIA WALK
LITTLE BOWDEN MNR.
JERWOOD WAY
LATIMER CRES.
CHURCH WLK
LANE
BELLFIELDS LA.
THORNBOROUGH CL.
BELLFIELDS EST.
DUNSLADE RD.
DUNSLADE CL.
DUNSLADE GRO.
THE HEIGHTS
SHREWSBURY AV.
ST. NICHOLAS WY.
ST. NICHOLAS CL.
RECTORY
Halls
ROAD
LAUNDE PARK
GLEBE ROAD
Little Bowden
Overstone House
Windy Ridge
Clack Hill
ROAD
WITHSDALE CR.
OAKLANDS PK.
AURIGA ST.
NORTHAMPTON ROAD
Recreation Ground
Sch.
QUEEN ST.
BRAYBROOKE RD.
BRAYBROOKE ROAD
Westbrook Farm
Westbrook House
LE16
GLADSTONE ST.
STREET
CAXTON STREET
CLIPSTON STREET
SCOTLAND
ROOKWELL DR.
BRAMPTON
CROSBY RD.
SOVEREIGN PK.
Sovereign Park Industrial Estate
Cemetery
Sports Centre
Rugby Football Ground
HARBOROUGH RD. NORTHAMPTON A508
Oxendon Lodge Cotts.
VALLEY WAY
Jordan
HARBOROUGH ROAD

INDEX

Including Streets, Selected Subsidiary Addresses
and Selected Places of Interest.

HOW TO USE THIS INDEX

1. Each street name is followed by its Posttown or Postal Locality and then by its map reference; e.g. Abbey Dri. *Leic*—2B **20** is in the Leicester Posttown and is to be found in square 2B on page **20**. The page number being shown in bold type. A strict alphabetical order is followed in which Av., Rd., St., etc. (though abbreviated) are read in full and as part of the street name; e.g. Albert MacDonald Clo. appears after Albert Ct. but before Albert Rd.

2. Streets and a selection of Subsidiary names not shown on the Maps, appear in the index in *Italics* with the thoroughfare to which it is connected shown in brackets; e.g. *Branson Ct. S Stan—3C 50 (off Church St.)*

3. An example of a selected place of interest is **Abbey Pk. —5B 20**

4. Map references shown in brackets; e.g. Abbey St. *Leic*—6B **20** (1D **4**) refer to entries that also appear on the large scale pages 4 & 5.

GENERAL ABBREVIATIONS

All : Alley	Ct : Court	Lit : Little	Rd : Road
App : Approach	Cres : Crescent	Lwr : Lower	Shop : Shopping
Arc : Arcade	Cft : Croft	Mc : Mac	S : South
Av : Avenue	Dri : Drive	Mnr : Manor	Sq : Square
Bk : Back	E : East	Mans : Mansions	Sta : Station
Boulevd : Boulevard	Embkmt : Embankment	Mkt : Market	St : Street
Bri : Bridge	Est : Estate	Mdw : Meadow	Ter : Terrace
B'way : Broadway	Fld : Field	M : Mews	Trad : Trading
Bldgs : Buildings	Gdns : Gardens	Mt : Mount	Up : Upper
Bus : Business	Gth : Garth	Mus : Museum	Va : Vale
Cvn : Caravan	Ga : Gate	N : North	Vw : View
Cen : Centre	Gt : Great	Pal : Palace	Vs : Villas
Chu : Church	Grn : Green	Pde : Parade	Vis : Visitors
Chyd : Churchyard	Gro : Grove	Pk : Park	Wlk : Walk
Circ : Circle	Ho : House	Pas : Passage	W : West
Cir : Circus	Ind : Industrial	Pl : Place	Yd : Yard
Clo : Close	Info : Information	Quad : Quadrant	
Comn : Common	Junct : Junction	Res : Residential	
Cotts : Cottages	La : Lane	Ri : Rise	

POSTTOWN AND POSTAL LOCALITY ABBREVIATIONS

Ambgt : Ambergate	*Crop* : Cropston	*Kib* : Kibworth	*Rothl* : Rothley
Anst : Anstey	*Des* : Desford	*Kilb* : Kilby	*Sap* : Sapcote
Ash M : Ashby Magna	*Dun B* : Dunton Bassett	*Kir M* : Kirby Muxloe	*Scrap* : Scraptoft
Ash P : Ashby Parva	*Earl S* : Earl Shilton	*Leic* : Leicester	*Shar* : Sharnford
Ayl : Aylestone	*E Far* : East Farndon	*Leic F* : Leicester Forest East	*Shot* : Shottle
Bark : Barkby	*E Gos* : East Goscote	*Leir* : Leire	*Sile* : Sileby
Belg : Belgrave	*Elme* : Elmesthorpe	*L'thrpe* : Littlethorpe	*Sme W* : Smeeton Westerby
Bir : Birstall	*End* : Enderby	*Lutt* : Lutterworth	*S Stan* : Stoney Stanton
Bitt : Bitteswell	*Evi* : Evington	*Mark* : Markfield	*Stoug* : Stoughton
Blab : Blaby	*Flec* : Fleckney	*Mkt H* : Market Harborough	*Sys* : Syston
Bram : Brampton Ash	*Fos* : Foston	*Mer B* : Meridian Bus. Pk.	*Thrus* : Thrussington
Braun : Braunstone	*Frol* : Frolesworth	*Mount* : Mountsorrel	*Thurc* : Thurcaston
B Ast : Broughton Astley	*Glen* : Glenfield	*Nar* : Narborough	*Thurl* : Thurlaston
Bur O : Burton Overy	*Glen P* : Glen Parva	*New H* : Newton Harcourt	*Thurm* : Thurmaston
Bush : Bushby	*Gt B* : Great Bowden	*New L* : Newtown Linford	*Thurn* : Thurnby
C Oak : Copt Oak	*Gt G* : Great Glen	*Oad* : Oadby	*Ulv* : Ulverscroft
Cosb : Cosby	*Grob* : Groby	*Peat M* : Peatling Magna	*Wan* : Wanlip
Costn : Cossington	*Ham* : Hamilton	*Pot M* : Potters Marston	*Whet* : Whetstone
Count : Countesthorpe	*Hum* : Humberstone	*Quen* : Queniborough	*Wig* : Wigston
Croft : Croft	*Hunc* : Huncote	*Rat* : Ratby	

INDEX

Abbey Bus. Pk. *Leic* —6A **20** (1B **4**)
Abbey Ct. *Leic* —3B **20**
Abbeycourt Rd. *Leic* —2B **20**
Abbey Dri. *Leic* —2B **20**
Abbey Ga. *Leic* —6A **20**
Abbey Ho. *Leic* —5F **19**
Abbey La. *Leic* —4A **20**
Abbey Meadows. *Leic* —4B **20**
Abbeymead Rd. *Leic* —2B **20**
Abbey Pk. —5B 20
Abbey Pk. Rd. *Leic* —4A **20**
Abbey Pk. St. *Leic* —5C **20**
Abbey Ri. *Leic* —2B **20**

Abbey Rd. *Nar* —2F **43**
Abbey St. *Leic* —6B **20** (1D **4**)
Abbey St. *Mkt H* —3D **64**
Abbey Wlk. *Leic* —6B **20** (1C **4**)
Abbots Clo. *Leic* —5B **22**
Abbots Ct. *Leic* —5B **22**
Abbotsford Clo. *Scrap* —5F **23**
Abbotsford Rd. *Leic* —6H **21**
Abbots Rd. N. *Leic* —5B **22**
Abbots Rd. S. *Leic* —5C **22**
Abbotts Clo. *Sys* —6D **6**
Aberdale Rd. *Leic* —4D **36**
Aber Rd. *Leic* —5F **29**

Aber Wlk. *Leic* —5F **29**
Abingdon Rd. *Leic* —3D **28**
Abney St. *Leic* —3E **29**
Acacia Av. *Bir* —3H **13**
Acacia Av. *Lutt* —3F **63**
Acacia Clo. *Leic F* —5F **25**
Acan Way. *Nar* —4C **42**
Acer Clo. *Leic* —1G **19**
Acer Clo. *Nar* —4C **42**
Achurch Clo. *S Stan* —2B **50**
Acorn St. *Leic* —3D **20**
Acorn Way. *Wig* —1C **46**
Acres Rd. *Leic F* —4G **25**

Audley End. *Leic* —6F **27**
Augusta Clo. *Leic* —1A **26**
Augustus Clo. *Sys* —1C **14**
Auriga St. *Mkt H* —4E **65**
Auster Ind. Est. *Thurm* —5D **14**
Austin Ri. *Leic* —4C **22**
Austins Clo. *Mkt H* —3C **64**
Austrey La. *Count* —3F **55**
Austwick Clo. *Leic* —2G **19**
Avebury Av. *Leic* —4G **19**
Avenue Clo. *Quen* —4H **7**
Avenue Gdns. *Leic* —6E **29**
Avenue Rd. *Leic* —6E **29**
Avenue Rd. *Quen* —4H **7**
Avenue Rd. Extension. *Leic* —6C **28**
Avenue, The. *Blab* —3A **44**
Avenue, The. *B Ast* —6A **52**
Avenue, The. *Glen* —4H **17**
Avenue, The. *Leic* —5E **29**
Averil Rd. *Leic* —1B **30**
Avery Clo. *Lutt* —5F **63**
Avery Dri. *Mark* —2B **8**
Avery Dri. *Sys* —4F **7**
Avery Hill. *Leic* —3B **26**
Avoca Clo. *Leic* —1B **30**
Avon Clo. *Oad* —4C **38**
Avondale Rd. *Wig* —6F **37**
Avon Dri. *Whet* —4H **43**
Avon Rd. *Leic* —5C **26**
Avonside Dri. *Leic* —2H **29**
Avon St. *Leic* —3D **28**
Axbridge Clo. *Leic* —4H **19**
Aylesham Ct. *Leic F* —4F **25**
Aylestone Dri. *Leic* —4H **35**
Aylestone Hall Gardens. —2G **35**
Aylestone La. *Wig* —5C **36**
Aylestone Leisure Cen. —1B **36**
Aylestone Meadows Nature Reserve.
—4F **35**
Aylestone Playing Fields. —2F **35**
Aylestone Rd. *Leic* —3G **35** (8C **5**)
Aylestone Wlk. *Leic* —4B **28** (8C **5**)
Aylmer Rd. *Leic* —3D **26**
Aysgarth Rd. *Leic* —2G **19**
Ayston Rd. *Leic* —6E **27**
Azalea Clo. *Lutt* —5E **63**

Babingley Dri. *Leic* —3H **19**
Babington Row. *Leic* —4C **36**
Back La. *Bur O* —3H **49**
Back La. *Costn* —2B **6**
Back La. *Leir* —6A **60**
(in two parts)
Back La. *Shot* —1B **8**
Baddeley Dri. *Wig* —5D **36**
Baden Rd. *Leic* —4G **29**
Badger Dri. *Whet* —6H **43**
Badgers Clo. *Leic* —2F **19**
Badgers Clo. *Nar* —4C **42**
Badger's Corner. *E Gos* —1H **7**
Badgers Holt. *Oad* —5A **38**
Badminton Rd. *Leic* —6B **14**
Badminton Rd. *Sys* —4F **7**
Baggrave St. *Leic* —1F **29**
Baileys La. *Bur O* —2H **49**
Bainbridge Rd. *Leic* —6F **27**
Bainbridge Rd. *Wig* —2C **46**
Baines La. *Leic F* —4H **25**
Baker St. *Lutt* —5G **63**
Bakery Clo. *Cosb* —3F **53**
Bakewell Rd. *Wig* —5E **37**
Bakewell St. *Leic* —2E **29**
Bala Rd. *Croft* —1H **51**
Balcombe Av. *Leic* —1F **27**
Balderstone Clo. *Leic* —2A **30**
Baldwin Av. *Wig* —2G **45**
Baldwin Ri. *B Ast* —6H **51**
Baldwin Rd. *Leic* —4D **36**
Bale Rd. *Leic* —4G **21**
Balfour Gdns. *Mkt H* —5C **64**

Balfour St. *Leic* —6H **19**
Balisfire Gro. *Leic* —2F **19**
Balk, The. *Glen* —4H **17**
Balladine Rd. *Anst* —4G **11**
Ballards Clo. *Leic* —2F **19**
Ballater Clo. *Leic* —4D **30**
Balliol Av. *Sys* —1G **15**
Balmoral Clo. *Leic* —2E **37**
Balmoral Clo. *Mkt H* —4G **65**
Balmoral Dri. *Leic* —5C **26**
Bamburgh Clo. *Mkt H* —3G **65**
Bambury La. *Count* —4D **54**
Bambury Way. *Leic* —3C **36**
Bampton Clo. *Wig* —3B **46**
Bankart Av. *Leic* —6G **29**
Bankfield Dri. *Gt B* —1F **65**
Bankside. *Leic* —5E **23**
Banks Rd. *Leic* —2H **35**
Banks Sports Club. —2H **35**
Banks, The. *Cosb* —3F **53**
Bank St. *Lutt* —5G **63**
Bank, The. *Count* —1F **55**
Bank, The. *Kib* —5A **62**
Bannerman Rd. *Leic* —4F **29**
Bantlam La. *End* —6H **33**
Baptist M., The. *Blab* —2C **44**
Barbara Av. *Leic* —6B **22**
Barbara Av. *Leic F* —4E **25**
Barbara Clo. *End* —6G **33**
Barbara Rd. *Leic* —6F **27**
Barclay St. *Leic* —3G **27**
Bardolph St. *Leic* —5D **20**
Bardolph St. E. *Leic* —5E **21**
Barfoot Clo. *Flec* —4A **58**
Barfoot Rd. *Leic* —4B **36**
Barford Clo. *Wig* —3A **46**
Barge Clo. *Wig* —3G **45**
Barkby Holt La. *Bark* —3H **15**
Barkby La. *Sys* —1D **14**
Barkby Rd. *Leic* —3F **21**
Barkby Rd. *Quen* —6H **7**
Barkby Rd. *Sys* —5F **7**
Barkby Thorpe La. *Thurm & Bark* —2C **14**
(in two parts)
Barkbythorpe Rd. *Leic* —1H **21**
Barker St. *Leic* —6F **21**
Barkford Clo. *Scrap* —4E **23**
Barley Clo. *Glen* —5A **18**
Barling Rd. *Leic* —5H **21**
Barmouth Av. *Leic* —3C **36**
Barnard Clo. *Leic* —2D **28**
Barnard Gdns. *Mkt H* —6C **64**
Barnby Av. *Wig* —5E **37**
Barn Clo. *Wig* —3C **46**
Barnes Clo. *Kib* —5H **59**
Barnes Clo. *Leic* —6C **14**
Barnes Heath Rd. *Leic* —2A **30**
Barnet Clo. *Oad* —6A **38**
Barnfield Clo. *Gt G* —2D **48**
Barngate Clo. *Bir* —3F **13**
Barnley Clo. *Count* —1E **55**
Barns Clo. *Kir M* —2C **24**
Barnsdale Rd. *Leic* —6H **11**
Barnstaple Clo. *Wig* —3B **46**
Barnstaple Rd. *Leic* —4D **30**
Barn Way. *Mark* —3C **8**
Barnwell Av. *Leic* —1B **20**
Baronet Way. *Leic* —4E **23**
Barons Clo. *Kir M* —2C **24**
Barratt Clo. *Leic* —5F **29**
Barrington Pk. Ind. Est. *Leic* —6B **12**
Barrington Rd. *Leic* —6G **29**
Barrow La. *Glen* —4H **17**
Barry Clo. *Leic F* —4E **25**
Barry Dri. *Leic F* —4E **25**
Barry Dri. *Sys* —5F **7**
Barry Rd. *Leic* —4D **22**
Barsby Wlk. *Leic* —1H **19**
(in three parts)
Barshaw Pk. Ind. Est. *Leic* —6C **12**
Barston St. *Leic* —6B **20** (1C **4**)

Bartholomew St. *Leic* —3E **29**
Barton Clo. *Rat* —6D **16**
Barton Clo. *Wig* —2A **46**
Barton Rd. *Leic* —5G **19**
Barwell Rd. *Kir M* —2D **24**
Baslow Rd. *Leic* —3F **29**
Bassett Av. *Count* —2E **55**
Bassett La. *Sap* —6B **50**
Bassett St. *Leic* —6H **19**
Bassett St. *Wig* —2F **45**
Batchelor Rd. *Flec* —5B **58**
Bateman Rd. *Leic* —6E **19**
Bates Clo. *Mkt H* —1D **64**
Bath Clo. *Sap* —5B **50**
Bath La. *Leic* —1A **28** (3A **4**)
Bath St. *Leic* —2C **20**
(in two parts)
Bath St. *Mkt H* —5D **64**
Bath St. *Sys* —5E **7**
Bathurst Rd. *Leic* —3D **30**
Battenberg Rd. *Leic* —1G **27**
Batten St. *Leic* —6A **28**
Battersbee Rd. *Leic* —5C **18**
Battersbee Wlk. *Leic* —5C **18**
Battersbee Way. *Leic* —5C **18**
Baxters Clo. *Leic* —2F **19**
Baycliff Clo. *Leic* —5F **19**
Bayham Clo. *Leic* —2B **30**
Baysdale. *Wig* —1D **46**
Bay St. *Leic* —6A **20** (1B **4**)
Bayswater Dri. *Glen P* —2D **44**
Beacon Av. *Thurm* —4D **14**
Beacon Clo. *Glen* —4B **18**
Beacon Clo. *Grob* —3E **17**
Beacon Clo. *Leic* —5A **12**
Beacon Clo. *Mark* —2C **8**
Beaconsfield Rd. *Leic* —3G **27**
Beadswell La. *Bur O* —3H **49**
Beal St. *Leic* —1D **28**
Beatrice Rd. *Leic* —6F **19**
Beatty Av. *Leic* —6G **21**
Beatty Rd. *Leic* —6G **21**
Beatty Rd. *Sys* —5F **7**
Beauchamp Rd. *Kib* —5H **59**
Beaufort Clo. *Oad* —5D **38**
Beaufort Rd. *Leic* —6E **27**
Beaufort Way. *Oad* —5D **38**
Beaumanor Rd. *Leic* —3B **20**
Beaumont Grn. *Grob* —3F **17**
Beaumont Hall. *Oad* —1H **37**
Beaumont Leys Clo. *Leic* —2H **19**
Beaumont Leys La. *Leic* —6C **12**
Beaumont Leys Ter. *Leic* —2E **19**
Beaumont Lodge Rd. *Leic* —5B **12**
Beaumont Pk. —6B **12**
Beaumont Rd. *Leic* —1E **29**
Beaumont St. *Oad* —3A **38**
Beaumont Wlk. *Leic* —2E **19**
(in two parts)
Beaumont Way. *Leic* —6A **12**
Beauville Dri. *Leic* —2E **19**
Beaver Cen., The. *Leic* —5B **28**
Beaver Clo. *Whet* —6H **43**
Beck Clo. *Glen P* —6E **35**
Beckett Rd. *Leic* —5G **21**
Beckingham Rd. *Leic* —4E **29**
Bedale Dri. *Leic* —6C **12**
Bede Hall. *Leic* —3A **28** (7A **5**)
Bede Island Rd. *Leic* —3A **28** (6A **5**)
Bede St. *Leic* —2H **27** (6A **5**)
Bedford Dri. *Grob* —3F **17**
Bedford Rd. *Wig* —6C **36**
Bedford St. N. *Leic* —6C **20** (1E **4**)
Bedford St. S. *Leic* —1B **28** (2D **4**)
Beeby Clo. *Sys* —6G **7**
Beeby Rd. *Bark* —3H **15**
Beeby Rd. *Leic* —1F **29**
Beeby Rd. *Scrap* —5F **23**
(in two parts)
Beech Av. *Grob* —4E **17**
Beech Av. *Lutt* —4E **63**

Beech Clo. *Mark*—3C **8**
Beech Ct. *Wig*—6E **37**
Beechcroft Av. *Leic*—1E **35**
Beechcroft Rd. *Leic*—6E **29**
Beech Dri. *Leic*—4B **26**
Beech Dri. *Sys*—1F **15**
Beechfield Av. *Bir*—4G **13**
Beechfield Clo. *Gt G*—2D **48**
Beechings Clo. *Count*—2D **54**
Beech Rd. *Blab*—4B **44**
Beech Rd. *Oad*—4A **38**
Beech St. *Leic*—6E **21**
Beech Tree Clo. *Kib*—3A **62**
Beech Wlk. *Mark*—3C **8**
Beechwood Av. *Leic F*—4G **25**
Beechwood Av. *Quen*—4H **7**
Beechwood Av. *Thurm*—5C **14**
Beechwood Clo. *Leic*—2C **30**
Beechwood Rd. *L'thrpe*—5D **42**
Beedles Lake Golf Course.—2G 7
Beggar's La. *Leic F & End*—5E **25**
Begonia Clo. *Leic F*—5F **25**
Belfry Dri. *Leic*—2A **26**
Belgrave Av. *Leic*—2C **20**
Belgrave Boulevd. *Leic*—6C **12**
(in two parts)
Belgrave Circ. *Leic*—5C **20**
Belgrave Flyover. *Leic*—6C **20**
Belgrave Ga. *Leic*—1B **28** (3D **4**)
(in two parts)
Belgrave Ind. Cen. *Leic*—4C **20**
Belgrave Rd. *Leic*—5C **20**
Bellamy Clo. *Glen P*—6E **35**
Bell Clo. *B Ast*—3C **60**
Bell Clo. *Rat*—5D **16**
Belleville Dri. *Oad*—3C **38**
Belle Vue Av. *Leic*—3A **20**
Bellfields La. *Mkt H*—4F **65**
Bellfields St. *Mkt H*—4F **65**
Bellflower Rd. *Ham*—2B **22**
Bellholme Clo. *Leic*—2D **20**
Bell La. *Bur O*—3H **49**
Bell La. *Leic*—1D **28** (2F **4**)
Bell La. *Nar*—4E **43**
Bell St. *Wig*—6F **37**
Bell Vue. *Nar*—3E **43**
Belmont St. *Leic*—2H **35**
Belper Clo. *Oad*—6A **38**
Belper Clo. *Wig*—3G **45**
Belper St. *Leic*—4D **20**
Belton Clo. *Leic*—4B **36**
Belton Rd. *Leic*—1E **35**
Belvoir Clo. *Oad*—5C **38**
Belvoir Dri. *Leic*—3G **35**
Belvoir Dri. *Sys*—5G **7**
Belvoir Dri. E. *Leic*—3H **35**
Belvoir St. *Leic*—2B **28** (5D **5**)
Beman Clo. *Leic*—6C **14**
Bembridge Clo. *Leic*—5H **19**
Bembridge Rd. *Leic*—5G **19**
Bencroft Clo. *Anst*—5F **11**
Bendbow Ri. *Leic*—4B **26**
(in three parts)
Benford Clo. *B Ast*—3B **60**
Bennett Ri. *Hunc*—3A **42**
Bennetts Hill. *Dun B*—5F **61**
Bennett's La. *Costn*—1B **6**
Bennett Wlk. *Leic*—3D **26**
Bennett Way. *Wig*—2G **45**
Bennion Rd. *Bush*—3G **31**
Bennion Rd. *Leic*—2E **19**
Benscliffe Gdns. *Leic*—6H **35**
Benskins Oval. *Leic*—4C **12**
Benskin Wlk. *Leic*—3F **19**
Benskyn Clo. *Count*—1D **54**
Benson St. *Leic*—2G **29**
Bens Way. *Leic*—2B **30**
Bentburn Ho. *Leic*—6E **19**
Bentinghouse Gdns. *Leic*—5H **35**
Bentinghouse Rd. *Leic*—5H **35**
Bentley Rd. *Bir*—3G **13**
Beresford Dri. *Leic*—1F **37**
Berford Clo. *B Ast*—2B **60**
Berkeley Clo. *Oad*—4D **38**
Berkenshaw Wlk. *Leic*—2B **30**
Berkley St. *Leic*—6A **20** (1A **4**)
Berkshire Rd. *Leic*—2H **35**
Berners St. *Leic*—1D **28**
Berridge Dri. *Oad*—5B **38**
Berridge La. *Leic*—2D **20**
Berridge St. *Leic*—2B **28** (4C **4**)
Berridge Wlk. *Leic*—2D **20**
Berrington Clo. *Leic*—5G **21**
Berry Clo. *Gt B*—1F **65**
Berry Ho. *Wig*—4B **46**
Berry's La. *Rat*—5C **16**
(in two parts)
Best Clo. *Wig*—2F **45**
Beth-El. *Wig*—3A **46**
Bevan Rd. *Leic*—3C **12**
(in two parts)
Beverley Av. *Leic*—4D **20**
Beverley Clo. *Thurm*—4C **14**
Beverley Dri. *B Ast*—6A **52**
Bevington Clo. *Rat*—4B **16**
Bewcastle Gro. *Leic*—6D **12**
Bewcastle Ho. *Leic*—6D **12**
Bewicke Rd. *Leic*—5F **27**
Bexhill Ri. *Leic*—6E **23**
Biam Way. *Leic*—1E **35**
Biddle Rd. *Leic*—6E **19**
Biddle Rd. *L'thrpe*—4E **43**
Biddulph Av. *Leic*—3E **29**
Biddulph St. *Leic*—3E **29**
Bideford Clo. *Wig*—4B **46**
Bideford Rd. *Leic*—4D **30**
Bidford Clo. *Leic*—5C **26**
Bidford Ct. *Leic*—5C **26**
Bidford Rd. *Leic*—5C **26**
Biggin Hill Rd. *Leic*—5B **30**
Biggs Clo. *Whet*—6A **44**
Bignal Dri. *Leic F*—3H **25**
Bilberry Clo. *Leic*—3E **35**
Bill Crane Way. *Lutt*—2G **63**
Billington Clo. *Leic*—2A **20**
Bilsdale Rd. *Wig*—2D **46**
Bilton Way. *Lutt*—2H **63**
Bindleys La. *Gt G*—2D **48**
Bingley Ct. *L'thrpe*—5E **43**
Bingley Rd. *L'thrpe*—5E **43**
Birch Clo. *Leic*—4F **21**
Birch Clo. *Mark*—5C **8**
Birchfield Av. *Mark*—3B **8**
Birch Tree Av. *Bir*—2G **13**
Birch Tree Gdns. *Mkt H*—2E **65**
Birchtree Rd. *Wig*—5F **37**
Birchwood Clo. *Leic F*—5F **25**
Birchwood Clo. *Sys*—6G **7**
Birdie Clo. *Kib*—5B **62**
Birds Nest Av. *Leic*—5D **18**
Birkdale Av. *Leic*—6F **29**
Birkdale Rd. *Anst*—5F **11**
Birkenshaw Rd. *Leic*—4E **19**
Birsmore Av. *Leic*—1F **21**
Birstall Golf Course.—6F 13
Birstall Rd. *Bir*—1C **20**
Birstall St. *Leic*—6D **20**
Birstow Cres. *Leic*—6D **12**
Birtley Coppice. *Mkt H*—2C **64**
Bishop Clo. *Mkt H*—6D **64**
Bishopdale Rd. *Leic*—2G **19**
Bishopston Wlk. *Leic*—2B **20**
Bishop St. *Leic*—2B **28** (4D **4**)
Bisley St. *Leic*—4H **27**
Bitteswell Rd. *Lutt*—3F **63**
Blaby By-Pass. *Blab*—4A **44**
Blaby Golf Course.—5A 44
Blaby Ind. Est. *Blab*—2A **44**
Blaby Rd. *End*—6H **33**
Blaby Rd. *Wig*—2F **45**
Blackberry La. *Costn*—1C **6**
Blackbird Av. *Leic*—5H **19**
Blackbird Rd. *Leic*—5H **19**
Blackett Av. *Leic*—5E **19**
Blackfriars St. *Leic*—1A **28** (3A **4**)
Blackmore Dri. *Leic*—2E **27**
Blacksmiths La. *Sme W*—6H **59**
Blackthorn Clo. *Lutt*—4E **63**
Blackthorn Dri. *Leic*—5A **12**
Blackthorn Dri. *Sys*—5C **6**
Blackthorn La. *Oad*—2B **38**
Blackthorn Rd. *Glen*—6H **17**
(in two parts)
Blackwell Clo. *Wig*—2C **46**
Bladen Clo. *Count*—1D **54**
Blairmore Rd. *Leic*—1A **26**
Blaise Gro. *Leic*—4F **21**
Blake Ct. *Nar*—6G **33**
Blakenhall Clo. *Nar*—3B **42**
Blakenhall Rd. *Leic*—2A **30**
Blakesley Rd. *Wig*—6H **37**
Blakesley Wlk. *Leic*—3F **19**
(in two parts)
Blake St. *Leic*—1B **28** (2C **4**)
Blake Wlk. *Leic*—1B **28** (2C **4**)
Bland Rd. *Leic*—5D **18**
Blankley Dri. *Leic*—6F **29**
Blanklyn Av. *Leic*—2F **29**
Blaydon Clo. *Leic*—5F **19**
Bleasby Clo. *Leic*—1A **22**
Blenheim Clo. *Wig*—3F **45**
Blenheim Cres. *B Ast*—6H **51**
Blenheim Rd. *Bir*—3H **13**
Blenheim Way. *Leic*—1A **20**
Blenheim Way. *Mkt H*—1D **64**
Blickling Wlk. *Leic*—5G **21**
Blissett Rd. *Leic*—6E **19**
Bloomfield Rd. *Leic*—3B **36**
Blossoms, The. *Mark*—5C **8**
Blount Rd. *Thurm*—5D **14**
Bloxham Rd. *Leic*—6F **19**
Bloxoms Clo. *Braun*—3D **34**
Blue Banks Av. *Glen P*—6E **35**
Bluebell Clo. *Kir M*—1F **25**
Bluebell Clo. *Quen*—3H **7**
Bluebell Dri. *Leic*—5B **36**
Blue Gates Rd. *Leic*—6H **11**
Blue Pots Clo. *Leic F*—5F **25**
Blundell Rd. *Leic*—4A **30**
Blunt's La. *Wig*—1A **46**
Bodenham Clo. *Wig*—3A **46**
Bodicoat Clo. *Whet*—6A **44**
Bodkin Wlk. *Leic*—2F **19**
Bodmin Av. *Wig*—3A **46**
Bodnant Av. *Leic*—4G **29**
Bodycote Clo. *B Ast*—2B **60**
Bollington Rd. *Oad*—3C **38**
Bolsover St. *Leic*—1G **29**
Bolton Rd. *Leic*—2G **27**
Bonchurch St. *Leic*—6H **19**
Bondman Clo. *Leic*—6E **13**
Boneham's La. *Lutt*—1H **63**
Bonner Clo. *Oad*—5D **38**
Bonners La. *Leic*—3A **28** (6B **5**)
Bonney Rd. *Leic*—4D **18**
Bonnington Rd. *Leic*—6D **28**
Bonsall St. *Leic*—3E **29**
Bonville Pl. *Leic*—6F **27**
Booth Clo. *Leic*—2A **30**
Bordeaux Clo. *End*—6G **33**
Border Dri. *Leic*—6D **12**
Borlace St. *Leic*—1H **27**
Borrough Way. *Lutt*—2G **63**
Borrowcup Clo. *Count*—1C **54**
Borrowdale Way. *Leic*—4D **30**
Boston Rd. *Leic*—1D **18**
Boswell St. *Nar*—2C **42**
Bosworth Ho. *Leic*—5B **5**
Bosworth St. *Leic*—1H **27**
Botley Wlk. *Leic*—1A **30**
Boulder La. *Leic*—3B **36**
Boulter Cres. *Wig*—6F **37**
Boulton Clo. *B Ast*—3B **60**

Boulton Ct. *Oad*—5E **39**
Boundary Rd. *Leic*—6H **27**
Boundary Rd. *Lutt*—4H **63**
Bourne Mall. *Leic*—1E **19**
Bourton Cres. *Oad*—4C **38**
Bowden La. *Mkt H*—2D **64**
Bowden Mnr. *Mkt H*—3E **65**
Bowden Ridge. *Mkt H*—1F **65**
Bowhill Gro. *Leic*—1E **31**
Bowhill Way. *Leic*—6E **23**
Bowling Grn. St. *Leic*—2B **28** (4D **4**)
Bowmans Way. *Glen*—5H **17**
Bowmar's La. *Leic*—6A **20** (1A **4**)
Boyers Wlk. *Leic F*—4F **25**
Boynton Rd. *Leic*—3E **27**
Brabazon Rd. *Oad*—3H **37**
Bracken Clo. *Leic*—3B **30**
Bracken Clo. *Leic F*—5F **25**
Bracken Dale. *E Gos*—2H **7**
Brackenfield Way. *Thurm*—3E **15**
Bracken Hill. *New L*—4A **10**
Brackenthwaite. *Leic*—2F **21**
Bracken Wlk. *Mark*—2C **8**
(Bracken Way)
Bracken Wlk. *Mark*—3C **8**
(Oakfield Av.)
Bracken Way. *Mark*—2C **8**
Brackley Clo. *Leic*—4G **21**
Bradbourne Rd. *Leic*—2F **29**
Bradbury Clo. *Cosb*—3F **53**
Bradfield Clo. *Leic*—2G **29**
Bradgate Av. *Thurm*—4D **14**
Bradgate Clo. *Thurn*—2E **31**
Bradgate Country Pk. —3B 10
Bradgate Dri. *Rat*—4C **16**
Bradgate Dri. *Wig*—5D **36**
Bradgate Hill. *Grob*—6F **9**
Bradgate Mall. *Leic*—1F **19**
Bradgate Rd. *Mark*—2C **8**
Bradgate Rd. *New L & Anst*—3A **10**
Bradgate St. *Leic*—5H **19**
Brading Rd. *Leic*—5G **19**
Bradshaw Av. *Glen P*—6G **35**
Bradshaw Ct. *Glen P*—6G **35**
Bradston Rd. *Leic*—4A **36**
Braemar Clo. *Leic*—1E **21**
Braemar Dri. *Leic*—1E **21**
Brailsford Rd. *Leic*—2D **26**
Brailsford Rd. *Wig*—5D **36**
Bramall Ct. *Leic*—6G **21**
Bramall Rd. *Leic*—6G **21**
Bramber Clo. *Thurm*—5C **14**
Bramble Clo. *Glen*—6B **18**
Bramble Clo. *Ham*—3D **22**
Bramble Wlk. *Cosb*—1F **53**
Bramble Way. *Leic*—6E **27**
Brambling Rd. *Leic*—6F **21**
Brambling Way. *Oad*—4A **38**
Bramcote Rd. *Leic*—1F **35**
Bramcote Rd. *Wig*—6E **37**
Bramham Clo. *Leic*—4E **19**
Bramley Clo. *B Ast*—6A **52**
Bramley Clo. *Mkt H*—1E **65**
Bramley Ct. *Glen*—5H **17**
Bramley Orchard. *Bush*—2G **31**
Bramley Rd. *Bir*—4H **13**
Bramley Rd. *Leic*—1G **27**
Brampton Av. *Leic*—1F **27**
Brampton Valley Way. *Mkt H* —5E **65**
Brampton Way. *Oad*—3H **37**
Brancaster Clo. *Leic*—3H **19**
Brandon Ct. *Blab*—2B **44**
Brandon St. *Leic*—5C **20**
Bransdale Rd. *Wig*—1D **46**
Branson Ct. S Stan —3C ***50***
(off Church St.)
Branting Hill. *Grob*—2H **17**
Branting Hill Av. *Glen*—3H **17**
Branting Hill Gro. *Glen*—2H **17**
Bratmyr. *Flec*—4B **58**
Braunstone Av. *Leic*—5D **26**
(in two parts)
Braunstone Clo. *Leic*—6D **26**
Braunstone Frith Ind. Est. *Leic* —2A **26**
Braunstone Frith Ind. Est. *Leic F*—2H **25**
(in three parts)
Braunstone Ga. *Leic*—2H **27** (5A **5**)
Braunstone La. *Leic*—4A **26**
(in two parts)
Braunstone La. E. *Leic*—1F **35**
Braunstone Pk. —4D 26
Braunstone Way. *Leic*—4C **26**
Braybrooke Rd. *Leic*—4G **21**
Braybrooke Rd. *Mkt H*—4F **65**
Braymish Clo. *Kib*—5B **62**
Brazil St. *Leic*—4A **28**
Brecon Clo. *Wig*—1F **45**
Breedon Av. *Wig*—6E **37**
Breedon St. *Leic*—2E **29**
Brent Knowle Gdns. *Leic*—2D **30**
Brentwood Rd. *Leic*—6C **28**
Bretby Rd. *Leic*—3A **36**
Breton Clo. *Kilb*—2E **57**
Brettell Rd. *Leic*—5H **35**
Bretton Clo. *Leic*—2A **20**
Bretton Wlk. *Leic*—2A **20**
Brewer Clo. *Leic*—6C **14**
Brex Ri. *Leic*—1B **26**
Brian Rd. *Leic*—4H **19**
Brians Clo. *Sys*—5G **7**
Brianway, The. *Leic*—6H **21**
Briar Clo. *Oad*—5B **38**
Briarfield Dri. *Leic*—4E **23**
Briargate Dri. *Bir*—3E **13**
Briar Meads. *Oad*—6A **38**
Briar Rd. *Leic*—6D **22**
Briar Wlk. *Oad*—5B **38**
Brickman Clo. *Leic F*—5E **25**
Bridevale Rd. *Leic*—4A **36**
Bridge Clo. *Thurm*—3D **14**
Bridge Pk. Rd. *Thurm*—4B **14**
Bridge Rd. *Leic*—1F **29**
Bridgewater Dri. *Gt G*—2D **48**
Bridgeway. *Whet*—4H **43**
Bridle Clo. *Croft*—2G **51**
Bridlespur Way. *Leic*—6E **13**
Bridle, The. *Glen P*—5F **35**
Bridport Clo. *Wig*—2B **46**
Brierfield Rd. *Cosb*—3F **53**
Briers Clo. *Nar*—4D **42**
Brighton Av. *Sys*—5G **7**
Brighton Av. *Wig*—4E **37**
Brighton Clo. *Wig*—4E **37**
Brighton Rd. *Leic*—5F **21**
Brightside Rd. *Leic*—3G **29**
Bright St. *Leic*—6D **20**
Brightwell Dri. *Leic F*—3H **25**
Brindley Ri. *Leic*—4E **23**
Bringhurst Grn. *Leic*—6C **18**
Bringhurst Rd. *Leic*—6B **18**
Brington Clo. *Wig*—1C **46**
Brinsmead Rd. *Leic*—2D **36**
Bristol Av. *Leic*—4H **19**
Britannia St. *Leic*—6C **20** (1E **4**)
Britannia Wlk. *Mkt H*—4E **65**
Britannia Way. *Thurm*—2C **14**
Britannia Works. *Thurm*—2C **14**
Britford Av. *Wig*—3A **46**
Briton St. *Leic*—3H **27**
Brixham Dri. *Leic & Wig*—4C **36**
Brixworth Ri. *Leic*—1E **31**
Broad Av. *Leic*—1H **29**
Broadbent Clo. *Whet*—4H **43**
Broadfield Way. *Count*—1D **54**
Broadford Clo. *Leic*—1F **21**
Broadgate Clo. *Bir*—3G **13**
Broadhurst St. *Leic*—3D **20**
Broad Mdw. *Wig*—2C **46**
Broadmead Rd. *Blab*—5A **44**
Broad St. *End*—6H **33**
Broad St. *Sys*—6E **7**
Broadway. *Sys*—6E **7**
Broadway Furlong. *Anst*—4G **11**
Broadway Rd. *Leic*—5F **29**
Broadway Ter. *Mkt H*—2E **65**
Broadway, The. *Mkt H*—2D **64**
Broadway, The. *Oad*—6H **29**
Brockenhurst Dri. *Leic*—1C **34**
Brocklesby Way. *Leic*—5E **23**
Brocks Hill Clo. *Oad*—5B **38**
Brocks Hill Dri. *Oad*—4B **38**
Brodick Wlk. *Leic*—5F **21**
Bromwich Clo. *Braun*—5A **26**
Bronte Clo. *Leic*—3E **27**
Bronze Barrow Clo. *Wig*—2D **46**
Brook Ct. *Count*—1F **55**
Brookdale Rd. *Leic*—2B **26**
Brookes Av. *Croft*—2G **51**
Brookes Ho. *Croft*—2G **51**
Brookfield. *Gt G*—3D **48**
Brookfield Av. *Sys*—6F **7**
Brookfield Ri. *Leic*—3B **36**
Brookfield Rd. *Mkt H*—3B **64**
Brookfield St. *Sys*—6F **7**
Brookfield Way. *Kib*—5B **62**
Brookfield Way. *Lutt*—4E **63**
Brook Gdns. *Glen P*—6F **35**
Brookhouse Av. *Leic*—3D **28** (6F **5**)
Brookhouse St. *Leic*—3D **28** (6F **5**)
Brookland Rd. *Leic*—6C **28**
Brooklands Clo. *B Ast*—1B **60**
Brooklands Clo. *Whet*—4H **43**
Brooklands Gdns. *Mkt H*—3D **64**
Brooklands Rd. *Cosb*—1F **53**
Brook Rd. *Leic*—6D **22**
Brooksby Clo. *Oad*—3A **38**
Brooksby Dri. *Oad*—3A **38**
Brooksby St. *Leic*—6A **28**
Brookside. *Bark*—3H **15**
Brookside. *Sys*—5E **7**
(in two parts)
Brookside. *Whet*—5H **43**
Brookside Dri. *Oad*—4C **38**
Brookside Gdns. *Flec*—6B **58**
Brook St. *End*—6H **33**
Brook St. *Hunc*—4H **41**
Brook St. *Sys*—5E **7**
Brook St. *Thurm*—4B **14**
Brook St. *Whet*—4H **43**
Broomfield. *E Gos*—2H **7**
Broomhills Rd. *Nar*—3B **42**
Broomleys. *Count*—1D **54**
Broom Way. *Nar*—2B **42**
Brougham St. *Leic*—1C **28** (2F **4**)
Broughton Clo. *Anst*—4G **11**
Broughton La. *Leir & Leir*—3A **60**
Broughton Rd. *B Ast & Dun B* —4D **60**
Broughton Rd. *Cosb*—5D **52**
Broughton Rd. *Croft*—1G **51**
Broughton Rd. *Leic*—4A **36**
Broughton Rd. *S Stan*—3C **50**
Broughtons Fld. *Wig*—3C **46**
Broughton Way. *B Ast*—5H **51**
Browning St. *Leic*—3G **27**
Browning St. *Nar*—2C **42**
Brown's Clo. *Sap*—5C **50**
Browns Way. *Whet*—6H **43**
Broxburn Clo. *Leic*—1F **21**
Broxfield Clo. *Oad*—6A **38**
Bruce St. *Leic*—4H **27**
Bruce Way. *Whet*—6G **43**
Bruin St. *Leic*—4C **20**
Bruins Wlk. *Oad*—4H **37**
Brunel Av. *Leic*—5E **19**
Brunswick St. *Leic*—1D **28** (2F **4**)
Bruxby St. *Sys*—6D **6**
Bryngarth Cres. *Leic*—6B **22**
Bryony Rd. *Ham*—3D **22**
Buchan Wlk. *Leic*—2E **27**
Buckfast Clo. *Leic*—4H **29**

Buckfast Clo. *Wig* —2A **46**
Buckhaven Clo. *Leic* —1F **21**
Buckingham Clo. *Grob* —3E **17**
Buckingham Dri. *Leic* —4F **35**
Buckingham Rd. *Count* —1F **55**
Buckland Rd. *Leic* —5F **21**
Buckminster Rd. *Leic* —5G **19**
Bucksburn Wlk. *Leic* —1F **21**
Buckwell Rd. *Sap* —5B **50**
Bude Dri. *Glen* —4A **18**
Bude Rd. *Wig* —2B **46**
Buller Rd. *Leic* —4C **20**
Buller St. *Kib* —5H **59**
Bull Head St. *Wig* —5F **37**
Bulwer Rd. *Leic* —6D **28**
(in two parts)
Burchnall Rd. *Braun* —6A **26**
Burdet Clo. *Leic* —6C **26**
Burdett Way. *Leic* —1H **19**
Burdock Clo. *Ham* —3D **22**
Burfield St. *Leic* —5D **20**
Burford Clo. *Mkt H* —5C **64**
Burgess Rd. *Leic* —3A **36**
Burgess St. *Leic* —1A **28** (1B **4**)
Burgess St. *Wig* —6F **37**
Burghley Clo. *Mkt H* —3F **65**
Burgin Rd. *Anst* —6E **11**
Burleigh Av. *Wig* —5D **36**
Burley Clo. *Cosb* —2F **53**
Burleys Flyover. *Leic* —6B **20** (1D **4**)
Burleys Way. *Leic* —6B **20** (1C **4**)
Burlington Rd. *Leic* —6E **29**
Burnaby Av. *Leic* —1F **29**
Burnaston Rd. *Leic* —3A **36**
Burnell Rd. *Leic* —5F **27**
Burneston Way. *Wig* —1D **46**
Burnet Clo. *Ham* —3C **22**
Burnham Clo. *Wig* —4B **46**
Burnham Ct. *Cosb* —3F **53**
Burnham Dri. *Leic* —3H **19**
Burnham Dri. *Whet* —5H **43**
Burnmill Rd. *Mkt H* —2D **64**
Burnmoor St. *Leic* —5A **28** (8B **5**)
Burnside Rd. *B Ast* —2B **60**
Burnside Rd. *Leic* —3C **36**
Burns St. *Leic* —1C **36**
Burns St. *Nar* —2D **42**
Burroughs Rd. *Rat* —5C **16**
Burrows Clo. *Nar* —4D **42**
Burrows, The. *Nar* —3B **42**
Bursdon Clo. *Leic* —1B **26**
Bursdon Ct. *Leic* —1B **26**
Bursom Ind. Est. *Leic* —5C **12**
Bursom Rd. *Leic* —5B **12**
Burton Clo. *Oad* —5D **38**
Burton St. *Leic* —1C **28** (3F **4**)
Buscot Clo. *Leic* —5F **21**
Bushby Rd. *Leic* —6F **21**
Bushey Clo. *Nar* —3D **42**
Bush Lock Clo. *Wig* —3G **45**
Bushloe Ct. *Wig* —1A **46**
Bushloe End. *Wig* —1A **46**
Bushnell Clo. *B Ast* —3C **60**
Butcombe Rd. *Leic* —4H **19**
Bute Way. *Count* —2F **55**
Butler Clo. *Leic* —1G **21**
Butler Gdns. *Mkt H* —5B **64**
Butt Clo. *Wig* —2C **46**
Butt Clo. La. *Leic* —1B **28** (2C **4**)
Buttercup Clo. *Nar* —2C **42**
Buttermere St. *Leic* —4A **28** (8A **5**)
Butterwick Dri. *Leic* —1G **19**
Buxton Clo. *Whet* —4A **44**
Buxton St. *Leic* —1E **29**
Byfield Dri. *Wig* —6G **37**
Byford Rd. *Leic* —3A **20**
Byre Cres. *B Ast* —2B **60**
Byron Clo. *Flec* —6C **58**
Byron Clo. *Lutt* —2G **63**
Byron Clo. *Nar* —1C **42**
Byron Ct. *Flec* —6B **58**
Byron St. *Leic* —1C **28** (2E **4**)
Byway Rd. *Leic* —5G **29**

Cademan Clo. *Leic* —2D **36**
Cadle Clo. *S Stan* —2B **50**
Cairngorm Clo. *Leic* —2B **36**
Cairnsford Rd. *Leic* —3D **36**
Calais Hill. *Leic* —2C **28** (5E **5**)
Calais St. *Leic* —2C **28** (5E **5**)
Caldecote Rd. *Leic* —6E **27**
Caldecott Clo. *Wig* —1C **46**
Calder Rd. *Leic* —2G **19**
Caledine Rd. *Leic* —5E **19**
Calgary Rd. *Leic* —6C **20** (1F **4**)
Callan Clo. *Nar* —3C **42**
Calver Cres. *Sap* —6C **50**
Calver Hey Rd. *Leic* —2E **19**
Calverton Av. *Wig* —5E **37**
Calverton Clo. *Rat* —5D **16**
Camborne Clo. *Wig* —2A **46**
Cambrian Clo. *Cosb* —3F **53**
Cambridge Clo. *Sys* —6G **7**
Cambridge Rd. *Cosb & Whet* —2F **53**
Cambridge St. *Leic* —3G **27**
Camden Rd. *Leic* —6E **27**
Camden St. *Leic* —1C **28** (3E **4**)
Camellia Clo. *Nar* —2B **42**
Camelot Way. *Nar* —2C **42**
Cameron Av. *Leic* —2D **20**
Camfield Ri. *Leic* —5H **35**
Campbell Av. *Thurm* —5C **14**
Campbell St. *Leic* —2C **28** (5F **5**)
Campion Clo. *Nar* —3C **42**
Campion Wlk. *Leic* —2E **19**
Camville Rd. *Leic* —3D **26**
Canada Fields. *Lutt* —3G **63**
Canal St. *Leic* —2G **35**
Canal St. *Thurm* —3B **14**
Canal St. *Wig* —3F **45**
Cank St. *Leic* —2B **28** (4C **4**)
Cannam Clo. *Whet* —6A **44**
Canning Pl. *Leic* —6B **20** (1C **4**)
Canning St. *Leic* —6B **20** (1C **4**)
Cannock St. *Leic* —1A **22**
Canon Clo. *Oad* —4B **38**
Canons Clo. *Nar* —3D **42**
Canonsleigh Rd. *Leic* —2A **20**
Canonsleigh Wlk. *Leic* —2A **20**
Canon St. *Leic* —4D **20**
Canterbury Ter. *Leic* —4F **27**
Cantrell Rd. *Leic* —4B **26**
Canvey Clo. *Wig* —6H **37**
Capers Clo. *End* —6G **33**
Capesthorne Clo. *Leic* —5G **21**
Captains La. *Mark* —3B **8**
Carbery Clo. *Oad* —5D **38**
Cardigan Building. Leic —3A 28
(off Newarke Clo.)
Cardigan Dri. *Wig* —1F **45**
Cardinal Clo. *Rat* —5D **16**
Cardinals Wlk. *Leic* —5C **22**
Carey Clo. *Wig* —3B **46**
Carey Hill Rd. *S Stan* —3B **50**
Carey Rd. *Hunc* —4H **41**
Carey's Clo. *Leic* —2A **28** (4B **4**)
Carfax Av. *Oad* —2H **37**
Carisbrooke Av. *Leic* —2E **37**
Carisbrooke Gdns. *Leic* —1E **37**
Carisbrooke Pk. *Leic* —2E **37**
Carisbrooke Rd. *Leic* —1E **37**
Carlisle St. *Leic* —2F **27**
Carlsbrooke Lawn Tennis Club. —2E 37
Carlson Gdns. *Lutt* —4H **63**
(in two parts)
Carl St. *Leic* —3G **35**
Carlton Av. *Nar* —3E **43**
Carlton Ct. *Glen* —5A **18**
Carlton Dri. *Wig* —6E **37**
Carlton Forum Leisure Cen. North. —4G 7
Carlton La. *Bur O* —3H **49**
Carlton Rd. *Kib* —3A **62**
Carlton St. *Leic* —3B **28** (6C **5**)
Carmen Gro. *Grob* —2D **16**
Carnation Clo. *Leic F* —5F **25**
Carnation St. *Leic* —3B **20**
Carnoustie Rd. *Leic* —2B **26**
Caroline Ct. *Leic* —3A **36**
Carpenters Clo. *Glen* —6H **17**
Carpe Rd. *Leic* —4F **21**
Carrow Rd. *Leic* —2H **25**
Carter Clo. *End* —6G **33**
Carter St. *Leic* —5E **21**
Carts La. *Leic* —1B **28** (3C **4**)
Cartwright Dri. *Oad* —4H **37**
Carver's Path. *E Gos* —2H **7**
Cashmore Vw. *Leic* —1G **19**
Castell Dri. *Grob* —2F **17**
Castle. —6B 50
(Sapcote)
Castle Clo. *Sap* —6B **50**
Castle Fields. *Leic* —6A **12**
Castleford Rd. *Leic* —1C **34**
Castlegate Av. *Bir* —3F **13**
Castle Hill Country Pk. —4A 12
Castle Ri. *Grob* —3F **17**
Castle Rd. *Kir M* —2D **24**
Castle St. *Leic* —2A **28** (4B **4**)
Castleton Rd. *Wig* —5E **37**
Castle Vw. *Leic* —2A **28** (5B **5**)
Caswell Clo. *Leic* —1H **19**
Caters Clo. *Anst* —5F **11**
Catesby St. *Leic* —2H **27**
Catherine St. *Leic* —6D **20**
Catherine St. Ind. Est. *Leic* —3F **21**
Cathkin Clo. *Leic* —2B **26**
Caudle Clo. *Crop* —1H **11**
Causeway La. *Crop* —1G **11**
Causeway La. *Leic* —1A **28** (2B **4**)
Cavendish Rd. *Leic* —6A **28**
Caversham Rd. *Leic* —6G **35**
Cawsand Rd. *Wig* —2A **46**
Caxton St. *Mkt H* —5E **65**
Cecil Gdns. *Leic* —1E **29**
Cecilia Rd. *Leic* —5D **28**
Cecil Rd. *Leic* —1D **28**
Cedar Av. *Bir* —4G **13**
Cedar Av. *Lutt* —4F **63**
Cedar Av. *Wig* —1B **46**
Cedar Clo. *Glen* —4C **18**
Cedar Clo. *Kib* —5H **59**
Cedar Ct. *Grob* —3F **17**
Cedar Cres. *Nar* —4D **42**
Cedar Dri. *Sys* —1F **15**
Cedar Rd. *Blab* —5B **44**
Cedar Rd. *Leic* —3E **29**
Cedars Ct. *Leic* —4E **29**
Cedars, The. *Leic* —2D **36**
Cedarwood Clo. *Leic* —4F **21**
Celandine Rd. *Ham* —3C **22**
Celt St. *Leic* —3H **27**
Cemetery Rd. *Whet* —4H **43**
Central Av. *Leic* —5E **29**
Central Av. *Lutt* —3G **63**
Central Av. *Sys* —5F **7**
Central Av. *Wig* —1H **45**
Central Clo. *Whet* —3H **43**
Central Pk. *Lutt* —2H **63**
Central Rd. *Leic* —6H **19**
Central St. *Count* —1F **55**
Centre Ct. *Leic* —2B **34**
Centry Ct. *Leic* —1C **30**
Centurion. *Mer B* —1B **34**
Centurion Ct. *Rat* —6D **16**
Centurion Way. *Mer B* —1B **34**
Chadderton Clo. *Leic* —2C **36**
Chadwell Rd. *Leic* —6C **18**
Chadwick Wlk. *Leic* —2H **19**
Chaffinch Clo. *Leic* —5B **12**
Chainama Clo. *Leic* —1A **26**
Chale Rd. *Leic* —3B **20**
Chalgrove Wlk. *Leic* —1A **30**

Chalvington Clo. *Leic* —4C **30**
Chambers Clo. *Mark* —3D **8**
Champion Clo. *Leic* —2B **30**
Chancel Rd. *Leic* —3C **12**
Chancery St. *Leic* —2B **28** (5C **5**)
Chandler Way. *B Ast* —2D **60**
Chandos St. *Leic* —3E **29**
Chantry Clo. *Hunc* —4H **41**
Chapel Clo. *Dun B* —5F **61**
Chapel Clo. *Thurc* —1B **12**
Chapel Ct. *Sys* —5E **7**
Chapel Grn. *Leic F* —4H **25**
Chapel Hill. *Grob* —2E **17**
Chapel La. *Cosb* —3F **53**
Chapel La. *Leic* —1D **36**
Chapel La. *Rat* —5C **16**
Chapel La. *Wig* —1B **46**
Chapel St. *Blab* —2B **44**
Chapel St. *End* —6G **33**
Chapel St. *Lutt* —4G **63**
Chapel St. *Oad* —4A **38**
Chapel St. *Sys* —5F **7**
Chaplin Ct. *Leic* —4B **26**
Chappell Clo. *Thurm* —4C **14**
Charlecote Av. *Leic* —6D **26**
Charles Dri. *Anst* —5G **11**
Charles St. *Leic* —1B **28** (2D **4**)
Charles St. *Mkt H* —3B **64**
Charles Way. *Oad* —4C **38**
Charles Way. *Whet* —6A **44**
Charlock Rd. *Ham* —3D **22**
Charlotte Ct. *Blab* —3A **44**
Charlton Clo. *Whet* —5A **44**
Charnor Rd. *Leic* —6C **18**
Charnwood. *Rat* —4B **16**
Charnwood Av. *Thurm* —3D **14**
Charnwood Av. *Whet* —3H **43**
Charnwood Clo. *Leic F* —3G **25**
Charnwood Clo. *Thurm* —3F **53**
Charnwood Dri. *Leic F* —4G **25**
Charnwood Dri. *Mark* —3D **8**
Charnwood Dri. *Thurn* —2F **31**
Charnwood Rd. *Anst* —4F **11**
Charnwood St. *Leic* —1E **29**
Charnwood Wlk. *Leic* —6E **21**
Charter St. *Leic* —6B **20** (1D **4**)
Chartley Rd. *Leic* —4G **27**
Chartwell Dri. *Wig* —6C **36**
Chartwell Trad. Est. *Wig* —6C **36**
Chase, The. *E Gos* —1H **7**
Chase, The. *Gt G* —2E **49**
Chase, The. *Leic* —2D **34**
Chase, The. *Mark* —3C **8**
Chater Clo. *Leic* —6D **22**
Chatham St. *Leic* —2B **28** (5D **5**)
Chatsworth Av. *Wig* —2G **45**
Chatsworth Dri. *Mkt H* —3F **65**
Chatsworth Dri. *Sys* —6D **6**
Chatsworth St. *Leic* —2E **29**
Chatteris Av. *Leic* —4D **30**
Chaucer St. *Leic* —4E **29**
Chaucer St. *Nar* —2C **42**
Cheapside. *Leic* —1B **28** (3C **4**)
Checketts Clo. *Leic* —3D **20**
Checketts Rd. *Leic* —2C **20**
Checkland Rd. *Thurm* —3C **14**
Cheddar Rd. *Wig* —6G **37**
Cheer Clo. *Whet* —1H **53**
Chellaston Rd. *Wig* —5E **37**
Chelsea Clo. *Glen P* —2D **44**
Cheltenham Rd. *Leic* —3G **19**
Cheney Ct. *Hunc* —4H **41**
Cheney End. *Hunc* —4H **41**
Cheney Rd. *Leic* —6D **14**
Chepstow Rd. *Leic* —4E **29**
Cheriton Rd. *Leic* —4H **35**
Cherrybrook Clo. *Leic* —4B **12**
Cherry Dri. *Sys* —1F **15**
Cherry Gro. *Gt G* —2E **49**
Cherry Hills Rd. *Leic* —1H **25**
Cherryleas Dri. *Leic* —3G **27**

Cherry Rd. *Blab* —4B **44**
Cherry St. *Wig* —1H **45**
Cherry Tree Av. *Leic F* —4E **25**
Cherrytree Av. *Lutt* —5E **63**
Cherrytree Clo. *Anst* —6F **11**
Cherry Tree Clo. *Count* —1E **55**
Cherry Tree Ct. *Leic F* —4E **25**
Cherry Tree Gro. *End* —6G **33**
Cheshire Clo. *Lutt* —6F **63**
Cheshire Dri. *Wig* —6B **36**
Cheshire Gdns. *Leic* —2H **35**
Cheshire Rd. *Leic* —2H **35**
Chester Clo. *Blab* —4C **44**
Chester Clo. *Leic* —6D **20** (1F **4**)
Chesterfield Rd. *Leic* —3F **29**
Chester Rd. *Blab* —4C **44**
Chesterton Ct. *Nar* —1C **42**
Chesterton Wlk. *Leic* —2E **27**
(off Gaskell Wlk.)
Chestnut Av. *Leic* —4C **22**
Chestnut Av. *Lutt* —4E **63**
Chestnut Av. *Oad* —4H **37**
Chestnut Clo. *B Ast* —2C **60**
Chestnut Clo. *L'thrpe* —5D **42**
Chestnut Clo. *Quen* —4H **7**
Chestnut Clo. *Sys* —1F **15**
Chestnut Dri. *Bush* —3G **31**
Chestnut Dri. *Oad* —6G **39**
Chestnut Grange. *B Ast* —2B **60**
Chestnut Rd. *Glen* —5A **18**
Chestnuts, The. *Count* —1E **55**
Chestnut Wlk. *Grob* —3F **17**
Chestnut Wlk. *Mark* —5C **8**
Chettle Rd. *Leic* —6E **19**
Chevin Av. *Leic* —2B **26**
Cheviot Rd. *Leic* —3B **36**
Chilcombe Clo. *Leic* —2A **20**
Chilcombe Wlk. *Leic* —2A **20**
Chiltern Av. *Cosb* —3F **53**
Chiltern Clo. *Mkt H* —1E **65**
Chiltern Grn. *Leic* —3C **36**
Chislehurst Av. *Leic* —1C **34**
Chiswick Rd. *Leic* —6B **28**
Chitterman Way. *Mark* —3C **8**
Chorley Wood Rd. *Leic* —3D **30**
Chrisett Clo. *Leic* —1B **30**
Christopher Clo. *Count* —2E **55**
Christopher Dri. *Leic* —1H **21**
Christow St. *Leic* —6C **20** (1F **4**)
Church Av. *Leic* —2G **27**
Church Clo. *B Ast* —1B **60**
Church Clo. *Dun B* —5F **61**
Church Clo. *Kib* —4A **62**
Church Clo. *Lutt* —4G **63**
Church Clo. *Sys* —5F **7**
Church Dri. *Mark* —3B **8**
Church Ga. *Leic* —1B **28** (2C **4**)
Church Ga. *Lutt* —5G **63**
Church Hill. *Bir* —5H **13**
Church Hill. *Scrap* —5F **23**
Church Hill Rd. *Thurm* —4C **14**
Churchill Clo. *Lutt* —5E **63**
Churchill Clo. *Oad* —4A **38**
Churchill Dri. *Leic F* —3H **25**
Churchill St. *Leic* —3D **28**
Churchill Way. *Flec* —6C **58**
Church La. *Anst* —5F **11**
Church La. *Dun B* —5F **61**
Church La. *Flec* —6B **58**
Church La. *Leic* —2D **20**
Church La. *Nar* —3E **43**
Church La. *Rat* —5C **16**
Church La. *Stoug* —6E **31**
Church La. *Thurm* —4C **14**
Church La. *Thurn* —3F **31**
Church La. *Whet* —3H **43**
Church Nook. *Wig* —6F **37**
Church of St.John Aldeby. —6C **34**
(site of)
Church Rd. *Ayl* —3G **35**
Church Rd. *Belg* —2C **20**

Church Rd. *Evi* —5B **30**
Church Rd. *Glen* —4H **17**
Church Rd. *Gt G* —3C **48**
Church Rd. *Kib* —5A **62**
Church Rd. *Kir M* —2D **24**
Church Rd. *Wan* —1A **14**
Church Sq. *Mkt H* —3D **64**
Church St. *Blab* —3B **44**
Church St. *Count* —2F **55**
Church St. *Leic* —2C **28** (4E **4**)
Church St. *Lutt* —5G **63**
Church St. *Mkt H* —3D **64**
Church St. *Oad* —4A **38**
Church St. *Sap* —6B **50**
Church St. *S Stan* —3C **50**
Church St. *Thurl* —6A **32**
Church St. *Thurm* —5B **14**
Church Vw. *Nar* —3E **43**
Church Wlk. *Blab* —3B **44**
Church Wlk. *Leic* —2C **20**
Church Wlk. *Mkt H* —4F **65**
Church Wlk. *Sap* —6B **50**
Churchward Av. *Leic* —1G **19**
Cinema. —5B **28**
Circle, The. *Leic* —2H **29**
City, The. *Kib* —3A **62**
Clarefield Rd. *Leic* —2F **27**
Clare Gro. *Braun* —5B **26**
Claremont Dri. *Mkt H* —3F **65**
Claremont St. *Leic* —2C **20**
Clarence Rd. *Nar* —1F **43**
Clarence St. *Leic* —1B **28** (2D **4**)
Clarence St. *Mkt H* —3E **65**
Clarendon Pk. Rd. *Leic* —6C **28**
Clarendon St. *Leic* —3A **28** (7B **5**)
Clarke Gro. *Bir* —5G **13**
Clarkes Rd. *Wig* —1H **45**
Clarke St. *Leic* —2D **20**
Clarke St. *Mkt H* —3C **64**
Clark Gdns. *Blab* —3A **44**
Claybrook Av. *Leic* —1E **35**
Claydon Rd. *Leic* —5G **28**
Claymill Rd. *Leic* —1H **21**
Clayton Dri. *Thurm* —5D **14**
Clematis Clo. *Leic* —6A **12**
Clement Av. *Leic* —2C **20**
Clephan Building. *Leic* —5B **5**
Clevedon Cres. *Leic* —5G **21**
Cleveland Rd. *Wig* —5F **37**
Cleveleys Av. *Leic* —1E **35**
Cliffe Ho. M. *Whet* —4H **43**
Cliffe Rd. *Bir* —5F **13**
Clifford St. *Leic* —1H **27**
Clifford St. *Wig* —1F **45**
Cliffwood Av. *Bir* —4F **13**
Clifton Dri. *Wig* —3G **45**
Clifton Rd. *Leic* —1A **36**
Clint Hill Dri. *S Stan* —2C **50**
Clipper Rd. *Leic* —2H **21**
Clipstone Clo. *Wig* —1C **46**
Clipstone Gdns. *Wig* —1C **46**
Clipstone Ho. *Leic* —2D **28**
Clipstone St. *Leic* —2D **28**
Clipston St. *Mkt H* —5E **65**
Clock Tower. —1B **28** (3D **4**)
(Leicester)
Close, The. *Anst* —4F **11**
Close, The. *Blab* —2B **44**
Close, The. *Nar* —1C **42**
Close, The. *Rat* —4C **16**
Clovelly Rd. *Glen* —5B **18**
Clovelly Rd. *Leic* —3H **29**
Clover Clo. *Nar* —3C **42**
Cloverdale Rd. *Ham* —2C **22**
Clumber Clo. *Sys* —4F **7**
Clumber Rd. *Leic* —2C **28**
Clyde St. *Leic* —1C **28** (2F **4**)
Coalbourn Clo. *Leic* —1A **20**
Coales Av. *Whet* —6A **44**
Coales Gdns. *Mkt H* —1C **64**
Coatbridge Av. *Leic* —1F **21**

Coates Av.—Cromford Rd.

Coates Av. *Leic* —6E **19**
Cobbett Rd. *Braun* —5B **26**
Cobden St. *Leic* —5D **20**
Cobden St. Ind. Est. *Leic* —6E **21**
Cobwells Clo. *Flec* —6C **58**
Cokayne Rd. *Leic* —1B **26**
Colbert Dri. *Leic* —2E **35**
Colbrook Wlk. *Leic* —4G **29**
Colby Dri. *Thurm* —6D **14**
Colby Rd. *Thurm* —6D **14**
Colchester Rd. *Leic* —1B **30**
Colebrook Clo. *Leic* —4G **29**
Coleford Rd. *Leic* —6E **15**
Coleman Clo. *Leic* —6H **21**
Coleman Ct. *Leic* —6H **21**
Coleman Rd. *Flec* —5A **58**
Coleman Rd. *Leic* —6H **21**
Coleridge Dri. *End* —1C **42**
Coles Clo. *Leic* —6B **14**
Colindale Av. *Bir* —3G **13**
Colin Grundy Dri. *Leic* —4B **22**
Collaton Rd. *Wig* —1A **46**
College Av. *Leic* —3D **28**
College Hall. *Leic* —1E **37**
College Rd. *Sys* —1F **15**
College Rd. *Whet* —3H **43**
College St. *Leic* —3D **28** (5F **5**)
Collett Rd. *Leic* —1G **19**
Collingham Rd. *Leic* —5G **27**
Collin Pl. *Leic* —3E **21**
Collins Clo. *Braun* —5B **26**
Colne Clo. *Oad* —4D **38**
Colsterdale Clo. *Leic* —6D **12**
Coltbeck Av. *Nar* —3C **42**
Colthurst Way. *Leic* —1E **31**
Colton St. *Leic* —2C **28** (4E **4**)
Coltsfoot Way. *B Ast* —3C **60**
Coltsford Rd. *Leic* —3C **22**
Columbia Clo. *End* —6G **33**
Columbine Clo. *Leic* —5C **26**
Columbine Rd. *Ham* —2B **22**
Colwell Rd. *Leic* —5H **19**
Combe Clo. *Leic* —5G **19**
Comet Clo. *Leic* —6F **19**
Commercial Sq. *Leic* —5B **28**
Commons, The. *Mkt H* —3D **64**
Common, The. *Evi* —4A **30**
Compass Rd. *Leic* —6C **22**
(in three parts)
Compton Dri. *Hunc* —3H **41**
Compton Rd. *Leic* —5G **27**
Conaglen Rd. *Leic* —3F **35**
Condor Clo. *B Ast* —6B **52**
Conduit St. *Leic* —2C **28** (5F **5**)
Cone La. *Leic* —5E **29**
Conery La. *End* —5G **33**
Conery, The. *Leic* —3C **20**
Coneygrey. *Flec* —4B **58**
Conifer Clo. *Leic* —3E **29**
Conifer Clo. *Lutt* —4F **63**
Coninsby Clo. *Leic* —6F **27**
Coniston Av. *Leic* —4A **28** (8A **5**)
Coniston Way. *Croft* —1H **51**
Connaught Rd. *Mkt H* —2E **65**
Connaught St. *Leic* —3D **28**
Constable Av. *Leic* —5D **20**
Constance Rd. *Leic* —2F **29**
Constitution Hill. *Leic* —2C **28** (4F **4**)
Conway Rd. *Leic* —4F **29**
Cooden Av. *Leic* —3F **27**
Cooke Clo. *Braun* —5B **26**
Cooke Clo. *Thurm* —4D **14**
Cooke's Dri. *B Ast* —1A **60**
Cooks La. *Sap* —6B **50**
Cooks La. *Wig* —3C **46**
Cooks Wlk. *Glen* —5A **18**
Coombe Pl. *Oad* —5B **38**
Coombe Ri. *Oad* —5C **38**
Co-operation St. *End* —6H **33**
Cooper Clo. *Hunc* —3A **42**
Cooper Clo. *Leic* —3G **35**

Cooper Gdns. *Oad* —5D **38**
Cooper's La. *Dun B* —5F **61**
Cooper's Nook. *E Gos* —2H **7**
Cooper St. *Leic* —4C **20**
Copdale Rd. *Leic* —2G **29**
Copeland Av. *Leic* —4E **19**
Copeland Rd. *Bir* —5F **13**
Copinger Rd. *Leic* —2B **36**
Coplow Av. *Leic* —5G **29**
Coplow Cres. *Sys* —1E **15**
Coppice Ct. *Thurm* —4E **15**
(Coppice, The)
Coppice Ct. *Thurm* —3D **14**
(Highway Rd.)
Coppice, The. *Count* —1E **55**
Coppice, The. *Mark* —3C **8**
Coppice, The. *Nar* —3C **42**
Coppice, The. *Oad* —1H **37**
Coppice, The. *Thurm* —4E **15**
Copse Clo. *Leic F* —6F **25**
Copse Clo. *Oad* —2C **38**
Copse, The. *Oad* —5G **39**
Copthorne Clo. *Leic* —1B **26**
Copt Oak Ct. *Nar* —3C **42**
Copt Oak Rd. *Nar* —3C **42**
Corah St. *Leic* —2A **28** (5A **5**)
Coral St. *Leic* —4C **20**
Corbet Clo. *Leic* —2F **19**
Cordelia Clo. *Leic* —4G **21**
Cordery Rd. *Leic* —3B **30**
Cordonner Clo. *B Ast* —3C **60**
Corfield Ri. *Leic* —4C **26**
Coriander Rd. *Leic* —3H **27** (7A **5**)
Cork La. *Glen P* —1A **44**
(in two parts)
Cork St. *Leic* —2E **29**
Cornfield Clo. *L'thrpe* —4E **43**
Cornwallis Av. *Leic* —3F **19**
Cornwall Rd. *Leic* —4H **19**
Cornwall Rd. *Wig* —1F **45**
Cornwall St. *End* —6H **33**
Coronation Av. *B Ast* —1A **60**
Coronation Av. *Wig* —1H **45**
Corporation Rd. *Leic* —3B **20**
Corshaw Wlk. *Leic* —5F **21**
Cort Cres. *Leic* —3C **26**
Cosby Golf Course. —3F **53**
Cosby Hill. *Cosb* —1H **61**
Cosby La. *Cosb* —1H **61**
Cosby Rd. *B Ast* —1B **60**
Cosby Rd. *Count* —2B **54**
Cosby Rd. *L'thrpe* —5E **43**
Cossington La. *Costn* —2D **6**
Cossington Rd. *Sile* —1A **6**
Cossington St. *Leic* —4D **20**
Cossington Street Swimming Pool. —4D **20**
Cotley Rd. *Leic* —6C **12**
Cotman Wlk. *Leic* —5D **20**
Cotswold Av. *Cosb* —2G **53**
Cotswold Grn. *Leic* —6C **12**
Cottage Clo. *Rat* —4C **16**
Cottage Farm Clo. *Braun* —3D **34**
Cottage La. *B Ast & Cosb* —1C **60**
Cottage La. *Mark* —1A **8**
Cottage La. Ind. Est. *B Ast* —1C **60**
Cottage Rd. *Wig* —2C **46**
Cottage Row. *Leic* —1F **35**
Cottagers Clo. *Leic* —4A **36**
Cottesbroke Clo. *Wig* —1B **46**
Cottesmore Av. *Oad* —5D **38**
Cottesmore Rd. *Leic* —6F **21**
Cotton Clo. *B Ast* —2C **60**
Cotton Clo. *Leic* —6B **14**
Coulson Clo. *Whet* —5A **44**
Council St. *Lutt* —4G **63**
Countesthorpe Rd. *Cosb & Count* —3F **53**
(in two parts)
Countesthorpe Rd. *Whet* —4C **44**
Countesthorpe Rd. *Wig* —2F **45**
(in two parts)
Counting Ho. Rd. *Leic* —5B **28**

Countryman's Way. *E Gos* —1H **7**
Countryman Way. *Mark* —3C **8**
Court Clo. *Kir M* —2E **25**
Courtenay Rd. *Leic* —4G **19**
Court Rd. *Glen P* —1B **44**
Court Rd. *Thurn* —3F **31**
Coventry Rd. *Cosb & Nar* —6B **42**
Coventry Rd. *Lutt* —5E **63**
Coventry Rd. *Mkt H* —4C **64**
Coventry Rd. *Shar & Sap* —6E **51**
Coverack Wlk. *Leic* —3H **29**
Coverdale Rd. *Wig* —2D **46**
Coverside Rd. *Gt G* —2D **48**
Covert Clo. *Oad* —3C **38**
Covert Clo. *Sys* —5C **6**
Covert La. *Scrap* —6F **23**
Covert, The. *E Gos* —1H **7**
Covett Way. *Leic* —2C **26**
Cowdall Rd. *Leic* —4C **26**
Cowley Way. *Leic* —6E **23**
Cowslip Clo. *Nar* —3B **42**
Crabtree Corner. *Leic* —4C **36**
Cradock Rd. *Leic* —5D **28**
Cradock St. *Leic* —1D **28**
Crafton St. E. *Leic* —1C **28** (2F **4**)
Crafton St. W. *Leic* —1C **28** (2E **4**)
Craftsman Way. *E Gos* —2H **7**
Craig Gdns. *Leic* —1B **26**
Craighill Rd. *Leic* —1D **36**
Craighill Wlk. *Leic* —1D **36**
Cranberry Clo. *Leic* —5B **26**
Cranborne Gdns. *Oad* —1B **38**
(in three parts)
Cranbrook Rd. *Thurn* —1F **31**
Crane Ley Rd. *Grob* —2E **17**
Cranesbill Rd. *Ham* —4C **22**
Crane St. *Leic* —6B **20** (1C **4**)
Cranfield Rd. *Leic* —3H **35**
Cranmer Clo. *Blab* —5A **44**
Cranmer Dri. *Sys* —6D **6**
Cranmer St. *Leic* —3H **27**
Cranstone Cres. *Glen* —6A **18**
Crantock Clo. *Oad* —4D **30**
Cranwell Clo. *Leic* —5B **30**
Craven St. *Leic* —6A **20** (1B **4**)
Crawford Clo. *Leic* —1F **27**
Crayburn Ho. *Leic* —5E **19**
Crayford Way. *Leic* —4D **22**
Craythorne Way. *Wig* —1D **46**
Creaton Ct. *Wig* —1C **46**
Creaton Rd. *Wig* —1C **46**
Crediton Clo. *Wig* —3B **46**
Crescent Clo. *Mkt H* —2E **65**
Crescent Rd. *Leic* —3G **63**
Crescent St. *Leic* —3B **28** (6D **5**)
Crescent, The. *Blab* —4B **44**
Crescent, The. *Leic* —3B **28** (6D **5**)
Crescent, The. *Mkt H* —2E **65**
Crescent, The. *Wig* —5E **37**
Cressida Pl. *Leic* —5C **26**
Cresswell Clo. *Thurm* —5E **15**
Crestway, The. *Whet* —3H **43**
Crete Av. *Wig* —1E **45**
Critchlow Rd. *Hunc* —3H **41**
Croft Av. *Leic* —3G **35**
Croft Clo. *Mark* —3C **8**
Croft Dri. *Wig* —4D **36**
Crofters Clo. *Glen* —5G **17**
Crofters Dri. *Leic* —6A **22**
Cft. Hill Rd. *Hunc* —5G **41**
Croft Rd. *Cosb* —6B **42**
Croft Rd. *Leic* —4C **12**
Croft Rd. *Thurl* —2E **41**
Crofts, The. *Mark* —2B **8**
Croft, The. *Kir M* —2E **25**
Croft Way. *B Ast* —1C **60**
Croft Way. *Mark* —3B **8**
Cromarty Clo. *Leic* —2F **21**
Cromer St. *Leic* —4E **29**
Cromford Av. *Wig* —2G **45**
Cromford Rd. *Cosb* —1F **53**

Cromford St. *Leic* —1E **29**
Cromford Way. *B Ast* —1D **60**
Cromwell Cres. *Mkt H* —5C **64**
Cromwell Ho. *Leic* —1B **36**
Cromwell Rd. *Gt G* —3D **48**
Cropston Rd. *Anst* —5G **11**
Cropston Rd. *Crop* —1G **11**
Cropthorne Av. *Leic* —2H **29**
Crosby Rd. *Mkt H* —5E **65**
Cross Farm Ct. *S Stan* —3C **50**
Cross Hedge Clo. *Leic* —1G **19**
Cross Keys Grn. *Leic* —6E **23**
Crossleys. *Flec* —6B **58**
Crossley St. *Glen* —5A **18**
Cross Rd. *Leic* —5E **29**
Cross St. *Blab* —3B **44**
Cross St. *End* —6H **33**
Cross St. *Leic* —4C **20**
Cross St. *Mkt H* —4E **65**
Cross St. *Oad* —2A **38**
Cross St. *Sys* —6F **7**
Cross St. *Wig* —1B **46**
Cross, The. *End* —6H **33**
Cross Wlk. *Leic* —1A **30**
Crossways Ho. *Blab* —3B **44**
Crossways, The. *Bir* —4G **13**
Crossway, The. *Braun* —1E **35**
Crossway, The. *Leic* —3B **36**
Crowan Dri. *Wig* —3A **46**
Crowfoot Way. *B Ast* —3B **60**
Crowhurst Dri. *Leic* —1C **34**
Crow La. *Leic* —4H **27**
Crown Hills Av. *Leic* —2G **29**
Crown Hills Ri. *Leic* —2G **29**
Croyde Clo. *Leic* —3H **29**
Croyland Grn. *Leic* —1E **31**
Cufflin Clo. *Rat* —5D **16**
Cuffling Clo. *Leic* —1B **26**
Cuffling Dri. *Leic* —1B **26**
Culham Av. *Leic* —5F **21**
Culver Rd. *Leic* —5G **19**
Culworth Dri. *Wig* —1C **46**
Cumberland Rd. *Wig* —6A **36**
Cumberland St. *Leic* —1A **28** (2A **4**)
Cumberwell Dri. *Nar* —2F **43**
Cunningham Dri. *Lutt* —5E **63**
Curlew Clo. *Sys* —5C **6**
Curlew Wlk. *Leic* —6E **21**
Curteys Clo. *Leic* —6F **27**
Curtis Clo. *Whet* —4A **44**
Curzon Av. *Bir* —5G **13**
Curzon Av. *Wig* —2G **45**
Curzon Clo. *Quen* —4H **7**
Curzon Rd. *Leic* —2A **36**
Curzon St. *Leic* —6D **20**
Cutchel, The. Lutt —5G 63
(off Church Ga.)
Cutters Clo. *Nar* —4D **42**
Cuttings, The. *Thurn* —1F **31**
Cygnet Clo. *Sys* —5C **6**
Cyprus Rd. *Leic* —3A **36**
Cyril St. *Leic* —1E **35**

Dabey Clo. *Mark* —3B **8**
Dakyn Rd. *Leic* —1D **30**
Dalby Av. *Bir* —3H **13**
Dalby Av. *Bush* —2G **31**
Dalby Dri. *Grob* —2F **17**
Dalby Rd. *Anst* —4F **11**
Dale Acre. *Count* —1F **55**
Dale Av. *Wig* —5C **36**
Dales, The. *Count* —1C **54**
Dale St. *Leic* —2E **29**
Dalkeith Rd. *Leic* —1F **21**
Dalley Clo. *Sys* —1F **15**
Dallison Clo. *Mkt H* —6D **64**
Danbury Dri. *Leic* —4H **19**
Dandees Clo. *Mark* —2C **8**
Danehill. *Rat* —4C **16**
Danehurst Av. *Leic* —1F **27**
Danes Hill Rd. *Leic* —2G **27**
Dane St. *Leic* —2H **27**
Dannett St. *Leic* —1H **27**
Dannett Wlk. *Leic* —2H **27**
Danvers Rd. *Leic* —4G **27**
Darenth Dri. *Leic* —2E **19**
Darien Way. *Braun* —5A **26**
Darker St. *Leic* —1B **28** (2C **4**)
Darley Av. *Wig* —2G **45**
Darley Rd. *Blab* —4A **44**
Darley St. *Leic* —2E **29**
Darlington Rd. *Leic* —5E **19**
Dart Clo. *Oad* —4C **38**
Dartford Rd. *Leic* —6H **27**
Darwen Clo. *Leic* —5F **19**
Darwin Clo. *Braun* —6A **26**
Darwin Clo. *B Ast* —2B **60**
Dashwood Rd. *Leic* —4E **29**
Davenport Av. *Oad* —4H **37**
Davenport Rd. *Leic* —2B **30**
Davenport Rd. *Wig* —2A **46**
Davett Clo. *Leic* —1B **30**
David Av. *Leic* —6E **13**
David Lloyd Leisure Cen. —1C 34
Davison Clo. *Leic* —1A **30**
Dawlish Clo. *Leic* —2D **30**
Daybell Clo. *Whet* —2H **43**
Day St. *Leic* —2C **20**
Deacon Clo. *Bitt* —2E **63**
Deacon Clo. *Mkt H* —1C **64**
Deacon Rd. *Leic* —3C **12**
Deacon St. *Leic* —3A **28** (6B **5**)
Deancourt Rd. *Leic* —3D **36**
Deanery Cres. *Leic* —3D **12**
Dean Rd. *Leic* —4E **21**
Deansburn Ho. *Leic* —5D **18**
Debdale La. *Sme W* —6A **62**
Deene Clo. *Mkt H* —3F **65**
Deepdale. *Leic* —1H **29**
Delaware Rd. *Leic* —3E **31**
Delisle Clo. *Mkt H* —4C **64**
Demontfort Ct. *Anst* —5F **11**
(in two parts)
De Montfort Ho. *Leic* —3B **28** (6C **5**)
De Montfort M. *Leic* —3C **28** (6F **5**)
De Montfort Pl. *Leic* —3C **28** (6F **5**)
De Montfort Sq. *Leic* —3C **28** (7E **5**)
De Montfort St. *Leic* —4C **28** (8E **5**)
Dempsey Clo. *Lutt* —2G **63**
Denacre Av. *Wig* —2G **45**
Denbigh Pl. *Lutt* —3G **63**
Denbydale. *Wig* —2D **46**
Denegate Av. *Bir* —3F **13**
Denham Clo. *Leic* —1A **26**
Denis Clo. *Leic* —1F **27**
Deniston Av. *B Ast* —6H **51**
Denman La. *Hunc* —3H **41**
Denmark Rd. *Leic* —1A **36**
Denmead Av. *Wig* —6E **37**
Dennison Vs. *Flec* —6B **58**
Denton St. *Leic* —2F **27**
Denton Wlk. *Wig* —1C **46**
Derby Clo. *B Ast* —2C **60**
Derry Wlk. *Leic* —1A **20**
Dersingham Rd. *Leic* —3H **19**
Derwent St. *Leic* —2E **29**
Derwent Wlk. *Oad* —4C **38**
Desford La. *Des* —1A **24**
Desford Rd. *Des* —1A **24**
Desford Rd. *End* —1B **32**
Desford Rd. *Kir M* —1D **24**
Desford Rd. *Nar* —3D **42**
Desford Rd. *Thurl* —5A **32**
Devana Rd. *Leic* —4E **29**
De Verdon Rd. *Lutt* —5E **63**
Devitt Way. *B Ast* —3B **60**
(in two parts)
Devonia Rd. *Oad* —5D **38**
Devonports Hill. *Bush* —2H **31**
Devonshire Av. *Wig* —2G **45**
Devonshire Ct. *Oad* —6B **38**
Devonshire Rd. *Leic* —4A **20**
Devonshire Wlk. *Oad* —6C **38**
Devon Way. *Leic* —2H **29**
Dickens Ct. *Leic* —2E **27**
Dicken, The. *Whet* —4H **43**
Dickinson Way. *Thurm* —4D **14**
Didsbury St. *Leic* —3C **26**
Digby Clo. *Leic* —4F **27**
Digby Ho. *Oad* —2H **37**
Dillon Grn. *Leic* —4D **18**
Dillon Ri. *Leic* —5D **18**
Dillon Rd. *Leic* —5D **18**
Dillon Way. *Leic* —4D **18**
Dimmingsdale Clo. *Anst* —4G **11**
Dingley Av. *Leic* —4E **21**
Dingley Rd. *Gt B* —1G **65**
Dingley Ter. *Mkt H* —3E **65**
Dingly Link. *Wig* —6H **37**
Diseworth St. *Leic* —2E **29**
Disney Clo. *S Stan* —3B **50**
Disraeli Clo. *Kib* —5H **59**
Disraeli St. *Leic* —2G **35**
Ditchling Av. *Leic* —1E **27**
Dixon Dri. *Leic* —4E **29**
Dobney Av. *Quen* —3H **7**
Doddridge Rd. *Mkt H* —2D **64**
Dog and Gun La. *Whet* —6H **43**
Dogwood Ct. *Oad* —2A **38**
Dolphin Sq. *Leic* —4D **4**
Dominion Rd. *Glen* —5A **18**
Dominus Way. *Mer B* —1B **34**
Donald Clo. *Leic* —1H **21**
Donaldson Rd. *Leic* —5C **20**
Doncaster Rd. *Leic* —4D **20**
Donnett Clo. *Leic* —1B **30**
Donnington St. *Leic* —2E **29**
Dorchester Clo. *Blab* —5C **44**
Dorchester Clo. *Wig* —3B **46**
Dorchester Rd. *Leic* —3F **27**
Dore Rd. *Leic* —3E **29**
Dorothy Av. *Glen P* —6F **35**
Dorothy Av. *Thurm* —5B **14**
Dorothy Rd. *Leic* —2F **29**
Dorset Av. *Glen* —4A **18**
Dorset Av. *Wig* —6A **36**
Dorset St. *Leic* —5C **20**
Double Rail Clo. *Wig* —2G **45**
Doudney Clo. *S Stan* —4B **50**
Douglas Bader Clo. *Lutt* —2G **63**
Douglass Dri. *Mkt H* —1E **65**
Dovecote Clo. *Sap* —6B **50**
Dovecote Rd. *Croft* —6G **41**
Dovedale Av. *Blab* —4B **44**
Dovedale Ct. *Leic* —6G **29**
Dovedale Rd. *Leic* —6G **29**
Dovedale Rd. *Thurm* —4C **14**
Dover Ho. *Leic* —2C **28** (5E **5**)
Dove Ri. *Oad* —3C **38**
Dover St. *Kib* —5H **59**
Dover St. *Leic* —2C **28** (5E **5**)
Downham Av. *Leic* —3A **20**
Downing Dri. *Leic* —4C **30**
Down St. *Leic* —4D **20**
Draper St. *Leic* —4E **29**
Drayton Rd. *Leic* —6C **18**
Dribdale. *Flec* —6C **58**
Drinkstone Rd. *Leic* —2G **29**
Drive, The. *Bir* —5G **13**
Drive, The. *Count* —2B **54**
Drive, The. *Kib* —5B **62**
Drive, The. *Scrap* —5F **23**
Driveway, The. *Leic* —2G **31**
Dronfield St. *Leic* —2E **29**
Drovers Way. *Nar* —4D **42**
Drumcliff Rd. *Leic* —1E **31**
Drummond Rd. *End* —6G **33**
Drummond Rd. *Leic* —2B **20**
Drury La. *Oad* —3H **37**
Dryden St. *Leic* —1C **28** (2E **4**)
Dudleston Clo. *Leic* —2A **30**
Dudley Av. *Leic* —1C **30**

Dudley Clo. *Leic* —1C **30**
Duffield Av. *Wig* —5D **36**
Duffield St. *Leic* —2E **29**
Dukes Clo. *Thurm* —4D **14**
Dukes Clo. *Wig* —6D **36**
Dukes Dri. *Leic* —5E **29**
Dukes Dri. Flats. *Leic* —5E **29**
Duke St. *Leic* —3B **28** (6D **5**)
Dulverton Clo. *Wig* —3B **46**
Dulverton Rd. *Leic* —2G **27**
Dumbleton Av. *Leic* —6G **27**
Dunbar Rd. *Leic* —3G **21**
Dunblane Av. *Leic* —1F **21**
Duncan Av. *Hunc* —3H **41**
Duncan Rd. *Leic* —2H **35**
Duncombe Rd. *Leic* —4E **19**
Dundee Rd. *Blab* —5B **44**
Dundonald Rd. *Leic* —4C **20**
Dunholme Rd. *Leic* —4G **21**
Dunire Clo. *Leic* —2G **19**
Dunkirk St. *Leic* —2C **28** (6E **5**)
Dunleyway. *Lutt* —3G **63**
Dunlin Rd. *Leic* —6E **21**
Dunslade Clo. *Mkt H* —4G **65**
Dunslade Gro. *Mkt H* —4G **65**
Dunslade Rd. *Mkt H* —4F **65**
Duns La. *Leic* —2A **28** (5A **5**)
Dunstall Av. *Leic* —5B **26**
Dunster St. *Leic* —2F **27**
Dunsville Wlk. *Leic* —2F **21**
Dunton La. *Ash P* —6E **61**
Dunton La. *Leir* —6B **60**
(in three parts)
Dunton Rd. *B Ast* —3D **60**
Dunton Rd. *Leir* —6B **60**
Dunton St. *Leic* —6H **19**
Dunton St. *Wig* —2F **45**
Dupont Clo. *Glen* —6B **18**
Dupont Gdns. *Glen* —6B **18**
Durban Rd. *Leic* —4C **12**
Durham Dri. *Wig* —5C **36**
Durnford Rd. *Wig* —3A **46**
Durston Clo. *Leic* —3D **30**
Duxbury Rd. *Leic* —6G **21**
Dysart Way. *Leic* —5C **20**
Dyson Clo. *Lutt* —3G **63**

Eagle Clo. *B Ast* —6A **52**
Eaglesfield End. *Leir* —6B **60**
Ealing Rd. *Leic* —6B **28**
Eamont Clo. *Leic* —6H **35**
Eamont Grn. *Leic* —6H **35**
Earl Howe St. *Leic* —3D **28**
Earlhowe Ter. *Leic* —2H **27**
Earl Pl. *Leic* —3D **28** (7F **5**)
Earl Russell St. *Leic* —3G **35**
Earls Clo. *Thurm* —4D **14**
Earl Shilton Rd. *Thurl* —2A **40**
Earl Smith Clo. *Whet* —4A **44**
Earl St. *Leic* —1C **28** (2E **4**)
Earl's Way. *Thurm* —4D **14**
Earlswood Rd. *Leic* —4D **30**
East Av. *Leic* —5E **29**
East Av. *Sys* —5G **7**
East Av. *Whet* —3H **43**
E. Bond St. *Leic* —1B **28** (2C **4**)
Eastcourt Rd. *Leic* —3E **37**
Eastern Boulevd. *Leic* —4A **28** (8A **5**)
Eastfield Rd. *Leic* —2F **27**
Eastfield Rd. *Thurm* —3D **14**
East Gates. *Leic* —1B **28** (3C **4**)
E. Goscote Ind. Est. *E Gos* —2H **7**
Eastleigh Rd. *Leic* —4G **27**
East Link. *Leic* —2C **34**
Eastmere Rd. *Wig* —6H **37**
East Pk. Rd. *Leic* —3E **29**
East Rd. *Bir* —6G **13**
East St. *Leic* —2C **28** (5E **5**)
East St. *Mkt H* —3C **64**
East St. *Oad* —3A **38**
East Wlk. *Rat* —4C **16**
Eastway Rd. *Wig* —5F **37**
Eastwood Rd. *Leic* —4H **35**
Ebchester Clo. *Leic* —6G **35**
Ebchester Rd. *Leic* —6G **35**
Edale Clo. *Leic* —4C **26**
Eddystone Rd. *Leic* —6E **23**
Eden Clo. *Oad* —3C **38**
Eden Gdns. *Leic* —4C **12**
Edenhall Clo. *Leic* —2F **21**
Edenhall Clo. *Oad* —5D **38**
Edenhurst Av. *Leic* —2D **34**
Eden Rd. *Oad* —3C **38**
Edensor St. *Leic* —2E **21**
Eden Way. *Leic* —1D **44**
Edgbaston Clo. *Leic* —4D **12**
Edgecote Ct. *Leic* —5G **21**
Edgehill Clo. *Gt G* —3D **48**
Edgehill Rd. *Leic* —3G **21**
Edgeley Rd. *Count* —1F **55**
Edinburgh Clo. *Mkt H* —2E **65**
Edith Av. *Leic* —2E **35**
Edmonton Rd. *Leic* —6C **20** (1F **4**)
Edward Av. *Leic* —1D **34**
Edward Clo. *Oad* —4C **38**
Edward Dri. *Glen P* —2E **45**
Edward Rd. *Flec* —6B **58**
Edward Rd. *Leic* —5D **28**
Edward Rd. *Mkt H* —2C **64**
Edward St. *Anst* —5G **11**
Edward St. *Leic* —6E **21**
Egerton Av. *Leic* —3A **20**
Egginton St. *Leic* —3E **29**
Eglantine Clo. *Oad* —2A **38**
Eider Clo. *Whet* —1H **53**
Eileen Av. *Leic* —3A **20**
Elbow La. *Leic* —1A **28** (2B **4**)
Eldon St. *Leic* —1C **28** (2E **4**)
Elfed Thomas Building. *Leic* —5C **5**
Elfin Gro. *Dun B* —5G **61**
Elgin Av. *Leic* —5D **18**
Elisha Clo. *S Stan* —3C **50**
Elizabethan Way. *Lutt* —3H **63**
Elizabeth Clo. *Flec* —6B **58**
Elizabeth Ct. *Glen* —4H **17**
Elizabeth Ct. *Wig* —1A **46**
Elizabeth Cres. *Wig* —5D **36**
Elizabeth Dri. *Oad* —5C **38**
Elizabeth Dri. *Thurm* —3C **14**
Elizabeth Gdns. *Whet* —4H **43**
Elizabeth Ho. *Leic* —6E **19**
Elizabeth Rd. *Flec* —6B **58**
Elizabeth St. *Leic* —2G **29**
Elland Rd. *Leic* —2H **25**
Ellesmere Pl. *Leic* —5F **27**
Ellesmere Rd. *Leic* —5F **27**
Elliot Clo. *Oad* —5D **38**
Elliot Clo. *Whet* —1A **54**
Elliott Dri. *Leic F* —3H **25**
Elliott Dri. *Thurm* —5E **15**
Elliott Rd. *Leic* —1H **19**
Ellis Av. *Leic* —4C **20**
Ellis Clo. *Glen* —5H **17**
Ellis Dri. *Leic F* —4F **25**
Ellis Fields. *Oad* —5E **39**
Ellison Clo. *S Stan* —2B **50**
Ellison Clo. *Wig* —3F **45**
Ellis St. *Anst* —5F **11**
Ellwood Clo. *Leic* —3B **30**
Elm Av. *Lutt* —4F **63**
Elm Clo. *Grob* —3F **17**
Elmcroft Av. *Leic* —6B **22**
Elmdale St. *Leic* —3C **20**
Elm Dri. *Mkt H* —4B **64**
Elmfield Av. *Bir* —4F **13**
Elmfield Av. *Leic* —4E **29**
Elmfield Gdns. *Leic* —4E **29**
Elmhirst Rd. *Lutt* —5F **63**
Elmhurst Clo. *Nar* —4C **42**
Elms Clo. *Oad* —5B **38**
Elms Ct. *Leic* —1E **37**
Elms La. *Bur O* —2H **49**
Elmsleigh Av. *Leic* —6F **29**
Elms Rd. *Leic* —6E **29**
Elms Rd. Houses. *Leic* —1F **37**
Elms, The. *Blab* —4B **44**
Elms, The. *Count* —1E **55**
Elmsthorpe Ri. *Leic* —4E **27**
Elm Tree Av. *Glen* —5G **17**
Elmtree Clo. *Ham* —3C **22**
Elm Tree Rd. *Cosb* —3E **53**
Elmwood Row. *Leic* —5C **36**
Elsadene Av. *Leic* —2D **20**
Elsadene Ct. *Leic* —6F **29**
Elsalene Dri. *Grob* —6G **9**
Elsham Clo. *Leic* —2B **26**
Elston Fields. *Leic* —3B **36**
Elstree Av. *Leic* —5E **23**
Elsworthy Wlk. *Leic* —1B **26**
Elwells Av. *Dun B* —5F **61**
Elwin Av. *Wig* —5F **37**
Emberton Clo. *Wig* —6H **37**
Emburn Ho. *Leic* —5D **18**
Emerson Clo. *Leic* —2E **19**
Emperor Way. *Whet* —1H **53**
Empire Rd. *Leic* —6H **19**
Enderby Golf Course. —1E 43
Enderby Leisure Cen. —1D 42
Enderby Rd. *Thurl* —6A **32**
Enderby Rd. *Whet & Blab* —2G **43**
Enderby Rd. Ind. Est. *Whet* —2H **43**
Englefield Rd. *Leic* —2D **30**
Ennerdale Clo. *Oad* —5D **38**
Ensbury Gdns. *Leic* —4B **30**
Enterprise Ho. *Kir M* —2D **24**
Epping Way. *Leic* —6G **35**
Epsom Rd. *Leic* —3D **20**
Equestrian Cen. —1A 54
Equity Rd. *End* —6G **33**
Equity Rd. *Leic* —3H **27**
Erdyngton Rd. *Leic* —3D **26**
Eric Wood Building. *Leic* —3A **28** (6B **5**)
Erith Rd. *Leic* —6H **27**
Ernee Clo. *Glen* —6B **18**
Erskine St. *Leic* —1C **28** (2E **4**)
Ervington Ct. *Mer B* —3B **34**
Ervin's Lock. *Wig* —3G **45**
Eskdale Clo. *Oad* —5D **38**
Eskdale Rd. *Leic* —2H **19**
Essex Gdns. *Mkt H* —5C **64**
Essex Rd. *Leic* —4G **21**
Essex Rd. *Wig* —6B **36**
Estley Rd. *B Ast* —6A **52**
Estoril Av. *Wig* —5G **37**
Ethel Rd. *Leic* —3G **29**
Eton Clo. *Leic* —1D **36**
Eunice Av. *Hunc* —4H **41**
Euro Bus. Pk. *Mkt H* —2G **65**
Euston St. *Leic* —6B **28**
Evelyn Dri. *Leic* —5G **27**
Evelyn Rd. *Leic* —5C **26**
Everard Way. *Nar* —4D **34**
Everest Ct. *Leic* —6D **20** (1F **4**)
Everett Clo. *Thurm* —5E **15**
Everson Clo. *B Ast* —2B **60**
Every St. *Leic* —2B **28** (4D **4**)
Evesham Rd. *Leic* —5G **27**
Evington Clo. *Leic* —3G **29**
Evington Dri. *Leic* —4F **29**
Evington Footway. *Leic* —3D **28**
Evington La. *Leic* —4F **29**
Evington Pk. —4A 30
Evington Parks Rd. *Leic* —4F **29**
Evington Pl. *Leic* —3E **29**
Evington Rd. *Leic* —3D **28**
Evington St. *Leic* —2D **28**
Evington Valley Rd. *Leic* —4F **29**
Excalibur Clo. *Leic F* —5G **25**
Exchange, The. *Leic* —5A **36**
Exeter Rd. *Wig* —6D **36**
Exhibition Cen. *Leic* —4B **4**
Exmoor Av. *Leic* —5H **19**

Exmoor Clo. Wig —2B 46
Exploration Rd. Leic —3B 20
Exton Rd. Leic —6G 21
Eynsford Clo. Leic —1G 37

Factory La. Mkt H —3D 64
Fairbourne Rd. Leic —6E 27
Fairburn Ho. Leic —5D 18
Faircharm Trad. Est. Leic —5H 27
Fairefield Cres. Glen —3B 18
Faire Rd. Glen —4B 18
Fairestone Av. Glen —5A 18
Fairfax Clo. Leic —3G 21
Fairfax Ct. Gt G —3D 48
Fairfax Rd. Leic —3G 21
Fairfax Rd. Mkt H —4D 64
Fairfield Rd. Mkt H —2C 64
Fairfield Rd. Oad —3B 38
Fairfield St. Leic —2E 29
Fairfield St. Wig —1F 45
Fairford Av. Leic —4B 30
Fairhaven Rd. Anst —4G 11
Fairholme Rd. Leic —3D 36
Fairisle Way. Count —2F 55
Fairstone Hill. Oad —5B 38
Fairview Av. Whet —4H 43
Fairway. Kib —5B 62
Fairway. Mkt H —2C 64
Fairway, The. Blab —4A 44
Fairway, The. Kir M —3F 25
Fairway, The. Leic —3A 36
Fairway, The. Oad —6H 29
Falcon Clo. B Ast —6A 52
Falcon Clo. Leic F —5E 25
Falconer Cres. Leic —5C 18
Falcon Rd. Anst —6E 11
Faldo Clo. Leic —6C 14
Fallow Clo. B Ast —3B 60
Fallow Clo. Whet —6H 43
Fallowfield Rd. Leic —3D 30
Falmouth Dri. Wig —2A 46
Falmouth Rd. Leic —3H 29
Faraday Clo. B Ast —3B 60
Faringdon Av. Lutt —4H 63
Farleigh Av. Wig —5F 37
Farleigh Clo. B Ast —6A 52
Farley Rd. Leic —1F 37
Farley Way. Kir M —1F 25
Farm Clo. Bir —4H 13
Farm Clo. L'thrpe —5E 43
Farm Clo., The. Leic —4B 36
Farmers Clo. Glen —5H 17
Farmway. Leic —3C 34
Farndale. Wig —1D 46
Farndale Vw. Mkt H —4A 64
Farndon Dri. S Stan —3A 50
Farndon Rd. Mkt H —5B 64
Farnham St. Leic —1E 29
Farnworth Clo. Leic —2F 21
Farrier La. Leic —2F 19
Farrier's Way. E Gos —2H 7
Farringdon St. Leic —6E 21
Farr Wood Clo. Grob —2E 17
Farthingdale Clo. Cosb —2G 53
Fastnet Rd. Leic —6E 23
(in two parts)
Faversham Clo. Leic —1A 26
Fayrhurst Rd. Leic —3A 36
Featherby Dri. Glen P —6E 35
Featherstone Dri. Leic —1C 44
Feature Rd. Thurm —2C 14
Federation St. End —6G 33
Feildingway. Lutt —3G 63
Feldspar Clo. End —4H 33
Felley Way. Leic —5G 19
Felstead Rd. Leic —1H 19
Fenners Clo. Leic —4C 12
Fenton Clo. Oad —6A 38
Fenwick Way. Oad —5E 39
Fermain Clo. Leic —2D 30
Fern Bank. Leic —1E 29
Fern Clo. Thurn —2E 31
Fern Cres. Grob —1D 16
Ferndale Dri. Rat —5D 16
Ferndale Rd. Leic —3D 36
Ferndale Rd. Thurm —5C 14
Ferndown Clo. Leic —1A 26
Fernhurst Rd. Leic —1D 34
Fernie Clo. Oad —5C 38
Fernie Dene. Gt G —2E 49
Fernie Rd. Leic —6F 21
Fernie Rd. Mkt H —3E 65
Fernlea. Nar —2B 42
Fernleys Clo. Leic —2F 19
Fern Ri. Leic —4C 22
Ferrars Ct. Braun —5B 26
Ferrers Ri. Grob —2E 17
Ferrers Rd. Lutt —5E 63
Ferrers St. Leic —4B 36
Ferrous Clo. Leic —5E 21
Festival Av. Thurm —5B 14
Field Clo. L'thrpe —4E 43
Field Ct. Rd. Grob —2F 17
Fieldfare Wlk. Leic —6E 21
Fieldgate Cres. Bir —3E 13
Fieldhead Clo. Mkt H —3B 64
Fieldhead Rd. Mark —1A 8
Fieldhouse Rd. Leic —2D 20
Fieldhurst Av. Leic —1C 34
Fielding Rd. Bir —4F 13
Field Vw. Sys —6C 6
Field Vw. Thurm —4E 15
Fieldway Cres. Gt G —2D 48
Fieldway, The. B Ast —2B 60
Filbert St. Leic —4A 28 (8A 5)
Filbert St. E. Leic —4B 28 (8C 5)
Finch Clo. Leic —2C 26
Finch Way. Nar —4C 42
Fineshade Av. Leic —5G 19
Finsbury Rd. Leic —4E 21
Finson Clo. Wig —6F 37
Fiona Dri. Thurn —2F 31
Firestone Clo. Leic —1A 26
Firfield Av. Bir —4G 13
Firs, The. Sys —1E 15
Fir Tree Av. Count —1E 55
Firtree Av. Lutt —4F 63
Fir Tree Clo. Wig —4E 37
Firtree La. Grob —1E 17
Firtree Wlk. Grob —2E 17
Fir Tree Wlk. Mkt H —2D 64
Fisher Clo. Costn —1B 6
Fisher Clo. S Stan —3A 50
Fishley Clo. Glen —6H 17
Fishponds Clo. Glen —5H 17
Fishpools. Leic —2C 34
Fitzroy St. Leic —2H 27
Fitzwilliam Clo. Oad —5D 38
Flamborough Rd. Leic —6D 22
Flamingo Dri. Whet —1H 53
Flatholme Rd. Leic —5E 23
Flattenway. Sys —5E 7
Flaxfield Clo. Grob —2F 17
Flaxland Clo. Mkt H —3G 65
Flax Rd. Leic —3D 20
Fleckney Ind. Est. Flec —6C 58
Fleckney Leisure Cen. —4B 58
Fleckney Rd. Kib —5F 59
Fleckney Rd. Kilb —2E 57
Fleet St. Leic —1C 28 (2E 4)
Fleet, The. S Stan —1C 50
Fleetwood Clo. Mkt H —5C 64
Fleetwood Gdns. Mkt H —5C 64
Fleetwood Rd. Leic —6C 28
Fletcher Building. Leic —6A 5
Fletcher Mall. Leic —1E 19
Fletcher Rd. S Stan —2C 50
Fletchers Clo. Nar —4D 42
Fletchers Way. E Gos —2H 7
Fletcher Way. E Gos —2H 7
Flora St. Leic —2H 27
Florence Av. Wig —2G 45
Florence Rd. Leic —1E 29
Florence St. Leic —2A 36
Florence Wragg Way. Oad —5D 38
Floyd Clo. Leic —6C 14
Fludes La. Oad —4C 38
Folville Ri. Leic —5E 27
Fontwell Dri. Leic —4F 35
Forbes Clo. Glen —6A 18
Ford Clo. Leic —6G 35
Ford Ri. Leic —6G 35
Ford, The. Glen P —3C 44
Fordview Clo. Gt G —2C 48
Forest Av. Thurm —3B 14
Forest Clo. Grob —2D 16
Forest Dri. Kir M —3E 25
Foresters Clo. Glen —5H 17
Foresters Row. E Gos —2H 7
Forest Farm. Leic F —6E 25
Forest Ga. Anst —5F 11
Forest Ho. La. Leic F —6E 25
Forest Ri. Grob —2D 16
Forest Ri. Leic F —4F 25
Forest Ri. Oad —3C 38
Forest Ri. Thurn —2F 31
Forest Rd. End —4F 33
Forest Rd. Hunc —3H 41
Forest Rd. Leic —5E 21
Forest Rd. Mark —2A 8
Forest Vw. Grob —2D 16
Forestway. Leic —5F 19 (4A 4)
Forge Clo. Flec —5B 58
Forge Clo. Glen —5G 17
Forge Corner. Blab —3B 44
Forrester Clo. Cosb —2G 53
Forryan Clo. Cosb —3F 53
Forryans Clo. Wig —2C 46
Forsythia Clo. Lutt —4E 63
Fosse Clo. End —1F 43
Fosse La. Leic —6G 19
Fosse Pk. Av. Leic —4D 34
Fosse Pk. Shop. Cen. Leic —4D 34
Fosse Pk. S. Leic —4D 34
Fosse Plaza. Leic —4D 34
Fosse Rd. Central. Leic —2G 27
Fosse Rd. N. Leic —1G 27
Fosse Rd. S. Leic —5F 27
Fosse Way. Sys & Thrus —1D 14
Foston Ga. Wig —3C 46
Foston La. Peat M —6H 55
Foston Rd. Count —1F 55
Foundry La. Leic —6C 20 (1D 4)
Foundry La. Sys —6D 6
Foundry Sq. Leic —6C 20 (1E 4)
Fountains Av. Leic —6H 35
Fowler Clo. Leic —1G 19
Fox Covert. Whet —6H 43
Foxcroft Clo. Leic —1G 35
Fox End. Thurl —6A 32
Foxglove Clo. B Ast —3C 60
Foxglove Clo. E Gos —2H 7
Foxglove Clo. Nar —3C 42
Foxglove Rd. Ham —3C 22
Foxhill Dri. Glen P —6E 35
Foxholes Rd. Leic —3B 26
Fox Hollow. E Gos —1H 7
Fox Hollow. Oad —5D 38
Foxhunter Dri. Oad —3H 37
Foxhunter Roundabout. Nar —1F 43
Fox La. Kir M —2D 24
Fox La. Leic —1B 28 (3D 4)
Foxon St. Leic —2H 27 (5A 5)
Foxon Way. Braun —6B 26
Foxpond Clo. Oad —2A 48
Fox St. Leic —2C 28 (4F 4)
Foxton Lock Clo. Wig —3G 45
Framland Ho. Leic —2D 28
Frampton Av. Leic —2F 27
Franche Rd. Leic —1G 27
Francis Av. Leic —2D 34
Francis Ct. Leic —3G 35

Gorsty Clo. *Leic* —2F **19**
Goscote Dri. *Lutt* —4G **63**
Goscote Hall Rd. *Bir* —5F **13**
Goshawk Clo. *B Ast* —6A **52**
Gosling St. *Leic* —3A **28** (6B **5**)
Gotham St. *Leic* —3D **28**
Gough Rd. *Leic* —1G **29**
Goward St. *Mkt H* —3D **64**
Gower St. *Leic* —6C **20** (1D **4**)
Grace Gdns. *Leic* —2A **36**
Grace Rd. *Leic* —1A **36**
Grace Rd. *Sap* —5C **50**
Grafton Dri. *Wig* —1D **46**
Grafton Pl. *Leic* —6B **20** (1C **4**)
Graham St. *Leic* —1D **28**
Grampian Clo. *Leic* —2B **36**
Granary Clo. *Glen* —6H **17**
Granary Clo. *Kib* —6A **62**
Granby Av. *Leic* —1F **29**
Granby Bldgs. *Leic* —4D **4**
Granby Pl. *Leic* —2B **28** (4D **4**)
Granby Rd. *Leic* —2H **35**
Granby St. *Leic* —2B **28** (4D **4**)
Grange Av. *Leic F* —4H **25**
Grange Bus. Pk., The. *Whet* —2H **43**
Grange Clo. *Glen* —5H **17**
Grange Clo. *Gt G* —2D **48**
Grange Clo. *Rat* —5D **16**
Grange Dri. *Glen P* —6F **35**
Grange Dri. *Whet* —3H **43**
Grange La. *Leic* —3A **28** (6B **5**)
Grange La. *Thurn* —3E **31**
Grange Pk. *Thurn* —3E **31**
Grange Rd. *B Ast* —1A **60**
Grange Rd. *Wig* —4E **37**
Grange, The. *Nar* —4E **43**
Grangeway Rd. *Wig* —5F **37**
Granite Clo. *End* —5G **33**
Grantham Av. *B Ast* —5H **51**
Grantham Rd. *Leic* —5C **22**
Grant Way. *Leic* —5A **36**
Granville Av. *Oad* —3H **37**
Granville Cres. *Wig* —4D **36**
Granville Rd. *Leic* —4D **28**
Granville Rd. *Wig* —4D **36**
Granville St. *Mkt H* —4D **64**
Grape St. *Leic* —1A **28** (2B **4**)
Grasmere Rd. *Wig* —6H **37**
Grasmere St. *Leic* —3A **28** (6A **5**)
Grass Acres. *Leic* —2C **34**
Grassington Clo. *Leic* —1G **19**
Grassington Dri. *Wig* —2D **46**
Grassy La. *Mark* —3A **8**
Gravel St. *Leic* —1B **28** (2C **4**)
Gravel, The. *Bur O* —3H **49**
Graylyn Ct. *Thurm* —5C **14**
Grays Ct. *Nar* —6G **33**
Gray St. *Leic* —3A **28** (6A **5**)
Grayswood Dri. *Leic* —4A **12**
Gt. Arler Rd. *Leic* —1C **36**
Gt. Bowden Rd. *Mkt H* —3F **65**
Gt. Central St. *Leic* —1A **28** (2A **4**)
Gt. Central Way. *Leic* —1H **43** (6A **5**)
Gt. Meadow Rd. *Leic* —3F **19**
Grebe Way. *Whet* —6H **43**
Greenacre Dri. *Leic* —2B **30**
Greenacres Dri. *Lutt* —4E **63**
Greenbank Dri. *Oad* —4B **38**
Greenbank Rd. *Leic* —4D **22**
Greencoat Rd. *Leic* —6C **18**
Greencroft. *S Stan* —4B **50**
Greendale Rd. *Glen P* —6F **35**
Greenfields. *Whet* —4H **43**
Greengate La. *Bir* —4D **12**
Greenhill Clo. *Nar* —4C **42**
Greenhill Rd. *Leic* —6C **28**
Greenhithe Rd. *Leic* —6H **27**
Greenhithe Wlk. *Leic* —6A **28**
Greenland Av. *Leic* —5A **22**
Greenland Dri. *Leic* —5A **22**
Green La. *Count* —1F **55**
Green La. *Mkt H* —5D **64**
Green La. Clo. *Leic* —1H **29**
Green La. Rd. *Leic* —6F **21**
Green Rd. *B Ast* —6A **52**
(in two parts)
Greenside Pl. *Leic* —4B **36**
Green, The. *Anst* —5E **11**
Green, The. *Bitt* —2F **63**
Green, The. *Blab* —3C **44**
Green, The. *Croft* —6G **41**
Green, The. *Hunc* —4H **41**
Green, The. *Leir* —6A **60**
Green, The. *Mark* —2B **8**
Green, The. *Sys* —5F **7**
Green Wlk. *Leic* —2C **26**
Greenway. *Kib* —5B **62**
Greenway, The. *Leic* —4C **20**
Greenwich Clo. *Nar* —3D **42**
Greenwood Rd. *Leic* —1H **29**
Gregory Clo. *Braun* —6B **26**
Gregory Clo. *Thurm* —4E **15**
Gregson Clo. *Leic* —6B **14**
Grendon Clo. *Wig* —6G **37**
Grenfell Rd. *Leic* —1G **37**
Grenfell Wlk. *Leic* —1G **37**
Grenville Gdns. *Mkt H* —5C **64**
Gresley Clo. *Leic* —1G **19**
Gresley Clo. *Thurn* —1F **31**
Gretna Way. *Leic* —6E **23**
Grey Clo. *Grob* —2F **17**
Grey Cres. *New L* —2H **9**
Grey Friars. *Leic* —2B **28** (4C **4**)
Greylag Clo. *Whet* —1H **53**
Greylands Paddock. *Grob* —2F **17**
Greys Dri. *Grob* —3E **17**
Greystoke Clo. *Leic* —2A **20**
Greystoke Wlk. *Leic* —2A **20**
Greystone Av. *Leic* —1B **30**
Griffin Clo. *Thurm* —6E **15**
Grimston Clo. *Leic* —1A **22**
Grisedale Clo. *Leic* —4A **28** (8B **5**)
Grizedale Gro. *Nar* —2B **42**
Groby By-Pass. *Grob* —1F **17**
Groby La. *New L* —4H **9**
Groby Rd. *Anst* —1A **18**
Groby Rd. *Glen* —2H **17**
Groby Rd. *Rat* —4C **16**
Grocot Rd. *Leic* —4A **30**
Grosvenor Clo. *Glen P* —2D **44**
Grosvenor Cres. *Oad* —2H **37**
Grosvenor St. *Leic* —6C **20** (1E **4**)
Grovebury Rd. *Leic* —2A **20**
Grovebury Wlk. *Leic* —2B **20**
Gro. Farm Triangle. *End* —4C **34**
Grove Pk. *End* —4C **34**
Grove Rd. *Leic* —1E **29**
Grove Rd. *Whet & Blab* —5H **43**
Grove Way. *Nar* —5D **34**
Guild Clo. *Crop* —1H **11**
Guildhall La. *Leic* —2A **28** (4B **4**)
Guilford Dri. *Wig* —4D **36**
Guilford Rd. *Leic* —1F **37**
Guilford St. *Leic* —3E **29**
Guinevere Way. *Leic F* —5G **25**
Gullet La. *Kir M* —3B **24**
Gumley Sq. *End* —6H **33**
Gunthorpe Rd. *Leic* —3B **26**
Gurnell Rd. *Leic* —1E **19**
Gurney Cres. *L'thrpe* —5E **43**
Guthlaxton Av. *Leic* —2D **28**
Guthlaxton Av. *Lutt* —4G **63**
Guthlaxton St. *Leic* —2D **28**
Guthlaxton Way. *Wig* —3C **46**
Guthridge Cres. *Leic* —4F **27**
Gwencole Av. *Leic* —1E **35**
Gwencole Cres. *Leic* —2E **35**
Gwendolen Rd. *Leic* —2F **29**
(in two parts)
Gwendolen Rd. Gdns. *Leic* —2G **29**
Gwendolin Av. *Bir* —4H **13**
Gwendoline Dri. *Count* —2D **54**
Gynsill Clo. *Anst* —6G **11**
Gynsill La. *Anst* —2B **18**
(in two parts)

Hackett Rd. *Leic* —5D **18**
Haddenham Rd. *Leic* —5G **27**
Haddon Clo. *Sys* —6D **6**
Haddon St. *Leic* —2E **29**
Hadrian Clo. *Sys* —1C **14**
Hadrian Rd. *Leic* —6D **12**
Hadrian Rd. *Thurm* —4C **14**
Hagley Clo. *Mkt H* —3G **65**
Haig Pl. *Leic* —5E **27**
Halcroft Ri. *Wig* —2B **46**
Halfcroft, The. *Sys* —5E **7**
Half Moon Cres. *Oad* —2C **38**
Halford Clo. *Gt G* —3D **48**
Halford Clo. *Whet* —5H **43**
Halford Rd. *Kib* —5H **59**
Halford St. *Leic* —2B **28** (4D **4**)
Halford St. *Sys* —6E **7**
Halifax Dri. *Leic* —2A **20**
Halkin St. *Leic* —4D **20**
Hallam Av. *Bir* —4F **13**
Hallam Cres. E. *Leic* —5D **26**
Hallaton Rd. *Leic* —5H **21**
Hallaton St. *Leic* —2A **36**
Hallbrook Rd. *B Ast* —3B **60**
Hall Clo. *Glen P* —6F **35**
Hall Clo. *Kib* —4H **59**
Hallcroft Av. *Count* —2E **55**
Hallcroft Gdns. *Count* —2E **55**
Hall Dri. *Oad* —3B **38**
Halley Clo. *Leic* —5A **12**
Hall Farm Cres. *B Ast* —2C **60**
Hall Farm Rd. *Thurc* —1B **12**
Hall Gdns. *Gt G* —3D **48**
Hall La. *Leic* —2G **35**
Hall Rd. *Scrap* —5F **23**
Halls Ct. *S Stan* —3C **50**
Hall Wlk. *End* —5H **33**
Halsbury St. *Leic* —4F **29**
Halstead St. *Leic* —1F **29**
Halter Slade. *Wig* —2C **46**
Hambledon Grn. *Leic* —6D **12**
Hamble Rd. *Oad* —3C **38**
Hambleton Clo. *Leic F* —5F **25**
Hamelin Rd. *Leic* —3D **26**
Hamilford Clo. *Scrap* —4E **23**
Hamilton Bungalow. *Leic* —4E **23**
Hamilton Bus. Pk. *Leic* —1B **22**
(in two parts)
Hamilton Deserted Medieval Village. —2E 23
Hamilton La. *Scrap* —2E **23**
Hamilton St. *Leic* —3D **28**
Hammercliffe Rd. *Leic* —5E **21**
Hammond Way. *Mkt H* —2D **64**
Hampden Rd. *Leic* —3G **21**
Hampshire Rd. *Leic* —2H **35**
Hampstead Clo. *Nar* —3D **42**
Hampton Clo. *Glen P* —2D **44**
Hampton Clo. *Wig* —1C **46**
Hanbury Rd. *Leic* —3D **30**
Hand Av. *Leic* —3C **26**
(in two parts)
Handley St. *Leic* —2A **36**
Hannam Ct. *Leic* —1B **28** (2D **4**)
Hanover Clo. *Leic* —4B **22**
Hansen Ct. *Wig* —1G **45**
Haramead Rd. *Leic* —6D **20**
Harborough Leisure Cen. —6E 65
Harborough Rd. *Bram* —6H **65**
Harborough Rd. *E Far* —6B **64**
Harborough Rd. *Gt B* —1H **65**
Harborough Rd. *Kib* —4B **62**
Harborough Rd. *Mkt H* —6E **65**
(Braybrooke Rd.)
Harborough Rd. *Mkt H* —1B **64**
(Leicester Rd.)

High St. *Lutt* —5G **63**
High St. *MKt H* —3D **64**
High St. *Oad* —3A **38**
High St. *Sys* —5E **7**
High St. *Whet* —3H **43**
Highway Rd. *Leic* —5G **29**
Highway Rd. *Thurm* —3D **14**
Hilary Cres. *Grob* —2D **16**
Hilders Rd. *Leic* —1E **27**
Hildyard Rd. *Leic* —4C **20**
Hillary Pl. *Leic* —5E **27**
Hillberry Clo. *Nar* —3C **42**
Hill Ct. *Thurn* —3F **31**
Hillcrest Av. *Kib* —4H **59**
Hillcrest Av. *Mkt H* —2C **64**
Hillcrest Rd. *Leic* —4D **36**
Hillcroft Clo. *Thurm* —3D **14**
Hillcroft Rd. *Leic* —2G **29**
Hill Dri. *Lutt* —5G **63**
Hill Field. *Oad* —5E **39**
Hill Gdns. *Mkt H* —3B **64**
Hill La. *Count* —2A **54**
Hill La. *Mark* —2A **8**
Hill La. Clo. *Mark* —1B **8**
Hill Ri. *Bir* —3G **13**
Hill Ri. *Leic* —6D **14**
Hillrise Av. *Leic* —1E **35**
Hillsborough Clo. *Glen P* —1C **44**
Hillsborough Cres. *Glen P* —1C **44**
Hillsborough Rd. *Glen P* —1B **44**
Hillside. *Mark* —2B **8**
Hillside Av. *Wig* —2B **46**
Hillside Rd. *Mkt H* —2E **65**
Hill St. *Croft* —1G **51**
Hill St. *Leic* —1C **28** (2E **4**)
Hilltop Av. *Gt G* —2E **49**
Hilltop Rd. *Ham* —2B **22**
Hill Vw. Dri. *Cosb* —2F **53**
Hill Way. *Oad* —5C **38**
Hinckley Rd. *Des & Leic F* —2A **32**
Hinckley Rd. *Leic* —3A **26**
Hinckley Rd. *Sap* —5A **50**
Hinckley Rd. *S Stan* —4A **50**
Hincks Av. *Scrap* —5F **23**
Hind Clo. *Whet* —5A **44**
Hindoostan Av. *Wig* —1E **45**
Hipwell Cres. *Leic* —2A **20**
Hoball Clo. *Leic* —5C **18**
Hobart St. *Leic* —2D **28**
Hobby Clo. *B Ast* —6B **52**
Hobill Clo. *Hunc* —3A **42**
Hobill Clo. *Leic F* —5H **25**
Hobrook Rd. *Flec* —6C **58**
Hobson Rd. *Leic* —2B **20**
Hoby St. *Leic* —1H **27**
Hockley Farm Rd. *Leic* —3A **26**
Hodgson Clo. *Leic* —4E **19**
Hodson Clo. *Whet* —5H **43**
Hogarth Rd. *Leic* —2C **12**
Hoke Ct. *Leir* —6A **60**
Holbeck Dri. *B Ast* —1C **60**
Holbrook. *Oad* —5E **39**
Holbrook Rd. *Leic* —2G **37**
Holdenby Clo. *Mkt H* —3G **65**
Holden Clo. *Whet* —6A **44**
Holden St. *Leic* —3C **20**
(in three parts)
Holderness Rd. *Leic* —6D **12**
Holgate Clo. *Anst* —4G **11**
Holkham Av. *Leic* —4F **21**
Holland Rd. *Leic* —1D **28**
Holland Way. *Nar* —3D **42**
Holliers Way. *Croft* —1G **51**
Hollies Clo. *Thurl* —6A **32**
Hollies Way. *Thurn* —3F **31**
Hollington Rd. *Leic* —3F **29**
Hollins Rd. *Leic* —3C **26**
Hollinwell Clo. *Leic* —2A **26**
Hollow Rd. *Anst* —5F **11**
Hollow, The. *Evi* —5B **30**
Hollowtree Rd. *Ham* —3C **22**
Hollybank Clo. *Ham* —3C **22**
Hollybank Ct. *Leic* —4E **29**
Hollybrook Clo. *Thurm* —5E **15**
Hollybush Clo. *Leic* —6D **22**
Hollybush Clo. *Sys* —5D **6**
Holly Clo. *Mkt H* —2D **64**
Holly Ct. *Oad* —2A **38**
Holly Dri. *Lutt* —4F **63**
Holly Gro. *Blab* —3B **44**
Holly La. *Ambgt* —1G **9**
Holly Tree Av. *Bir* —3G **13**
Holmdale Rd. *Sys* —6E **7**
Holmden Av. *Wig* —1H **45**
Holme Dri. *Oad* —2B **38**
Holmes Clo. *Grob* —2E **17**
Holmewood Dri. *Kir M* —3F **25**
Holmfield Av. *Leic* —5F **29**
Holmfield Av. E. *Leic* —4A **26**
Holmfield Av. W. *Leic F* —4H **25**
Holmfield Clo. *Lutt* —4E **63**
Holmfield Rd. *Leic* —5E **29**
Holmleigh Gdns. *Thurn* —3F **31**
Holmwood Dri. *Leic* —4C **18**
Holt Cres. *Thurl* —6A **32**
Holt Dri. *Kir M* —3F **25**
Holt La. *Cosb & Ash M* —1H **61**
Holt Rd. *Bir* —5G **13**
Holts Clo. *Leic* —5F **35**
Holy Bones. *Leic* —1A **28** (3A **4**)
Holyoake St. *End* —1D **42**
Holyrood Dri. *Count* —1D **54**
Holywell Rd. *Leic* —3G **35**
Home Clo. *Blab* —3B **44**
Home Clo. *Kib* —5A **62**
Home Farm Clo. *Leic* —2G **19**
Home Farm Sq. *Leic* —2G **19**
Home Farm Wlk. *Leic* —2G **19**
Homemead Av. *Leic* —3H **19**
Homer Dri. *Nar* —3C **42**
Homestead Clo. *Costn* —1B **6**
Homestead Dri. *Wig* —2B **46**
Homestone Gdns. *Leic* —1E **31**
Homestone Ri. *Leic* —1E **31**
Homeway Rd. *Leic* —4G **29**
Honeybourne Clo. *Oad* —4A **38**
Honeycomb Clo. *Nar* —3C **42**
Honeysuckle Clo. *Lutt* —4E **63**
Honeysuckle Rd. *Ham* —3C **22**
Honiton Clo. *Wig* —2A **46**
Hopefield Rd. *Leic* —5G **27**
Hoppner Clo. *Leic* —2D **12**
Hopton Fields. *Mkt H* —6C **64**
Hopwood Clo. *Leic* —2F **19**
Hopyard Clo. *Leic* —5F **35**
Hornbeam Clo. *Nar* —3C **42**
Hornbeam Clo. *Oad* —2A **38**
Horndean Av. *Wig* —6E **37**
Horsefair Clo. *Mkt H* —2C **64**
Horsefair St. *Leic* —2B **28** (4C **4**)
Horseshoe Clo. *Cosb* —1F **53**
Horseshoe La. *Gt B* —1G **65**
Horsewell La. *Wig* —3B **46**
Horston Rd. *Leic* —4G **29**
Horton Clo. *Blab* —3A **44**
Horwood Clo. *Wig* —5G **37**
Hoskins Clo. *Wig* —3C **46**
Hospital Clo. *Leic* —3H **29**
Hospital La. *Blab* —4C **44**
Hotel St. *Leic* —2B **28** (4C **4**)
(in two parts)
Hotoft Rd. *Leic* —5B **22**
Houghton La. *Stoug* —6F **31**
Houghton St. *Leic* —6F **21**
Houlditch Rd. *Leic* —1D **36**
Housman Wlk. *Leic* —5D **20**
Howard Rd. *Glen P* —1B **44**
Howard Rd. *Leic* —6C **28**
Howard Way. *Mkt H* —5C **64**
Howden Rd. *Leic* —5G **35**
Howdon Rd. *Oad* —6B **38**
Howe Clo. *S Stan* —4A **50**
Hoylake Clo. *Leic* —5G **29**
Hubbard Clo. *Whet* —6A **44**
Hudson Clo. *Leic* —5E **19**
Huggett Clo. *Leic* —1G **21**
Hughenden Dri. *Leic* —6A **28**
Humber Clo. *Leic* —4B **22**
Humberstone Ct. *Leic* —5B **22**
Humberstone Dri. *Leic* —6H **21**
Humberstone Ga. *Leic* —1B **28** (3D **4**)
Humberstone Heights Golf Course. —4A 22
Humberstone La. *Thurm & Leic* —5B **14**
Humberstone Pk. —6H 21
Humberstone Rd. *Leic* —1C **28** (3E **4**)
Humble La. *Costn* —1B **6**
Humes Clo. *Whet* —1H **53**
Humphries Clo. *Leic* —2A **30**
Huncote Leisure Cen. —3H 41
Huncote Rd. *Croft* —5F **41**
Huncote Rd. *Hunc & Nar* —4A **42**
Huncote Rd. *S Stan* —2B **50**
Hungarton Boulevd. *Leic* —4C **22**
Hungarton Dri. *Sys* —6G **7**
Hunter Rd. *Leic* —4C **20**
Hunters Dri. *Lutt* —5F **63**
Hunter's Row. *Cosb* —1F **53**
Hunters Way. *Leic F* —5F **25**
Hunters Way. *Oad* —5D **38**
Huntingdon Gdns. *Mkt H* —5C **64**
Huntingdon Rd. *Leic* —3G **21**
Huntings, The. *Kir M* —2C **24**
Huntsman Clo. *Mark* —3C **8**
Huntsman's Dale. *E Gos* —1H **7**
Huntsmans Way. *Leic* —2F **21**
Hurds Clo. *Anst* —6F **11**
Hursley Clo. *Oad* —4C **38**
Hurst Ri. *Leic* —2A **30**
Hutchinson St. *Leic* —2D **28**
Hutchinson Wlk. *Leic* —2D **28** (4F **4**)
Hyde Clo. *Nar* —3D **42**
Hyde Clo. *Oad* —6C **38**
Hydra Wlk. *Leic* —2D **28**
Hylion Rd. *Leic* —3C **36**

Ibbetson Av. *Glen* —6A **18**
Ibsley Way. *Leic* —6H **35**
Ickworth Clo. *Leic* —5G **21**
Iffley Clo. *Leic* —1A **30**
Iffley Ct. *Leic* —1A **30**
Iliffe Av. *Oad* —4H **37**
Iliffe Rd. *Leic* —4G **21**
Illingworth Rd. *Leic* —1A **30**
Ilmington Clo. *Glen* —4A **18**
Imperial Av. *Leic* —4F **27**
Imperial Rd. *Kib* —5H **59**
Infirmary Clo. *Leic* —3B **28** (7C **5**)
Infirmary Rd. *Leic* —3B **28** (7C **5**)
Infirmary Sq. *Leic* —3B **28** (6C **5**)
Ingarsby Dri. *Leic* —4C **30**
Ingleby Rd. *Wig* —6E **37**
Ingle Dri. *Rat* —5C **16**
Inglenook Pk. *Thurm* —2D **14**
Ingle St. *Leic* —6F **19**
Ingold Av. *Leic* —2H **19**
Ingrams Way. *Wig* —3C **46**
Invergarry Clo. *Leic* —1F **21**
Iona Clo. *Leic* —2F **19**
Iona Rd. *Sys* —5D **6**
Iona Way. *Count* —2F **55**
(in two parts)
Ipswich Clo. *Leic* —5A **12**
Irene Pollard Ho. *Leic* —2D **20**
Ireton Av. *Leic* —3H **21**
Ireton Rd. *Leic* —4G **21**
Ireton Rd. *Mkt H* —5C **64**
Iris Av. *Bir* —3H **13**
Iris Av. *Glen P* —6F **35**
Irlam St. *Wig* —3F **45**
Ironworks Rd. *Leic* —5E **21**
Isis Clo. *Oad* —3D **38**

Islington St. *Leic* —5B **28**
Isobella Rd. *Braun* —6A **26**
Ivanhoe Clo. *Glen* —6A **18**
Ivanhoe Rd. *Wig* —1F **45**
Ivanhoe St. *Leic* —1G **27**
Ivatt Clo. *Thurn* —2G **31**
Ivychurch Cres. *Leic* —4D **22**
Ivydale Clo. *Thurm* —5D **14**
Ivydale Rd. *Thurm* —5D **14**
Ivy Rd. *Leic* —4G **27**

Jacklin Dri. *Leic* —6B **14**
Jackson Clo. *Mkt H* —6D **64**
Jackson Clo. *Oad* —4D **38**
Jackson St. *Leic* —3D **20**
Jacob Clo. *End* —6G **33**
Jacqueline Rd. *Mark* —3D **8**
Jacques Clo. *End* —6G **33**
James Gavin Way. *Oad* —5E **39**
James St. *Anst* —4F **11**
James St. *Blab* —3A **44**
James St. *S Stan* —2B **50**
Jamesway. *Cosb* —1F **53**
James Went Building. *Leic* —5B **5**
Janes Way. *Mark* —3C **8**
Jarrett Clo. *End* —6G **33**
Jarrom St. *Leic* —4A **28** (8A **5**)
Jarvis St. *Leic* —1A **28** (3A **4**)
Jasmine Clo. *Ham* —2B **22**
Jasmine Clo. *Lutt* —4E **63**
Jasmine Ct. *Nar* —2B **42**
Jasmine Ct. *Wig* —1F **45**
Jean Dri. *Leic* —4H **19**
Jellicoe Rd. *Leic* —1G **29**
Jennett Clo. *Leic* —1C **30**
Jeremy Clo. *Leic* —3D **20**
Jermyn St. *Leic* —3D **20**
Jersey Rd. *Leic* —6D **12**
Jerwood Way. *Mkt H* —4E **65**
Jessons Clo. *Leic* —2F **21**
Jessop Clo. *Leic* —5E **19**
Jetty, The. *Leic* —4C **4**
Jewsbury Way. *Braun* —5A **26**
John Bold Av. *S Stan* —2C **50**
John Minto Ho. *Leic* —5C **20**
Johnnie Johnson Dri. *Lutt* —2G **63**
Johns Ct. *Blab* —3B **44**
Johnson Clo. *B Ast* —2C **60**
Johnson Clo. *Whet* —4A **44**
Johnson Ri. *S Stan* —4C **50**
Johnson Rd. *Bir* —4F **13**
Johnson St. *Leic* —6A **20** (1A **4**)
John St. *End* —1D **42**
Jonathon Clo. *Grob* —2G **17**
Jordan Av. *Wig* —2G **45**
Jordan Clo. *Glen* —5A **18**
Jordan Clo. *Mkt H* —3F **65**
Jordan Ct. *Rat* —5D **16**
Joseph Clo. *Crop* —1G **11**
Journeymans Grn. *Rat* —5D **16**
Jowett Clo. *Leic* —4E **19**
Joyce Rd. *Leic* —5F **19**
Jubilee Cres. *Nar* —4E **43**
Jubilee Dri. *Glen* —6A **18**
Jubilee Gdns. *Leic* —5F **21**
Jubilee Gdns. *Mkt H* —2E **65**
Jubilee Ho. *Kir M* —2D **24**
Jubilee Pk. —1G 43
Jubilee Rd. *B Ast* —1A **60**
Jubilee Rd. *Leic* —6B **20** (1D **4**)
Judith Dri. *Count* —1F **55**
Judith Dri. *Leic* —3B **30**
Julian Rd. *Leic* —1C **44**
Junction Rd. *Leic* —6C **20** (1E **4**)
Junction Rd. *Wig* —6F **37**
June Av. *Leic* —6D **14**
Junior St. *Leic* —1A **28** (2B **4**)
Juniper Clo. *Leic F* —5F **25**
Juniper Clo. *Lutt* —3F **63**
Juno Clo. *Glen* —6A **18**
Jupiter Clo. *Leic* —1D **28**

Kamloops Cres. *Leic* —6C **20** (1E **4**)
Kashmir Rd. *Leic* —6D **20**
Kate St. *Leic* —2H **27**
Kay Rd. *Leic* —5D **18**
Keats Clo. *End* —6G **33**
Keats Wlk. *Leic* —5D **20**
Keays Way. *Scrap* —5F **23**
Keble Dri. *Sys* —6F **7**
Keble Rd. *Leic* —6C **28**
Kedleston Av. *Bir* —6G **13**
Kedleston Rd. *Leic* —4F **29**
Keenan Clo. *Leic* —4F **35**
Keepers' Cft. *E Gos* —2H **7**
Keepers Wlk. *Leic* —2F **19** (in two parts)
Keep, The. *Kir M* —2D **24**
Kegworth Av. *Leic* —2H **29**
Keightley Rd. *Leic* —4C **18** (in two parts)
Keightley Wlk. *Thurm* —5D **14**
Kelbrook Clo. *Leic* —1G **19**
Kelmarsh Av. *Wig* —1B **46**
Kelso Grn. *Leic* —6H **35**
Kelvon Clo. *Glen* —4B **18**
Kemp Rd. *Leic* —4C **18** (in two parts)
Kempson Rd. *Leic* —1A **36**
Kendal Ct. *Leic* —4A **28** (8B **5**)
Kendall's Av. *Croft* —1G **51**
Kendal Rd. *Leic* —2F **21**
Kendrick Dri. *Oad* —4B **38**
Kenilworth Clo. *B Ast* —5A **52**
Kenilworth Dri. *Oad* —4H **37**
Kenilworth Rd. *Wig* —6B **36**
Ken Mackenzie Clo. *Lutt* —2G **63**
Kennedy Way. *Leic F* —5H **25**
Kenneth Gamble Ct. *Wig* —5D **36**
Kenny Clo. *Whet* —5A **44**
Kensington Clo. *Glen P* —2D **44**
Kensington Clo. *Oad* —6C **38**
Kensington Dri. *Wig* —4F **37**
Kensington St. *Leic* —4C **20**
Kent Cres. *Wig* —6B **36**
Kent Dri. *Oad* —4C **38**
Kenton Av. *Wig* —2A **46**
Kent St. *Leic* —1D **28**
Kenwood Rd. *Leic* —2E **37**
Kepston Clo. *Leic* —5H **35**
Kerrial Gdns. *Leic* —6C **18**
Kerrial Rd. *Leic* —6C **18**
Kerrysdale Av. *Leic* —3F **21**
Kertley. *Flec* —5B **58**
Kestian Clo. *Mkt H* —1C **64**
Kestrel Clo. *B Ast* —6A **52**
Kestrel Clo. *Leic* —6E **21**
Kestrel Clo. *Leic F* —5E **25**
Kestrel Clo. *Sys* —5D **6**
Keswick Clo. *Bir* —3H **13**
Keswick Rd. *Blab* —4A **44**
Kettering Rd. *Mkt H* —3E **65**
Kevern Clo. *Wig* —2A **46**
Kew Dri. *Oad* —6C **38**
Kew Dri. *Wig* —4D **36**
Keyham Clo. *Leic* —4B **22**
Keyham La. *Leic* —4C **22**
Keyham La. *Scrap* —1H **23**
Keyham La. E. *Scrap* —3G **23**
Keyham La. W. *Leic* —4D **22**
Keythorpe St. *Leic* —1D **28**
Kibworth Ct. *Kib* —6A **62**
Kibworth Golf Club. —6B 62
Kibworth Rd. *Flec* —6C **58** (High St.)
Kibworth Rd. *Flec* —6E **59** (Mill La.)
Kibworth Rd. *Kib* —1C **62** (Carlton Rd.)
Kibworth Rd. *Kib* —4C **62** (Langton Rd.)
Kielder Clo. *Nar* —1B **42**
Kilburn Av. *Oad* —3H **37**
Kilby Av. *Bir* —6G **13**
Kilby Dri. *Wig* —2C **46**
Kilby Rd. *Flec* —5G **57**
Kildare St. *Leic* —1B **28** (3D **4**)
Kilmelford Clo. *Leic* —1F **21**
Kiln Av. *Thurm* —5D **14**
Kiln Clo. *B Ast* —2C **60**
Kilverstone Av. *Leic* —4D **30**
Kilworth Dri. *Leic* —4G **29**
Kimberley Rd. *Leic* —4E **29**
Kimberley St. *Kib* —5H **59**
Kimberlin Building. Leic —3A ***28*** *(off Gateway, The)*
Kincaple Rd. *Leic* —1F **21**
Kincraig Rd. *Leic* —1F **21**
Kinder Clo. *Whet* —6A **44**
Kingcup Clo. *Leic F* —5F **25**
King Edward Av. *Nar* —4D **42**
King Edward Rd. *Leic* —6H **21**
Kingfisher Av. *Leic* —6E **21**
Kingfisher Clo. *Gt G* —2D **48**
Kingfisher Clo. *Leic F* —5E **25**
Kingfisher Clo. *Sys* —5D **6**
Kingfisher Wlk. *Leic* —6E **21**
King Richards Rd. *Leic* —2G **27**
Kingsbridge Clo. *Nar* —3C **42**
Kingsbridge Cres. *Leic* —4B **12**
Kingsbury Av. *Leic* —3C **30**
Kingscliffe Cres. *Leic* —3D **30**
Kings Dri. *Leic F* —5G **25**
King's Dri. *Wig* —6F **37**
Kingsfield Rd. *Cosb* —3E **53**
Kingsgate Av. *Bir* —3F **13**
King's Head Pl. *Mkt H* —3D **64**
Kingsley Clo. *Nar* —2C **42**
Kingsley St. *Leic* —1C **36**
Kings Lock Clo. *Leic* —5F **35**
Kingsmead Clo. *Leic* —3E **37**
Kingsmead Rd. *Leic* —2E **37**
Kings Newton St. *Leic* —3E **29**
Kings Rd. *Mkt H* —2D **64**
Kingstand Golf Course. —6E 25
Kingsthorpe Clo. *Leic* —2B **20**
Kingston Av. *Wig* —5D **36**
Kingston Rd. *Leic* —4E **29**
Kingston Way. *Mkt H* —1C **64**
King St. *Bark* —4H **15**
King St. *End* —6H **33**
King St. *Leic* —2B **28** (5D **5**)
King St. *Oad* —4B **38**
King St. *Whet* —4H **43**
Kings Wlk. *Leic F* —4G **25**
Kings Way. *Grob* —3E **17**
Kingsway. *Leic* —1D **34**
King's Way. *Lutt* —5F **63**
Kingsway N. *Leic* —5C **26**
Kingsway Rd. *Leic* —5G **29**
Kingswood Av. *Leic* —3F **27**
Kingswood Ct. *Wig* —1A **46**
King Williams Way. *Anst* —4G **11**
Kinley Rd. *Leic* —1A **20**
Kinross Av. *Leic* —1E **31**
Kinsdale Dri. *Leic* —6E **23**
Kintyre Dri. *Leic* —1E **21**
Kipling Dri. *Nar* —1C **42**
Kipling Gro. *Leic* —3E **19**
Kirby Clo. *Sap* —5B **50**
Kirby La. *Leic F* —4F **25**
Kirby Muxloe Castle. —1E 25 **(remains of)**
Kirby Muxloe Golf Course. —3D 24
Kirby Rd. *Glen* —6F **17**
Kirby Rd. *Leic* —2G **27**
Kirkdale Rd. *Wig* —1F **45**
Kirke Wlk. *Leic* —1B **26**
Kirkfield Rd. *Count* —1F **55**
Kirkland Rd. *Leic* —1D **34**

Kirk La. *Leic* —6H **33**
Kirkscroft Wlk. *Leic* —2B **20**
Kirkstead Wlk. *Leic* —2A **20**
Kirkstone Clo. *Glen* —4B **18**
Kirkwall Cres. *Leic* —6E **23**
Kirloe Av. *Leic F* —4F **25**
Kirminton Gdns. *Leic* —1C **30**
Kirtley Way. *B Ast* —1C **60**
Kitchener Rd. *Anst* —4G **11**
Kitchener Rd. *Leic* —6G **21**
Kite Clo. *B Ast* —5A **52**
Knighton Chu. Rd. *Leic* —2E **37**
Knighton Clo. *B Ast* —3C **60**
Knighton Ct. *Leic* —5E **29**
Knighton Dri. *Leic* —1E **37**
Knighton Fields Rd. E. *Leic* —1C **36**
Knighton Fields Rd. W. *Leic* —1B **36**
Knighton Grange Rd. *Leic* —1G **37**
Knighton Hall. *Leic* —1E **37**
Knighton Junc. La. *Leic* —6C **28**
Knighton La. *Leic* —1A **36**
Knighton La. E. *Leic* —1B **36**
Knighton Lodge. *Leic* —1E **37**
Knighton Pk. —3F 37
Knighton Pk. Rd. *Leic* —5D **28**
Knighton Ri. *Leic* —6G **29**
Knighton Rd. *Leic* —1D **36**
Knighton St. *Leic* —3B **28** (8C **5**)
Knightsbridge Rd. *Glen P* —2D **44**
Knights Clo. *S Stan* —2B **50**
Knights Clo. *Thurm* —4D **14**
Knights End Rd. *Gt B* —1G **65**
Knight's Rd. *Leic* —5C **12**
Knollgate Clo. *Bir* —3E **13**
Knoll St. *Mkt H* —3B **64**
Knowles Rd. *Leic* —6C **18**
Knowle, The. *Leic* —1E **37**
Krefeld Way. *Leic* —2E **19**

Labrador Clo. *Leic* —6C **20** (1F **4**)
Laburnum Av. *Lutt* —4F **63**
Laburnum Rd. *Leic* —4C **22**
Ladbroke Gro. *Count* —1F **55**
Lady Leys. *Cosb* —2E **53**
Ladysmith Rd. *Kir M* —2D **24**
Ladysmith Rd. *Wig* —6A **36**
Ladywood Ct. *Lutt* —3G **63**
Laithwaite Clo. *Leic* —5B **12**
Lakeside Ct. *Thurn* —3F **31**
Lambert Rd. *Leic* —5G **27**
Lamborne Rd. *Leic* —4C **36**
Lambourne Rd. *Bir* —3H **13**
Lamen Rd. *Leic* —4C **18**
Lamplighters. *Flec* —6B **58**
Lamport Clo. *Wig* —1D **46**
Lancashire St. *Leic* —2D **20**
Lancaster Clo. *Lutt* —5G **63**
Lancaster Ct. *Grob* —3E **17**
Lancaster Pl. *Leic* —4C **28** (8E **5**)
Lancaster Rd. *Leic* —3B **28** (7D **5**)
(in two parts)
Lancaster St. *Leic* —1F **29**
Lancaster Way. *Glen P* —2E **45**
Lancelot Clo. *Leic F* —5G **25**
Lancing Av. *Leic* —1E **27**
Landscape Dri. *Leic* —3C **30**
Landseer Rd. *Leic* —6D **28**
Lane Clo. *Glen* —5A **18**
Lanesborough Rd. *Leic* —1D **20**
Lanes Hill Gro. *S Stan* —4C **50**
Langdale. *Flec* —5B **58**
Langdale Rd. *Thurm* —4D **14**
Langdale Wlk. *Mkt H* —5D **64**
Langham Dri. *Nar* —3D **42**
Langham Rd. *Leic* —2H **21**
Langhill, The. *Leic* —1H **29**
(in two parts)
Langholm Rd. *Leic* —1E **31**
Langley Av. *Leic* —2B **20**
Langley Clo. *Hunc* —3A **42**
Langley Wlk. *Leic* —2A **20**
Langton Rd. *Kib* —3A **62**
Langton Rd. *Wig* —2B **46**
Langton St. *Leic* —1B **28** (2D **4**)
Lansdowne Gro. *Wig* —3F **45**
Lansdowne Rd. *Leic* —1A **36**
Lapwing Clo. *Leic* —5B **12**
Lapwing Ct. *Nar* —4C **42**
Larch Dri. *Lutt* —4F **63**
Larch Gro. *Leic* —4A **26**
Larch St. *Leic* —6E **21**
Larchwood. *Count* —1E **55**
Larchwood Av. *Grob* —3E **17**
Larchwood Clo. *Leic* —2C **36**
Lark Clo. *Leic F* —5F **25**
Larkspur Clo. *Ham* —2B **22**
Larkswood. *Kib* —5B **62**
Lastingham Clo. *Leic* —3C **36**
Lathkill St. *Mkt H* —5E **65**
Latimer Clo. *Blab* —5A **44**
Latimer Ct. *Anst* —6F **11**
Latimer Cres. *Mkt H* —4E **65**
Latimer Pl. *Leic* —5C **20**
Latimer Rd. *Crop* —1H **11**
Latimer St. *Anst* —6G **11**
Latimer St. *Leic* —3H **27**
Launceston Ho. *Wig* —3A **46**
Launceston Rd. *Wig* —2A **46**
Launde Pk. *Mkt H* —4F **65**
Launde Rd. *Mark* —3D **8**
Launde Rd. *Oad* —2C **38**
Laundon Clo. *Grob* —3F **17**
Laundon Way. *Grob* —3E **17**
Laundon Way. *Whet* —6A **44**
Laundry La. *Leic* —3D **20**
Laurel Clo. *Glen* —5C **18**
Laurel Dri. *Count* —1E **55**
Laurel Dri. *Oad* —6D **38**
Laurel Rd. *Blab* —3B **44**
Laurel Rd. *Leic* —3E **29**
Laurels, The. *Mark* —5C **8**
Laureston Dri. *Leic* —5F **29**
Lavender Clo. *Blab* —3A **44**
Lavender Clo. *Lutt* —4E **63**
Lavender Rd. *Leic* —4G **27**
Laverstock Rd. *Wig* —3A **46**
Lawford Rd. *Leic* —5H **35**
Lawn Av. *Bir* —4H **13**
Lawn Clo. *Thurm* —5E **15**
Lawns, The. *Leic* —5E **29**
Lawnwood Rd. *Grob* —2D **16**
Lawrence Clo. *Leic* —2C **12**
Lawrence Kershaw Hall. *Leic* —3A **28** (7B **5**)
Lawrence Wlk. *Leic* —2E **27**
Law St. *Leic* —4C **20**
Lawyers La. *Oad* —4A **38**
(in two parts)
Laxford Clo. *Leic* —3G **19**
Laxton Clo. *Bir* —3H **13**
Laxton Clo. *Wig* —1D **46**
Layton Rd. *Leic* —6G **21**
Lea Clo. *B Ast* —2C **60**
Lea Clo. *Thurm* —4B **14**
Lealand, The. *E Far* —6A **64**
Leamington Dri. *Blab* —5B **44**
Leas Clo. *Thurn* —1F **31**
Lea, The. *Kib* —5B **62**
Ledbury Clo. *Oad* —5D **38**
Ledbury Grn. *Leic* —6D **12**
Ledwell Dri. *Glen* —4A **18**
Lee Circ. *Leic* —1C **28** (2E **4**)
Lee Clo. *S Stan* —2C **50**
Lee Ri. *Rat* —5D **16**
Leeson St. *Leic* —2A **36**
Lee St. *Leic* —1B **28** (2D **4**)
Legion Way. *Braun* —1B **34**
Leicester Abbey. —5A 20
(remains of)
Leicester Airport. —2G 39
Leicester Airport. *Leic* —2H **39**
Leicester City F.C. —4A 28 (8B 5)
(Filbert Street)
Leicester City Museum & Art Gallery. —3C 28 (6E 5)
Leicester Gas Mus. —6A 28
Leicester La. *Des* —6A **24**
Leicester La. *End* —6H **33**
Leicester Mus. of Technology. —3B 20
Leicester Racecourse. —4G 37
Leicester Rd. *Anst* —5G **11**
Leicester Rd. *Blab & Glen P* —2B **44**
Leicester Rd. *B Ast* —4H **51**
(Broughton Rd., in two parts)
Leicester Rd. *B Ast* —6A **52**
(Orchard Rd.)
Leicester Rd. *Count* —1F **55**
Leicester Rd. *Flec* —4B **58**
Leicester Rd. *Glen* —3B **18**
Leicester Rd. *Grob* —2F **17**
Leicester Rd. *Kib* —1G **59**
Leicester Rd. *Leic & Oad* —2G **37**
Leicester Rd. *Lutt* —1G **63**
Leicester Rd. *Mkt H* —1B **64**
Leicester Rd. *Mark* —2C **8**
Leicester Rd. *Nar* —4E **43**
(in two parts)
Leicester Rd. *Oad* —4A **38**
Leicester Rd. *Sap* —6B **50**
Leicester Rd. *Thurc* —1B **12**
Leicester Rd. *Wig* —4E **37**
Leicester Royal Infirmary Museum. —3B 28 (7C 5)
Leicester R.U.F.C. —4B 28 (8D 5)
Leicestershire County Cricket Ground. —1A 36
Leicestershire Golf Course. —5H 29
Leicester St. *Leic* —1F **29**
Leicester Water Cen. —3E 19
Leicester Western By-Pass. *Anst* —1A **18**
Leicester Western By-Pass. *Leic* —6F **17**
Leicester Western By-Pass. *Thurc & Leic* —6A **6**
Leire La. *B Ast* —3A **60**
Leire La. *Dun B* —6D **60**
Leire Rd. *Frol & Leir* —6A **60**
Leire St. *Leic* —3D **20**
Lema Clo. *Leic* —6C **14**
Lena Dri. *Grob* —6G **9**
Lenthall Sq. *Mkt H* —5D **64**
Leopold Clo. *Count* —1D **54**
Leopold Rd. *Leic* —6C **28**
Leopold St. *Wig* —1F **45**
Letchworth Rd. *Leic* —1E **27**
Lethbridge Clo. *Leic* —6C **20** (1E **4**)
Leveret Dri. *Whet* —5H **43**
Leveric Rd. *Leic* —5G **21**
Lewis Clo. *Leic* —3F **19**
Lewisher Rd. *Leic* —2G **21**
Lewis Way. *Count* —2F **55**
Lewitt Clo. *Leic* —1H **19**
Lexham St. *Leic* —3D **20**
Leybury Way. *Scrap* —1F **31**
Leycroft Rd. *Leic* —5B **12**
Leyland Rd. *Leic* —2D **34**
Leys Clo. *Oad* —3C **38**
Leysdale Clo. *Leic* —2F **19**
Leysland Av. *Count* —1C **54**
Leys, The. *Count* —2C **54**
Leys, The. *E Gos* —1H **7**
Leys, The. *Kib* —4A **62**
Leyton Clo. *Lutt* —5H **63**
Liberty Rd. *Leic* —1B **26**
Library & Gallery. —3A 28 (6B 5)
(Kimberlin Building)
Lichfield Av. *B Ast* —5A **52**
Lichfield Dri. *Blab* —5B **44**
Lichfield St. *Leic* —6B **20** (1C **4**)
Lidster Clo. *Leic* —5B **22**
Lilac Av. *Leic* —4C **22**
Lilac Dri. *Lutt* —4E **63**
Lilac Wlk. *Leic* —4C **22**

Limber Cres. *Leic* —4C **26**
Lime Av. *Grob* —3E **17**
Lime Clo. *Sys* —6F **7**
Lime Dri. *Sys* —1F **15**
Lime Gro. *Blab* —3B **44**
Lime Gro. *Kir M* —2D **24**
Lime Gro. Clo. *Leic* —1G **19**
Limehurst Rd. *Leic* —4D **22**
Lime Kilns. *Wig* —3C **46**
Lime Tree Av. *Bir* —3G **13**
Limetree Rd. *Nar* —1F **43**
Linacres Rd. *Leic* —4C **26**
Lincoln Ct. *Mkt H* —1E **65**
Lincoln Dri. *Blab* —5B **44**
Lincoln Dri. *Sys* —1G **15**
Lincoln Dri. *Wig* —1F **45**
Lincoln St. *Leic* —2D **28** (5F **5**)
Linden Av. *Count* —1C **54**
Linden Dri. *Leic* —4H **29**
Linden Dri. *Lutt* —4F **63**
Linden Farm Dri. *Count* —1D **54**
Linden La. *Kir M* —3F **25**
Linden St. *Leic* —2F **29**
Lindfield Rd. *Leic* —6E **19**
Lindisfarne Rd. *Sys* —6D **6**
Lindrick Dri. *Leic* —5G **29**
Lindsay Rd. *Leic* —6F **27**
Lindsey Gdns. *Mkt H* —6C **64**
Lindum Clo. *Sys* —1D **14**
Linford Clo. *Wig* —1C **46**
Linford Cres. *Mark* —3C **8**
Linford St. *Leic* —2C **20**
Ling Dale. *E Gos* —2H **7**
Lingdale Lodge. *E Gos* —2H **7**
Link Ri. *Mark* —3D **8**
Link Rd. *Anst* —5E **11**
Link Rd. *Leic* —2G **37**
Link Rd. *Quen* —4H **7**
Links Rd. *Kib* —5B **62**
Links Rd. *Kir M* —3C **24**
Linkway Gdns. *Leic* —2G **27**
Linley Grn. *Cosb* —2F **53**
Linnet Clo. *Nar* —4C **42**
Linney Rd. *Leic* —3G **19**
Lintlaw Clo. *Leic* —1F **21**
Linton St. *Leic* —3E **29**
Linwood Cen., The. —4B 36
Linwood La. *Leic* —3B **36**
Lipton Rd. *Leic* —5B **12**
Lismore Wlk. *Leic* —2F **19**
Litelmede. *Leic* —6G **21**
Little Av. *Leic* —2C **20**
Lit. Barley Clo. *Leic* —2F **19**
Lit. Dale. *Wig* —2C **46**
Little Dunmow Rd. *Leic* —5H **21**
Littlefare, The. *Leic* —5B **26**
Littlegarth. *Leic* —4B **36**
Lit. Glen Rd. *Glen P* —1B **44**
Little Hill. *Wig* —1B **46**
Lit. Holme St. *Leic* —2H **27** (4A **4**)
Lit. John Rd. *Leic* —5H **35**
Little La. *Leir* —6B **60**
Lit. Lunnon. *Dun B* —6E **61**
Lit. Markfield. *Mark* —3A **8**
Lit. Masons Clo. *Braun* —6A **26**
Lit. Meer Clo. *Braun* —6B **26**
Littlemore Clo. *Leic* —1H **29**
Littleton St. *Leic* —6H **19**
Littleway, The. *Leic* —1H **29**
(in two parts)
Lit. Wood Clo. *Leic* —1G **19**
Livesey Ct. *Sap* —6A **50**
Livesey Dri. *Sap* —6A **50**
Livingstone St. *Leic* —3G **27**
Llewellyn Ct. *Leic* —6F **29**
Lobbs Wood Clo. *Leic* —5B **22**
Lobelia Clo. *Nar* —3B **42**
Locke Av. *Leic* —6B **14**
Lockerbie Av. *Leic* —1E **21**
Lockerbie Wlk. *Leic* —1F **21**
Lock Ga. Clo. *Wig* —3G **45**
Lockhouse Clo. *Leic* —5F **35**
Lockley Clo. *Rat* —5E **17**
Lodge Clo. *Hunc* —3H **41**
Lodge Clo. *Kib* —3H **59**
Lodge Clo. *Sys* —5G **7**
Lodge Clo. *Thurm* —5D **14**
Lodge Farm Rd. *Leic* —1C **30**
Lodge M. *Leic* —3E **31**
Lodgewood Av. *Bir* —4F **13**
Logan Av. *Leic* —3G **35**
Logan Ct. *Mkt H* —2C **64**
Logan Cres. *Mkt H* —2C **64**
Logan St. *Mkt H* —3C **64**
Lombardy Ri. *Leic* —6E **21**
Lomond Cres. *Leic* —3G **19**
London Rd. *Bur O* —4D **48**
London Rd. *Leic* —3C **28** (6F **5**)
London Rd. *Mark* —3B **8**
London Rd. *Oad* —4B **38**
London Rd. *Oad & Gt G* —1A **48**
London St. *Leic* —1F **29**
Long Brimley Clo. *Mkt H* —3G **65**
Longcliffe Rd. *Leic* —6E **21**
Longfellow Rd. *Leic* —1C **36**
Longford Clo. *Wig* —3A **46**
Long Furrow. *E Gos* —2H **7**
Longhade Furlong. *Anst* —4H **11**
Longhurst Clo. *Leic* —6C **14**
Long La. *Leic* —1A **28** (2B **4**)
Long La. *Wig* —1B **46**
Longleat Clo. *Leic* —5F **21**
Longleat Clo. *Mkt H* —3G **65**
Long Mdw. *Wig* —3C **46**
Longrey. *Flec* —4A **58**
Longstone Grn. *Leic* —6E **23**
Long St. *S Stan* —2C **50**
Long St. *Wig* —1A **46**
Lonsdale Rd. *Thurm* —5C **14**
Lonsdale St. *Leic* —3E **29**
Lord Byron St. *Leic* —1C **36**
Lord Clo. *Nar* —4D **42**
Lords Av. *Leic* —4C **12**
Lorne Rd. *Leic* —6C **28**
Lorraine Rd. *Leic* —2H **35**
Lorrimer Rd. *Leic* —1A **36**
Loseby La. *Leic* —2B **28** (4C **4**)
Lothair Rd. *Leic* —6A **28**
Loughborough Rd. *Bir* —5G **13**
Loughborough Rd. *Mount & Rothl* —1G **13**
Louise Av. *Grob* —3F **17**
Lound Rd. *Sap* —5B **50**
Lovelace Way. *Flec* —6C **58**
Loves La. *Dun B* —6E **61**
Lowcroft Dri. *Oad* —5C **38**
Lwr. Brown St. *Leic* —3B **28** (5C **5**)
Lwr. Church St. *Sys* —5F **7**
Lwr. Free La. *Leic* —1B **28** (3D **4**)
Lwr. Hastings St. *Leic* —3C **28** (7E **5**)
Lwr. Hill St. *Leic* —1B **28** (2D **4**)
Lwr. Keyham La. *Leic* —5A **22**
(Humberstone Dri.)
Lwr. Keyham La. *Leic* —4E **23**
(Keyham La. W)
Lwr. Lee St. *Leic* —1B **28** (2D **4**)
Lwr. Leicester Rd. *Lutt* —4H **63**
Lwr. Willow St. *Leic* —6C **20**
Lowick Dri. *Wig* —1C **46**
Lowland Av. *Leic F* —5G **25**
Loxley Rd. *Glen* —4A **18**
Lubbesthorpe Bridle Rd. *Leic* —6C **26**
Lubbesthorpe Rd. *Leic* —2C **34**
Lubbesthorpe Way. *Leic* —4B **26**
Lubenham Hill. *Mkt H* —3A **64**
Lubenham Rd. *Mkt H* —4A **64**
Ludgate Clo. *Bir* —3E **13**
Ludlam Clo. *Count* —1C **54**
Ludlow Clo. *Oad* —4C **38**
Lullingstone Clo. *Mark* —2C **8**
Lulworth Clo. *Leic* —3H **29**
Lulworth Clo. *Wig* —4B **46**
Lunsford Rd. *Leic* —5F **21**
Luther St. *Leic* —3G **27**
Lutterworth Golf Course. —6H 63
Lutterworth Rd. *Bitt* —2F **63**
Lutterworth Rd. *Blab* —6A **44**
Lutterworth Rd. *Cosb & Whet* —1H **61**
Lutterworth Rd. *Dun B & Cosb* —6G **61**
Lutterworth Rd. *Leic* —5G **35**
Lychgate Clo. *Crop* —1G **11**
Lydall Rd. *Leic* —5A **36**
Lydford Rd. *Leic* —3G **21**
Lyle Clo. *Leic* —6C **14**
Lyme Rd. *Leic* —4E **29**
Lymington Rd. *Leic* —5D **22**
Lyncote Rd. *Leic* —1F **35**
Lyncroft Leys. *Scrap* —6E **23**
Lyndale Clo. *Thurm* —5C **14**
Lyndale Rd. *Leic* —1D **34**
Lyndhurst. *Leic* —5E **29**
Lyndhurst Rd. *Oad* —3A **38**
Lyndon Dri. *Oad* —3H **37**
Lyndwood Ct. *Leic* —6F **29**
Lyngate Av. *Bir* —3G **13**
Lynholme Rd. *Leic* —3D **36**
Lynmouth Clo. *Glen* —6A **18**
Lynmouth Dri. *Wig* —4C **36**
Lynmouth Rd. *Leic* —5D **22**
Lyon Clo. *Wig* —5C **36**
Lytham Rd. *Leic* —6C **28**
Lytton Rd. *Leic* —5D **28**
(in two parts)

Mablowe Fld. *Wig* —3C **46**
Macaulay Rd. *Lutt* —2G **63**
Macaulay St. *Leic* —1B **36**
MacDonald Rd. *Leic* —4C **20**
Machin Dri. *B Ast* —3C **60**
Mackenzie Way. *Leic* —6C **20** (1F **4**)
Madeline Clo. *Gt B* —1F **65**
Madeline Rd. *Leic* —5C **12**
Madras Rd. *Leic* —1D **28**
Magazine Wlk. *Leic* —2A **28** (5B **5**)
Magna Rd. *Wig* —2G **45**
Magna Rd. Ind. Est. *Wig* —2G **45**
Magnolia Clo. *Leic* —4G **35**
Magnolia Clo. *Leic F* —5E **25**
Magnolia Dri. *Lutt* —3F **63**
Magnus Rd. *Leic* —3E **21**
Maiden St. *Sys* —6D **6**
Maidenwell Av. *Leic* —4C **22**
Maidstone Rd. *Leic* —2D **28**
Maidwell Clo. *Wig* —1D **46**
Maino Cres. *Lutt* —5E **63**
Main Rd. *Gt G* —3D **48**
Main St. *Bark* —3G **15**
Main St. *B Ast* —6A **52**
Main St. *Bur O* —3H **49**
Main St. *Cosb* —2F **53**
Main St. *Costn* —1A **6**
Main St. *Count* —2F **55**
Main St. *Dun B* —5F **61**
Main St. *E Far* —6A **64**
Main St. *Evi* —5B **30**
Main St. *Flec* —6B **58**
Main St. *Glen* —5H **17**
Main St. *Hunc* —4H **41**
Main St. *Kib* —3A **62**
Main St. *Kilb* —2D **56**
Main St. *Kir M* —2D **24**
Main St. *Leic* —5C **26**
(Balmoral Dri.)
Main St. *Leic* —5A **22**
(Humberstone Dri.)
Main St. *Leir* —6B **60**
Main St. *Mark* —3B **8**
Main St. *New L* —2H **9**
Main St. *Peat M* —6G **55**
Main St. *Rat* —5C **16**
Main St. *Scrap* —5F **23**
Main St. *Sme W* —6H **59**
Main St. *Thurl* —6A **32**

Main St. *Thurn* —3F **31**
Malabar Rd. *Leic* —6D **20** (2F **4**)
Malcolm Arc. *Leic* —3C **4**
Malham Clo. *Leic* —2G **19**
Malham Way. *Oad* —4D **38**
Malinscommon La. *Shot* —1A **8**
Mallard Av. *Grob* —2E **17**
Mallard Dri. *Sys* —5D **6**
Mallard Way. *Leic F* —5E **25**
Malling Av. *B Ast* —6H **51**
Malling Clo. *Bir* —2H **13**
Mallory Pl. *Leic* —5G **21**
Mallow Clo. *Ham* —2C **22**
Maltings, The. *Glen* —4H **17**
Malton Dri. *Oad* —3C **38**
Malvern Cres. *Cosb* —2F **53**
Malvern Rd. *Leic* —5F **29**
Mandarin Way. *Whet* —1H **53**
Mandervell Rd. *Oad* —4H **37**
Mandora La. *Leic* —3D **28**
Manitoba Rd. *Leic* —6C **20** (1E **4**)
Mann Clo. *Braun* —5B **26**
Manners Rd. *Leic* —2A **36**
Mnr. Brook Clo. *S Stan* —2C **50**
Manor Clo. *Oad* —1B **38**
Manor Ct. *Blab* —3C **44**
Manor Dri. *Leic* —6A **12**
Mnr. Farm Clo. *B Ast* —1B **60**
Mnr. Farm Way. *Glen* —6A **18**
Manor Gdns. *Glen* —5A **18**
Manor Ho. Gdns. *Hum* —5B **22**
Manor Rd. *Bitt* —2F **63**
Manor Rd. *Cosb* —1F **53**
Manor Rd. *Flec* —6C **58**
Manor Rd. *Oad* —1H **37**
Manor Rd. *Sap* —5B **50**
Manor Rd. *Thurm* —5B **14**
Manor Rd. Extension. *Oad* —2B **38**
Manor St. *Wig* —1H **45**
Manor Wlk. *Mkt H* —3D **64**
Mansfield St. *Leic* —1B **28** (2C **4**)
Manston Clo. *Leic* —6E **15**
Mantle Rd. *Leic* —1H **27**
Manton Clo. *B Ast* —1D **60**
Maple Av. *Blab* —5B **44**
Maple Av. *Count* —1F **55**
Maple Av. *Leic* —4A **26**
Maple Clo. *Leic* —3A **20**
Maple Dri. *Lutt* —4F **63**
Maple Rd. *Thurm* —5B **14**
Mapleton Rd. *Wig* —6E **37**
Maple Tree Wlk. *L'thrpe* —4E **43**
Maplewell Dri. *Leic* —5A **12**
Maplin Rd. *Leic* —4E **23**
Marble St. *Leic* —2B **28** (5C **5**)
Marcus Clo. *Sys* —1C **14**
Marefield Clo. *Thurn* —1G **31**
Marfitt St. *Leic* —3D **20**
Margaret Anne Rd. *Oad* —5B **38**
Margaret Clo. *Thurm* —3C **14**
Margaret Cres. *Wig* —6D **36**
Margaret Rd. *Leic* —2G **29**
(in two parts)
Marigold Way. *Nar* —3B **42**
Marina Dri. *Grob* —2G **17**
Marina Rd. *Leic* —3F **29**
Marjorie St. *Leic* —4C **20**
Market Pl. *Leic* —2B **28** (4C **4**)
Market Pl. App. *Leic* —2B **28** (4D **4**)
Market Pl. S. *Leic* —2B **28** (4C **4**)
Market St. *Leic* —2B **28** (4C **4**)
Market St. *Lutt* —4G **63**
Markfield Ct. Retirement Village. *Mark*
—5C **8**
Markfield Dawah Cen. *Mark* —4C **8**
Markfield Ind. Est. *Mark* —1A **8**
Markfield La. *Mark & New L* —2D **8**
Markfield Rd. *Grob* —1D **16**
Markfield Rd. *Mark & Rat* —6C **8**
(in two parts)
Markland. *Leic* —5G **35**

Marlborough Dri. *Flec* —6C **58**
Marlborough St. *Leic* —2B **28** (5D **5**)
Marlborough Way. *Mkt H* —1D **64**
Marlow Rd. *Leic* —5H **27**
Marmion Clo. *Flec* —6C **58**
Maromme Sq. *Wig* —6F **37**
Marquis St. *Leic* —3B **28** (6D **5**)
Marriott Dri. *Kib* —5B **62**
Marriott Rd. *Leic* —4A **36**
Marsden Av. *Quen* —4H **7**
Marsden La. *Leic* —3F **35**
Marshall St. *Leic* —6H **19**
Marsh Av. *Kib* —4B **62**
Marsh Clo. *Leic* —6C **14**
Marsh Dri. *Kib* —4A **62**
Marston Clo. *Oad* —6A **38**
Marston Clo. *S Stan* —1C **50**
Marston Cres. *Count* —2E **55**
Marston Dri. *Grob* —2F **17**
Marston Ho. *Leic* —6D **20**
Marston Rd. *Croft* —6F **41**
Marston Rd. *Leic* —3G **21**
Marstown Av. *Wig* —1F **45**
Martin Av. *Leic F* —4F **25**
Martin Av. *Oad* —4B **38**
Martin Clo. *Leic* —5D **20**
Martin Clo. *S Stan* —4B **50**
Martindale Clo. *Leic* —4A **28** (8B **5**)
Martin Dri. *Sys* —5C **6**
Martinshaw La. *Grob* —2E **17**
Martinshaw Wood Nature Reserve. —2C 16
Martin Sq. *Rat* —5D **16**
Martin St. *Leic* —5D **20**
Martins Yd. *Mkt H* —3D **64**
Martival. *Leic* —6G **21**
Marvin Clo. *Leic* —6F **19**
Marwell Clo. *Leic* —1B **20**
Marwell Wlk. *Leic* —1B **20**
Marwood Rd. *Leic* —1H **19**
Marydene Dri. *Leic* —4C **30**
Mary Gee Houses. *Leic* —1F **37**
Marylebone Dri. *Lutt* —4H **63**
Mary Rd. *Leic* —5F **19**
Mary's Ct. *Anst* —5F **11**
Masefield Av. *Nar* —1C **42**
Mason Clo. *Nar* —4D **42**
Matlock Av. *Wig* —2G **45**
Matlock Rd. *Ambgt* —1K **9**
Matlock St. *Leic* —1E **29**
Matts Clo. *Leic* —4H **35**
Maura Clo. *Leic* —2D **28**
Maurice Dri. *Count* —2D **54**
Maurice Rd. *Mkt H* —6C **64**
Mavis Av. *Leic* —5G **27**
Mawby Clo. *Whet* —6A **44**
Maxfield Ho. *Leic* —2D **28**
Maxwell Way. *Lutt* —2G **63**
Mayfield Dri. *Wig* —5F **37**
Mayfield Rd. *Leic* —4E **29**
Mayflower Clo. *Mark* —3C **8**
Mayflower Ct. *Mark* —3C **8**
Mayflower Rd. *Leic* —4G **29**
Maynard Rd. *Leic* —1D **28**
(in two parts)
Mayns La. *Bur O* —5F **49**
Mayor's Wlk. *Leic* —4C **28**
Mays Farm Dri. *S Stan* —1B **50**
Maytree Clo. *Leic F* —4E **25**
Maytree Dri. *Leic F* —4E **25**
Mcdowell Way. *Nar* —4D **42**
McKenzie Wlk. *Leic* —2A **30**
McVicker Clo. *Leic* —1A **30**
Meadhurst Rd. *Leic* —2E **27**
Meadowbrook Rd. *Kib* —5H **59**
Meadow Clo. Mkt H —2E **65**
(off Meadow St.)
Meadow Clo. *Rat* —5D **16**
Meadow Clo. *S Stan* —2B **50**
Meadow Ct. *Leic* —2G **35**
Meadow Ct. *Nar* —2C **42**
Meadow Ct. Rd. *Grob* —2F **17**

Meadowcroft Clo. *Glen* —6H **17**
Meadowcroft Rd. *Leic* —2H **37**
Meadow Gdns. *Leic* —3C **36**
Meadow Hill. *Gt G* —3C **48**
Meadow La. *Bir* —3H **13**
Meadow La. *Mark* —2C **8**
Meadow La. *Sys* —5B **6**
Meadows Edge. *Nar* —1C **42**
Meadows Riding Cen., The. —5G 57
Meadows, The. *L'thrpe* —4F **43**
Meadow St. *Mkt H* —2D **64**
Meadowsweet Rd. *Ham* —3C **22**
Meadow, The. *B Ast* —2C **60**
Meadow Vw. *Oad* —4B **38**
Meadow Way. *Grob* —2F **17**
Meadow Way. *Wig* —1C **46**
Meads, The. *Leic* —2C **26**
Meadvale Rd. *Leic* —2D **36**
Meadway. *Leic* —1E **27**
Meadway, The. *Bir* —3G **13**
Meadway, The. *Sys* —1D **14**
Meadwell Rd. *Leic* —3B **26**
Medhurst Clo. *Whet* —6A **44**
Medieval Village of Foston. —2B 56
Medieval Village of Stretton Magna.
(site of) —4H **39**
Medieval Village of Wystowe. —6A 48
(site of)
Medina Rd. *Leic* —5H **19**
Medway Clo. *Mkt H* —3F **65**
Medway St. *Leic* —3E **29**
Melba Way. *Leic* —2H **13**
Melbourne Clo. *Kib* —5H **59**
Melbourne Rd. *Leic* —2E **29**
Melbourne St. *Leic* —1D **28**
Melcombe Wlk. *Leic* —2B **20**
Melcroft Av. *Leic* —2F **27**
Melford St. *Leic* —6H **21**
Melland Pl. *Leic* —4A **36**
Mellerstain Wlk. *Leic* —6G **21**
Mellier Clo. *Nar* —1C **42**
Mellor Rd. *Leic* —2E **27**
Melrose St. *Leic* —4D **20**
Melton Av. *Leic* —6A **14**
Melton Dri. *B Ast* —5A **52**
Melton Rd. *Leic & Quen* —4D **20**
Melton Rd. *Sys & Quen* —1D **14**
Melton Rd. *Thurm & Sys* —2C **14**
Melton St. *Leic* —6C **20**
Memory La. *Leic* —6C **20**
Mendip Av. *Leic* —4G **19**
Mennecy Clo. *Count* —2D **54**
Mensa Rd. *Leic* —2E **29**
Menzies Rd. *Leic* —3A **20**
Mercer's Way. *E Gos* —2H **7**
Merchants Comn. *E Gos* —2H **7**
Mercia Dri. *Oad* —3H **37**
Mercury Clo. *Leic* —2D **28**
Mere Clo. *Leic* —1E **29**
Meredith Rd. *Leic* —6F **27**
Mere Rd. *Count* —6E **55**
Mere Rd. *Leic* —4H **39**
(Gartree Rd.)
Mere Rd. *Leic* —6E **21**
(Spinney Hill Rd.)
Mere Rd. *Wig* —6G **37**
Meres Wlk. *Wig* —6H **37**
Mere, The. *Gt G* —3C **48**
Mereworth Clo. *Leic* —5F **21**
Meridan Bus. Pk. *Mer B* —1B **34**
Meridian Bus. Pk. *Leic* —3B **34**
Meridian E. *Mer B* —1B **34**
(in two parts)
Meridian Leisure Pk. *Braun* —1C **34**
Meridian N. *Mer B* —3B **34**
Meridian S. *Mer B* —3B **34**
Meridian Way. *Leic* —6B **26**
Meridian W. *Mer B* —2B **34**
Meriton Rd. *Lutt* —5F **63**
Merlin Clo. *B Ast* —6A **52**
Merlin Clo. *Leic F* —5G **25**

Newby Gdns. *Oad* —5D **38**
Newcombe Rd. *Leic* —5F **27**
Newcombe St. *Mkt H* —4D **64**
New Fields Av. *Leic* —5E **27**
New Fields Sq. *Leic* —6F **27**
New Forest Clo. *Wig* —3B **46**
Newfoundpool Cen. —1G 27
Newgate End. *Wig* —1A **46**
Newham Clo. *Leic* —6E **15**
Newhaven Rd. *Leic* —4C **30**
New Henry St. *Leic* —6A **20** (1A **4**)
Newington St. *Leic* —3D **20**
Newington Wlk. *Leic* —3D **20**
New Inn Clo. *B Ast* —2C **60**
Newlyn Pde. *Leic* —4D **22**
Newmarket St. *Leic* —1D **36**
Newmarket Wlk. *Leic* —1D **36**
New Pk. Rd. *Leic* —1A **36**
New Parks Boulevd. *Leic* —2B **26**
(in three parts)
New Parks Cres. *Leic* —5E **19**
New Pk. St. *Leic* —2H **27** (5A **5**)
New Parks Way. *Leic* —2B **26**
New Parliament St. *Leic* —1B **28** (2D **4**)
New Pingle St. *Leic* —6A **20** (1A **4**)
Newpool Bank. *Oad* —5E **39**
Newport Pl. *Leic* —2C **28** (5E **5**)
Newport St. *Leic* —1G **27**
Newquay Dri. *Glen* —4A **18**
New Rd. *Kib* —5A **62**
New Rd. *Leic* —1B **28** (2C **4**)
New Rd. *S Stan* —3B **50**
New Romney Clo. *Leic* —5E **23**
New Romney Cres. *Leic* —5E **23**
Newry, The. *Leic* —4B **36**
New Star Rd. *Leic* —1A **22**
Newstead Av. *Bush* —3G **31**
Newstead Av. *Leic* —4G **19**
Newstead Av. *Wig* —5E **37**
Newstead Rd. *Leic* —1E **37**
New St. *Blab* —3B **44**
New St. *Count* —1F **55**
New St. *Leic* —2B **28** (4C **4**)
New St. *Lutt* —4G **63**
New St. *Oad* —3A **38**
New St. *Quen* —4H **7**
New St. *S Stan* —1B **50**
Newton Dri. *Bir* —3H **13**
Newton La. *Gt G* —4C **48**
Newton La. *Wig* —1B **46**
Newton Way. *B Ast* —3B **60**
Newtown Linford La. *Grob* —5A **10**
Newtown St. *Leic* —3B **28** (7D **5**)
New Wlk. *Leic* —2B **28** (5D **5**)
New Wlk. *Sap* —6B **50**
New Wlk. Cen. *Leic* —2B **28** (5D **5**)
New Way Rd. *Leic* —5F **29**
New Wycliffe Home. *Leic* —2F **21**
New Zealand La. *Quen* —3G **7**
Nicholas Dri. *Rat* —5D **16**
Nichols St. *Leic* —1C **28** (3F **4**)
Nicklaus Rd. *Leic* —1F **21**
Nidderdale Rd. *Wig* —1D **46**
Nithsdale Av. *Mkt H* —4D **64**
Nithsdale Cres. *Mkt H* —4E **65**
Noble Clo. *Lutt* —2G **63**
Noble St. *Leic* —1H **27**
Nock Verges. *S Stan* —3B **50**
Noel St. *Leic* —4H **27**
Nook Clo. *Rat* —4C **16**
Nook St. *Leic* —6F **19**
Nook, The. *Anst* —5G **11**
Nook, The. *Bitt* —2F **63**
Nook, The. *Cosb* —3F **53**
Nook, The. *End* —6G **33**
Nook, The. *Gt G* —3C **48**
Nook, The. *Mark* —2B **8**
Nook, The. *Whet* —4H **43**
Norbury Av. *Leic* —4E **21**
Norfolk Clo. *Mkt H* —2C **64**
Norfolk Lodge. *Leic* —5D **20**

Norfolk Rd. *Wig* —6B **36**
Norfolk St. *Leic* —2H **27**
Norfolk Wlk. *Leic* —2H **27**
Norman Ct. *Oad* —5D **38**
Normandy Clo. *Glen* —6A **18**
Norman Rd. *Thurm* —3B **14**
Norman St. *Leic* —3H **27**
Normantion Pk. —2C 40
Normanton Gro. *Thurl* —1E **41**
Normanton Rd. *Leic* —3E **29**
Norris Clo. *Leic* —2E **19**
Northampton Rd. *Mkt H* —3D **64**
Northampton Sq. *Leic* —2C **28** (4E **4**)
Northampton St. *Leic* —2C **28** (5E **5**)
North Av. *Leic* —5E **29**
North Bank. *Mkt H* —3D **64**
North Bri. Pl. *Leic* —6A **20** (1A **4**)
Northcote Rd. *Leic* —1D **36**
N. Deepdale. *Leic* —1H **29**
Northdene Rd. *Leic* —4C **36**
Northdown Dri. *Thurm* —5C **14**
North Dri. *Leic* —5A **22**
N. End Clo. *Leic* —3B **36**
Northfield Av. *Bir* —3H **13**
Northfield Av. *Wig* —5D **36**
Northfield Rd. *Blab* —2B **44**
Northfield Rd. *Leic* —4G **21**
Northfields. *Sys* —5F **7**
Northfold Rd. *Leic* —3E **37**
Northgates. *Leic* —1A **28** (2A **4**)
Northgate St. *Leic* —6A **20** (1A **4**)
Northleigh Gro. *Mkt H* —2C **64**
North St. *Oad* —3A **38**
North St. *Sys* —5E **7**
North St. *Wig* —6F **37**
Northumberland Av. *Leic* —3E **21**
Northumberland Rd. *Wig* —6B **36**
Northumberland St. *Leic* —6A **20** (1A **4**)
Norton St. *Leic* —3B **28** (6C **5**)
Norwich Rd. *Leic* —2H **19**
Norwood Rd. *Leic* —4G **29**
Nottingham Rd. *Leic* —1F **29**
Nugent St. *Leic* —1H **27**
Nunneley Way. *Mkt H* —1E **65**
Nursery Clo. *Quen* —4H **7**
Nursery Clo. *Thurl* —1E **41**
Nursery Clo. *Thurm* —5B **14**
Nursery Hollow. *Glen P* —6E **35**
Nursery Rd. *Leic* —6D **22**
Nutfield Rd. *Leic* —4G **27**
Nuthall Gro. *Glen P* —5F **35**

Oadby Hill Dri. *Oad* —3H **37**
Oadby Municipal Golf Course. —3G 37
Oadby Rd. *Wig* —6F **37**
Oak & Ash Bus. Pk. *Leic* —6E **21**
Oak Av. *Leir* —6A **60**
Oakberry Rd. *Lutt* —2H **63**
Oak Clo. *Mkt H* —2E **65**
Oak Cres. *Leic* —5A **26**
Oakcroft Av. *Kir M* —2E **25**
Oakdale Clo. *Leic* —1A **26**
Oakdene Rd. *Leic* —3C **36**
Oak Dri. *Sys* —1F **15**
Oakenshaw Clo. *Leic* —6E **13**
Oakfield Av. *Bir* —4F **13**
Oakfield Av. *Glen* —3B **18**
Oakfield Av. *Lutt* —4F **63**
Oakfield Av. *Mark* —3B **8**
Oakfield Clo. *Gt G* —2D **48**
Oakfield Cres. *Blab* —5C **44**
Oakfield Rd. *Leic* —4E **29**
Oak Grn. *Mark* —5C **8**
Oakland Av. *Leic* —6H **13**
Oakland Rd. *Leic* —6C **28**
Oaklands Pk. *Mkt H* —4E **65**
Oakleigh Av. *Glen P* —2E **45**
Oakley Rd. *Leic* —6F **21**
Oakmeadow. *Glen* —6H **17**
Oakmeadow Way. *Grob* —3E **17**

Oak Pool Gdns. *Leic* —6H **35**
Oakridge Clo. *Ham* —2C **22**
Oak Rd. *L'thrpe* —5E **43**
Oaks Ct. *Nar* —3C **42**
Oaks Dri. *Blab* —4C **44**
Oakside Clo. *Leic* —3C **30**
Oakside Cres. *Leic* —2C **30**
Oaks Ind. Est. *Earl S* —4C **42**
Oaks Ind. Est. *Lutt* —3H **63**
Oaks Rd. *Gt G* —3D **48**
Oak St. *Leic* —6E **21**
Oaks Way. *Leic* —1H **37**
Oakthorpe Av. *Leic* —3F **27**
Oaktree Clo. *Grob* —2E **17**
Oak Tree Clo. *Ham* —3C **22**
Oaktree Clo. *Kib* —4B **62**
Oakwood Av. *Wig* —5F **37**
Oakwood Clo. *Leic F* —5F **25**
Oasis, The. *Glen* —5H **17**
Oban St. *Leic* —1G **27**
Occupation Rd. *S Stan* —6B **40**
Ocean Clo. *Leic* —6C **29**
Ocean Rd. *Leic* —1C **30**
(in four parts)
Odam Clo. *Leic* —5D **26**
Odeon Arc. *Leic* —4C **4**
Offranville Clo. *Thurm* —5D **14**
Ogwen Clo. *Leic* —1D **30**
Okehampton Av. *Leic* —4H **29**
Okehampton Wlk. *Leic* —4H **29**
Old Barn Wlk. *Leic* —2G **19**
Old Charity Farm. *Stoug* —6E **31**
Old Chu. St. *Leic* —3G **35**
Oldfield Clo. *Count* —1C **54**
Old Forge Rd. *Ash M* —5H **61**
Old Garden Clo. *Blab* —4B **44**
Old Hall Clo. *Grob* —3F **17**
Old Hall Clo. *Thurm* —3B **14**
Old Mill Clo. *B Ast* —2B **60**
Old Mill La. *Leic* —6A **20** (1A **4**)
Old Mill Rd. *B Ast* —2B **60**
Old Milton St. *Leic* —6C **20** (1E **4**)
Old Rectory Clo. *B Ast* —1A **60**
Old Saffron La. *Leic* —6A **28**
Oliver Ct. *Leic* —6F **29**
Oliver Rd. *Leic* —3F **21**
Oliver St. *Leic* —1A **36**
Olphin St. *Leic* —5C **20**
Olympic Clo. *Glen* —5B **18**
Onslow St. *Leic* —3E **29**
Ontario Clo. *Leic* —6C **20** (1E **4**)
Orange Hill. *Lutt* —5H **63**
Orange St. *Wig* —3F **45**
Orchard Av. *Glen P* —6E **35**
Orchard Clo. *Oad* —5A **38**
Orchard Dri. *Wig* —1H **45**
Orchard Gdns. *Thurm* —5D **14**
Orchard La. *Count* —2F **55**
Orchard La. *Gt G* —4D **48**
Orchard Rd. *Bir* —4H **13**
Orchard Rd. *B Ast* —6A **52**
Orchard Rd. *Lutt* —5F **63**
Orchardson Av. *Leic* —5C **20**
Orchard St. *Flec* —6B **58**
Orchard St. *Leic* —6B **20** (1D **4**)
Orchard St. *Mkt H* —2D **64**
Orchard, The. *Grob* —2E **17**
Orchard, The. *S Stan* —3C **50**
Orchard Way. *Sys* —6G **7**
Orchid Clo. *Ham* —3C **22**
Orchid Clo. *Nar* —2C **42**
Orchid Pl. *B Ast* —3D **60**
Oriel Dri. *Sys* —6F **7**
Oriel Ho. *Leic* —1A **30**
Orkney Way. *Count* —2G **55**
Orlando Rd. *Leic* —5D **28**
Orme Clo. *Leic* —2E **19**
Ormen Grn. *Leic* —1B **26**
Oronsay Rd. *Leic* —2F **19**
Orpine Rd. *Ham* —2B **22**
Orsett Clo. *Leic* —5A **22**

Pinewood Av. Thurm —6C 14
Pinewood Clo. Count —1E 55
Pinewood Clo. Leic —6A 12
Pinewood Ct. Mark —5C 8
Pinewood Rd. Mark —5C 8
Pinfold. Leic —2D 34
Pinfold Rd. Thurm —5B 14
Pinfold, The. Mark —3C 8
Pingle La. Pot M —5C 40
Pingle St. Leic —6A 20 (1A 4)
Pintail Clo. Whet —1H 53
Piper Clo. Leic —6E 19
Piper Way. Leic —6E 19
Pipewell Wlk. Leic —2A 20
Pitchens Clo. Leic —6H 11
Pits Av. Leic —2C 34
Pitton Clo. Wig —3A 46
Plantation Av. Leic —3G 35
Plantation, The. Count —1E 55
Platts La. Costn —2A 6
Player Clo. Leic —6B 14
Pleasant Clo. Leic F —5F 25
Plough Clo. B Ast —3C 60
Plough Clo. Leic F —6F 25
Ploughmans' Lea. E Gos —2H 7
Plover Cres. Leic —5B 12
Plowman Clo. Glen —4A 18
Plumtree Way. Sys —1F 15
Pluto Clo. Leic —2D 28
Plymouth Dri. Leic —4H 29
Plymstock Clo. Leic —1F 27
Poachers Clo. Glen —5H 17
Poachers Pl. Oad —5D 38
Pochin Dri. Mkt H —1D 64
Pochin's Bri. Rd. Wig —3G 45
Pochins Clo. Wig —2A 46
Pochin St. Croft —1G 51
Pockingtons Wlk. Leic —2B 28 (4C 4)
Polaris Clo. Leic —2D 28
Pollard Rd. Leic —4C 26
Pomeroy Dri. Oad —4H 37
Pool Rd. Leic —1F 27
Pope Cres. End —6G 33
Pope St. Leic —1C 36
Poplar Av. Bir —3G 13
Poplar Av. Count —2E 55
Poplar Av. Lutt —4F 63
Poplar Av. Mark —3B 8
Poplar Rd. L'thrpe —5D 42
Poplars Clo. Grob —2E 17
Poplars Ct. Mkt H —2C 64
Poplars Farm Ct. Count —1F 55
Poplars, The. Braun —2E 35
Poplars, The. Rat —4B 16
Poplar Ter. Anst —5F 11
Poppins, The. Leic —5B 12
Popple Clo. B Ast —2C 60
Poppy Clo. Leic —5B 36
Porlock St. Leic —2F 27
Portcullis Rd. Leic —4E 23
Portgate. Wig —2C 46
Portishead Rd. Leic —5G 21
Portland Building. Leic —6A 5
Portland Gdns. Cosb —1F 53
Portland Rd. Kir M —3E 25
Portland Rd. Leic —6E 29
Portland St. Cosb —1F 53
Portland Towers. Leic —1G 37
Portland Wlk. Oad —6C 38
Portloc Dri. Wig —3B 46
Portman St. Leic —3D 20
Portmore Clo. Leic —3G 19
Port of Whetstone Golf Course. —1G 53
Portsdown Rd. Leic —3F 37
Portslade Ho. Leic —1B 26
Portsmouth Rd. Leic —4C 20
Portwey, The. Leic —5G 21
Post Office La. New H —4H 47
Post Rd. Thurm —2C 14
Potters Marston La. Thurl —3C 40
Potter St. Leic —1C 28 (2E 4)
Potterton Rd. Leic —1H 19
Pougher Clo. Sap —6C 50
Powys Av. Leic —6G 29
Powys Gdns. Leic —6G 29
Poynings Av. Leic —1E 27
Prebend Nature Ground. —3C 28
Prebend St. Leic —3C 28 (6F 5)
Preston Clo. Rat —6E 17
Preston Ri. Leic —4C 22
Prestwold Rd. Leic —5E 21
Pretoria Clo. Leic —4C 12
Pretoria Rd. Kir M —2D 24
Price Way. Thurm —4E 15
Pride Pl. Mkt H —4C 64
Priestley Rd. Leic —2E 27
Priestman Rd. Braun —6A 26
Priest Mdw. Flec —5B 58
Primethorpe Wlk. B Ast —6A 52
Primrose Clo. Nar —3C 42
Primrose Hill. Oad —3H 37
Primrose Way. Kir M —1F 25
Primrose Way. Quen —3H 7
Prince Albert Dri. Glen —6A 18
Prince Dri. Oad —4C 38
Princes Clo. Anst —5G 11
Princess Av. Oad —5C 38
Princess Dri. Kir M —3D 24
Princess Rd. Backways. Leic —3B 28 (6D 5)
Princess Rd. E. Leic —3C 28 (7E 5)
Princess Rd. Halls. Leic —6E 5
Princess Rd. W. Leic —3B 28 (6D 5)
Princess St. Nar —3E 43
Priory Clo. Sys —6D 6
Priory Cres. Leic —2C 26
Priory Wlk. Leic F —4G 25
Progress Way. Leic —2A 22
Prospect Hill. Leic —1E 29
Prospect Rd. Kib —5H 59
Prospect Rd. Leic —1F 29
Pulford Dri. Scrap & Thurn —1F 31
(in two parts)
Pullman Rd. Wig —6D 36
Purbeck Clo. Wig —3B 46
Purcell Rd. Leic —5C 20
Purley Rd. Leic —4E 21
Putney Rd. Leic —5B 28
Putney Rd. W. Leic —5B 28
Pymm Ley Clo. Grob —2F 17
Pymm Ley Gdns. Grob —2F 17
Pymm Ley La. Grob —3F 17
Pytchley Clo. Leic —6E 13

Quadrant, The. Leic —3B 20
Quarry La. End —5G 33
Quartz Clo. End —4G 33
Quebec Rd. Leic —1C 28 (2F 4)
Queens Dri. Leic F —4G 25
Queens Dri. Nar —1F 43
Queens Dri. Wig —1H 45
Queensferry Pde. Leic —6G 35
Queensgate Dri. Bir —3E 13
Queensmead Clo. Grob —3E 17
Queens Pk. Way. Leic —1D 44
(in two parts)
Queen's Rd. Blab —4A 44
Queens Rd. Leic —5D 28
Queen St. Bark —5G 15
Queen St. Leic —2C 28 (3E 4)
Queen St. Mkt H —4F 65
Queen St. Mark —3B 8
Queen St. Oad —3B 38
Quemby Clo. Leic —3C 20
Quenby Cres. Sys —6G 7
Quenby St. Leic —6F 21
Queniborough Ind. Est. Quen —4H 7
Queniborough Rd. Bark —3H 15
Queniborough Rd. Leic —4E 21
Quickthorns. Oad —2B 38
Quiney Way. Oad —3C 38
Quinton Ri. Oad —5A 38
Quorn Av. Oad —5C 38
Quorndon Ri. Grob —3E 17
Quorn Rd. Leic —6F 21

Radcot Lawns. Leic —6H 35
Radford Dri. Leic —4A 26
Radiant Rd. Leic —6C 22
Radnor Ct. Nar —1B 42
Radnor Rd. Wig —6C 36
Radstone Wlk. Leic —1H 29
Raeburn Rd. Leic —6D 28
Ragdale Rd. Leic —4F 21
Railway St. Wig —3F 45
Raine Way. Oad —6D 38
Rainsborough Gdns. Mkt H —5C 64
Rainsford Cres. Leic —2A 20
Ralphs Clo. Dun B —5F 61
Ramsbury Rd. Leic —4D 36
Ramsdean Av. Wig —6E 37
Ramsey Clo. Lutt —4H 63
Ramsey Gdns. Leic —4E 23
Ramsey Way. Leic —4E 23
Ramson Clo. Ham —3C 22
Rancliffe Cres. Leic —3E 27
Randles Clo. Bush —3G 31
Rannoch Clo. Leic —2G 19
Ranton Way. Leic —5G 19
Ranworth Wlk. Leic —1A 20
Ratby La. Kir M & Leic F —6E 17
Ratby La. Mark —4C 8
Ratby Mdw. La. Nar —6C 34
Ratby Rd. Grob —3D 16
Ratcliffe. Leic —1E 37
Ratcliffe Ct. Leic —1F 37
Ratcliffe Dri. Hunc —4H 41
Ratcliffe Rd. Leic —1E 37
Ratcliffe St. Leic —3D 20
Ravenhurst Rd. Leic —6D 26
Raven Rd. Leic —4C 26
Ravensbridge Dri. Leic —5H 19
Ravensthorpe Rd. Wig —1C 46
Raw Dykes Rd. Leic —4A 28 (8A 5)
Rawlings Ct. Oad —5E 39
Rawlings Pas. Oad —3A 38
Rawlinson Wlk. Leic —2G 19
Rawson St. End —6H 33
Rawson St. Leic —3C 28 (6D 5)
Rawsthorne Wlk. Leic —5C 20
Rayleigh Grn. Leic —4E 23
Rayleigh Way. Leic —4E 23
Raymond Rd. Leic —4G 27
Rayner Rd. Leic —1G 21
Rearsby Rd. Leic —4E 21
Recreation Cen. —3B 26
(Leicester)
Rectory Clo. Wig —2B 46
Rectory End. Bur O —2H 49
Rectory Gdns. Leic —5B 30
Rectory La. Kib —4A 62
Rectory La. Mkt H —4F 65
Rectory La. Thurc —1B 12
Rectory Rd. Mark —2C 8
Rectory Rd. Wan & Bir —1H 13
Redcar Rd. Leic —4D 20
Red Cross Head Quaters. —4E 29
Red Hill. Bir —6F 13
Red Hill Av. Nar —3C 42
Red Hill Circ. Leic —1B 20
Red Hill Clo. Thurm —3C 14
Red Hill La. Thurm —3C 14
Red Hill Way. Leic —6C 12
Red Ho. Clo. Leic —5G 35
Red Ho. Gdns. Leic —5G 35
Red Ho. Ri. Leic —5G 35
Red Ho. Rd. Leic —5G 35
Redlech Clo. Mkt H —4G 65
Redmarle Rd. Leic —4E 27
Redpath Clo. Leic —6D 20
Redruth Av. Wig —2A 46
Redwing Wlk. Leic —6E 21

Redwood Wlk. *Leic* —6E **21**
Reed Pool Clo. *Count* —1F **55**
Rees Gro. *Leic* —6B **14**
Reeth Clo. *Leic* —2G **19**
Reeves Clo. *Whet* —6H **43**
Regency Clo. *Glen P* —2D **44**
Regent Clo. *Wig* —1H **45**
Regent Ct. *Lutt* —5G **63**
Regent Rd. *Count* —1F **55**
Regent Rd. *Leic* —3B **28** (6D **5**)
Regent St. *Leic* —3C **28** (6F **5**)
Regent St. *Lutt* —5G **63**
Regent St. *Nar* —3E **43**
Regent St. *Oad* —3A **38**
Regent St. Ind. Est. *Nar* —4E **43**
Regents Wlk. *Leic F* —4G **25**
Rendell Rd. *Leic* —4C **20**
Renfrew Rd. *Leic* —5E **23**
Renishaw Dri. *Leic* —5G **29**
Repington Row. *Leic* —4B **36**
Repton Rd. *Wig* —5D **36**
Repton St. *Leic* —6H **19**
Reservoir Rd. *Crop* —1G **11**
Retreat, The. *Leic* —2H **29**
Reynolds Pl. *Leic* —5E **27**
Rhodes Clo. *Mkt H* —4B **64**
Ribble Av. *Oad* —3D **38**
Richard Clo. *Leic* —4A **26**
Richardson Clo. *S Stan* —4B **50**
Richardsons Clo. *B Ast* —2C **60**
Richard III Rd. *Leic* —1H **27** (3A **4**)
Richmond Av. *Leic* —1A **36**
Richmond Clo. *Cosb* —3E **53**
Richmond Clo. *Flec* —6B **58**
Richmond Clo. *Leic* —1A **36**
Richmond Dri. *Glen P* —2E **45**
Richmond Rd. *Leic* —1A **36**
Richmond St. *Leic* —3A **28** (6B **5**)
Richmond Way. *Oad* —6C **38**
Riddington Rd. *Leic* —2D **34**
Riddington Rd. *L'thrpe* —5E **43**
Ridgemere Clo. *Sys* —5H **7**
Ridgemere La. *Quen* —6H **7**
Ridgeway. *L'thrpe* —5E **43**
Ridgeway. *Oad* —6B **38**
Ridgeway Dri. *Thurm* —5D **14**
Ridgeway, The. *Leic* —6E **19**
Ridgeway, The. *Mkt H* —1E **65**
Ridgway W. *Mkt H* —1D **64**
Ridgway Rd. *Leic* —1F **37**
Ridings, The. *Quen* —4H **7**
Riding, The. *Leic* —5B **12**
Ridley Clo. *Blab* —5A **44**
Ridley Clo. *Crop* —1H **11**
Ridley St. *Leic* —3H **27**
Riley Clo. *S Stan* —4B **50**
Ringers Clo. *Leic* —1A **38**
Ringers Spinney. *Oad* —1A **38**
Ring Rd. *Leic* —3F **37**
(in three parts)
Ringwood Clo. *Wig* —2A **46**
Ringwood Rd. *Leic* —4E **23**
Ripley Clo. *Mkt H* —3G **65**
Ripon Dri. *Blab* —5B **44**
Ripon St. *Leic* —4E **29**
Rise, The. *Nar* —1C **42**
Riston Clo. *Oad* —6B **38**
Ritchie Pk. *Mkt H* —6D **64**
Riversdale Clo. *Bir* —5H **13**
Riverside. *Mkt H* —3F **65**
Riverside Clo. *Gt G* —2D **48**
Riverside Country Pk. —1E 35
Riverside Dri. *Leic* —3G **35**
Riverside M. *Wan* —1A **14**
Riverside Rd. *Lutt* —5H **63**
Riverside Way. *L'thrpe* —4E **43**
Rivers St. *Leic* —1H **27**
Rivet's Mdw. Clo. *Braun* —6B **26**
Robert Hall St. *Leic* —2B **20**
Robertsbridge Av. *Leic* —2A **20**
Robertsbridge Wlk. *Leic* —2A **20**

Robertson Clo. *S Stan* —3A **50**
Roberts Rd. *Leic* —4C **20**
Robina Clo. *Lutt* —5E **63**
Robin Clo. *Leic* —2A **36**
Robin Hood Golf Cen. —5B 14
Robins Fld. *Rat* —5B **8**
Robinson Rd. *Leic* —6H **21**
Robinson Way. *Mark* —3C **8**
Roborough Grn. *Leic* —1E **31**
Robotham Clo. *Hunc* —4A **42**
Robotham Clo. *Nar* —4D **42**
Roche Clo. *Leic* —5G **35**
Rochester Clo. *Kib* —3H **59**
Rochester Gdns. *Mkt H* —5C **64**
Rockbridge Rd. *Oad* —5D **38**
Rockingham Clo. *Blab* —5B **44**
Rockingham Clo. *Leic* —1B **30**
Rockingham Rd. *Mkt H* —3E **65**
Rockley Rd. *Leic* —4G **19**
Roebuck Clo. *Whet* —6H **43**
Roecliffe Clo. *Mark* —3C **8**
Roehampton Dri. *Wig* —4D **36**
Rogerstone Rd. *Leic* —3D **30**
Rolleston Clo. *Mkt H* —3F **65**
Rolleston Rd. *Wig* —6D **36**
Rolleston Sq. *Leic* —1F **29**
Rolleston St. *Leic* —1F **29**
Roman Hill. *Wig* —3C **46**
Roman Rd. *Bir* —6G **13**
Roman St. *Leic* —3H **27**
Roman Way. *Mkt H* —3D **64**
Roman Way. *Sys* —1C **14**
Romway Av. *Leic* —5G **29**
Romway Rd. *Leic* —5G **29**
Rona Gdns. *Leic* —6E **23**
Ronald Ct. *Leic* —6E **29**
Rookery Clo. *Kib* —5B **62**
Rookery La. *Leic* —2E **17**
Rookery La. *Thurm* —5B **14**
Rookery, The. *Grob* —2F **17**
Rookwell Dri. *Mkt H* —5E **65**
Rosamund Av. *Leic* —1E **35**
Rose Acre Clo. *Scrap* —6F **23**
Rosebank Rd. *Count* —2F **55**
Rosebarn Way. *Leic* —4D **22**
Rosebery Av. *Kib* —5H **59**
Rosebery Rd. *Anst* —5G **11**
Rosebery St. *Leic* —1F **29**
Rose Cres. *Leic F* —5F **25**
Rosedale Av. *Leic* —3F **21**
Rosedale Rd. *Wig* —1D **46**
Rosedene Av. *Thurm* —5B **14**
Rose Farm Clo. *Leic* —3D **26**
Rosemead Dri. *Oad* —4A **38**
Rosemoor Clo. *Mkt H* —3G **65**
Rosendene Clo. *Kir M* —3F **25**
Roseneath Av. *Leic* —3G **21**
Rose St. *Leic* —3B **20**
Rose Tree Av. *Bir* —3G **13**
Roseway. *Leic* —2F **21**
Roslyn St. *Leic* —3E **29**
Rossett Dri. *Leic* —3H **19**
Rossetti Rd. *End* —6G **33**
Rosshill Cres. *Leic* —6E **23**
Ross's La. *Wig* —1B **46**
Ross Wlk. *Leic* —5C **20**
(in three parts)
Rotherby Av. *Leic* —4F **21**
Rothley St. *Leic* —5C **20**
Roughton St. *Leic* —3D **20**
Roundhay Rd. *Leic* —5G **27**
Roundhill. *Kir M* —2E **25**
Roundhill Clo. *Sys* —1D **14**
Roundhill Rd. *Leic* —4F **29**
Roundway, The. *Leic* —6D **14**
Rowan Av. *Mkt H* —5D **64**
Rowanberry Av. *Leic* —1A **26**
Rowan Dri. *Lutt* —4F **63**
Rowans, The. *Count* —1E **55**
Rowan St. *Leic* —1G **27**
Rowlandson Clo. *Leic* —2C **12**

Rowlands Way. *Glen P* —1B **44**
Rowlatts Hill Rd. *Leic* —1H **29**
Rowley Clo. *Flec* —6C **58**
Rowley Fields Av. *Leic* —6F **27**
Rowsley Av. *Leic* —3F **29**
Rowsley St. *Leic* —4E **29**
Royal Arc. *Leic* —3C **4**
Royal Ct. *Nar* —3E **43**
Royal E. St. *Leic* —6B **20** (1D **4**)
Royal Kent St. *Leic* —6A **20** (1B **4**)
Royal Rd. *Leic* —3D **20**
Royce Clo. *Braun* —5A **26**
Roy Clo. *Nar* —3E **43**
Roydene Cres. *Leic* —3G **19**
Royston Clo. *Leic* —1D **44**
Ruby St. *Leic* —1G **27**
Ruddington Wlk. *Leic* —1A **20**
Ruding Rd. *Leic* —3H **27**
Ruding St. *Leic* —1A **28** (3A **4**)
(in two parts)
Ruding Ter. Leic —3H 27
(off Ruding Rd.)
Rufford St. *Leic* —1G **29**
Rugby Clo. *Mkt H* —4C **64**
Rugby Rd. *Lutt* —5G **63**
Rugby St. *Leic* —6H **19**
Rumsey Dri. *Whet* —3A **44**
Runcorn Clo. *Leic* —6G **35**
Runcorn Rd. *Leic* —6H **35**
Runnymede Gdns. *Glen* —6B **18**
Rupert Rd. *Mkt H* —5D **64**
Rupert St. *Leic* —2B **28** (5C **5**)
Rupert's Way. *Gt G* —3D **48**
Rushden Ho. *Leic* —1B **26**
Rushes, The. *Mark* —2C **8**
Rushey Clo. *Leic* —1E **21**
Rushford Clo. *Leic* —4F **21**
Rushford Dri. *Leic* —4F **21**
Rushmere Wlk. *Leic F* —5G **25**
Rushton Dri. *Leic* —5F **35**
Ruskin Av. *Sys* —1G **15**
Ruskington Dri. *Wig* —4F **37**
Russell Ct. *Leic* —3G **35**
Russell Sq. *Leic* —6C **20** (1E **4**)
Russett Clo. *Mkt H* —1E **65**
Russett Way. *Thurm* —2A **14**
Rutherford Rd. *Leic* —1E **19**
Rutland Av. *Leic* —6A **28**
Rutland Av. *Wig* —6D **36**
Rutland Clo. *Leic F* —4G **25**
Rutland Dri. *Thurm* —4C **14**
Rutland St. *Leic* —2B **28** (4D **4**)
(in two parts)
Rutland Wlk. *Mkt H* —1E **65**
Rydal St. *Leic* —3A **28** (7A **5**)
Ryde Av. *Leic* —2F **37**
Ryder Rd. *Leic* —1A **26**
Ryderway. *Lutt* —5F **63**
Rye Clo. *Leic* —5A **36**
Ryegate Cres. *Bir* —3F **13**
Rye Hill Av. *Lutt* —5H **63**
Ryelands Clo. *Mkt H* —2G **65**

Sacheverell Way. *Grob* —4D **16**
Sacheverel Rd. *Leic* —1B **26**
Sackville Gdns. *Leic* —1E **37**
Saddington Rd. *Flec* —6B **58**
Saddlers' Clo. *E Gos* —2H **7**
Saddlers Clo. *Glen* —5H **17**
Saffron Hill Rd. *Leic* —1A **36**
Saffron La. *Leic & Wig* —5A **28**
Saffron Lane Sports Cen. —6B 28
Saffron Rd. *Wig* —6A **36**
Saffron Way. *Leic* —3A **36**
Sage Rd. *Leic* —3H **27** (7A **5**)
Sahara Clo. *Leic* —2D **20**
St Aidan's Av. *Sys* —6D **6**
St Albans Rd. *Leic* —3D **28**
St Andrews Dri. *Leic* —6H **29**
St Andrew's Rd. *Leic* —2A **36**

St Annes Clo.—Shenton Clo.

St Annes Clo. *Sys* —1G **15**
St Anne's Dri. *Leic* —3H **35**
St Augustine Rd. *Leic* —2H **27** (4A **4**)
St Austell Rd. *Leic* —6E **23**
St Barnabas Rd. *Leic* —1G **29**
St Bernard's Av. *Leic* —2D **20**
St Bernard St. *Leic* —3D **20**
Saintbury Rd. *Glen* —4B **18**
St Columba Way. *Sys* —5D **6**
St Crispins Way. *Thurm* —2C **14**
St Cuthbert's Av. *Gt G* —3D **48**
St Davids Clo. *Leic F* —4F **25**
St David's Cres. *Leic* —6G **29**
St David's Rd. *Leic* —1A **26**
St Denys Rd. *Leic* —3B **30**
St Dunstan Rd. *Leic* —1G **27**
St George's Retail Pk. *Leic* —1D **28** (3F **4**)
St George St. *Leic* —2C **28** (4F **4**)
St George's Way. *Leic* —2C **28** (4F **4**)
St Helens Clo. *Leic* —4G **19**
St Helens Dri. *Leic* —4H **19**
St Hilda's Clo. *Sys* —1G **15**
St Ives Rd. *Leic* —3G **21**
St Ives Rd. *Wig* —2A **46**
St James Clo. *Hunc* —4H **41**
St James Clo. *Oad* —6C **38**
St James Ct. *Bir* —4H **13**
St James Rd. *Leic* —4E **29**
St James St. *Leic* —1C **28** (2E **4**)
St James Ter. *Leic* —4E **29**
St John's. *Nar* —1F **43**
St John's Av. *Sys* —6G **7**
St John's Clo. *Lutt* —5F **63**
St Johns Rd. *Leic* —5E **29**
St John St. *Leic* —6B **20** (1C **4**)
St Johns Wlk. *Leic* —5E **5**
St Leonard's Ct. *Leic* —5D **28**
St Leonard's Rd. *Leic* —5D **28**
St Luke's Clo. *Thurn* —3F **31**
St Margarets Dri. *Leir* —6A **60**
St Margaret's St. *Leic* —6B **20** (1C **4**)
St Margaret's Way. *Leic* —5A **20** (1B **4**)
St Mark's St. *Leic* —6C **20** (1E **4**)
St Martin's. *Leic* —2B **28** (4C **4**)
St Martins E. *Leic* —2B **28** (4C **4**)
St Martins Sq. Shop. Cen. *Leic*
    —2B **28** (4C **4**)
St Martins Wlk. *Leic* —2A **28** (4B **4**)
St Mary's Av. *Braun* —4A **26**
St Mary's Av. *Hum* —5C **22**
St Mary's Clo. *B Ast* —1A **60**
St Marys Ct. *Braun* —4A **26**
St Mary's Ct. *Hum* —5C **22**
St Mary's Pl. *Mkt H* —3D **64**
St Mary's Rd. *Leic* —5D **28**
St Mary's Rd. *Lutt* —4F **63**
St Mary's Rd. *Mkt H* —3D **64**
St Matthew's Way. *Leic* —6C **20** (1E **4**)
St Maxine Ct. *Leic* —6E **29**
St Mellion Clo. *Leic* —4B **12**
St Michael's Av. *Leic* —2D **20**
St Michael's Clo. *Mark* —2B **8**
St Michaels Ct. *S Stan* —3B **50**
St Michael's Ct. *Thurm* —4C **14**
St Nicholas Circ. *Leic* —2A **28** (4A **4**)
St Nicholas Clo. *Mkt H* —4E **65**
St Nicholas Pl. *Leic* —2A **28** (4B **4**)
St Nicholas Wlk. Leic —2A 28 (4A 4)
    (off St Nicholas Circ.)
St Nicholas Way. *Mkt H* —4E **65**
St Oswalds Rd. *Leic* —6D **18**
St Pauls Clo. *Oad* —3D **38**
St Pauls Ct. *Sys* —5E **7**
St Paul's Dri. *Sys* —1E **15**
St Pauls Rd. *Leic* —1G **27**
St Peter's Clo. *Glen* —5H **17**
St Peter's Clo. *Leic* —6B **60**
St Peter's Ct. *Sys* —5F **7**
St Peter's Dri. *Whet* —3H **43**
St Peter's La. *Leic* —1A **28** (3B **4**)
St Peters Path. *Oad* —4A **38**

St Peter's Rd. *Leic* —3D **28**
St Peter's St. *Sys* —6E **7**
St Phillip's Rd. *Leic* —4F **29**
St Saviour's Hill. *Leic* —1E **29**
St Saviour's Rd. *Leic* —1E **29**
St Saviour's Wlk. *Leic* —2H **29**
St Stephens Rd. *Leic* —3E **29**
St Swithin's Rd. *Leic* —2D **30**
St Thomas Rd. *Wig* —2E **45**
St Thomas's Rd. *Gt G* —2E **49**
St Wilfrid's Clo. *Kib* —4A **62**
St Wolstan's Clo. *Wig* —6F **37**
Salcombe Clo. *Wig* —2A **46**
Salcombe Dri. *Glen* —5A **18**
Salisbury Av. *Croft* —1G **51**
Salisbury Av. *Leic* —3D **28**
Salisbury Clo. *Blab* —5B **44**
Salisbury Rd. *Leic* —3D **28**
Salkeld Rd. *Leic* —1C **44**
Saltash Clo. *Wig* —2A **46**
Saltcoats Av. *Leic* —1E **21**
Saltersford Rd. *Leic* —6H **21**
Saltersgate Dri. *Bir* —3G **13**
Salts Clo. *End* —1D **42**
Samaritans Head Quaters. —4E **29**
Samphire Clo. *Ham* —3D **22**
Samson Rd. *Leic* —6F **19**
Samuel St. *Leic* —1D **28** (3F **4**)
Sandacre St. *Leic* —1B **28** (2C **4**)
Sanderson Clo. *Whet* —5A **44**
Sanderson Wlk. *Sys* —5F **7**
Sandfield Clo. *Leic* —6C **14**
Sandford Clo. *Leic* —1A **30**
Sandford Ct. *Leic* —1A **30**
Sandford Rd. *Sys* —6E **7**
Sandgate Av. *Bir* —3F **13**
Sandhill Dri. *Nar* —1F **43**
Sandhills Av. *Leic* —2A **22**
Sandhurst Clo. *Leic* —1F **27**
Sandhurst Rd. *Leic* —6F **19**
Sandhurst St. *Oad* —3A **38**
Sandiacre Dri. *Thurm* —3D **14**
Sandown Ct. *Glen* —4A **18**
Sandown Rd. *Glen* —4A **18**
Sandown Rd. *Leic* —6F **29**
Sandown Rd. *Wig* —5F **37**
Sandpiper Clo. *Leic* —6E **21**
Sandringham Av. *Leic* —2D **20**
Sandringham Rd. *Glen P* —2E **45**
Sandringham Way. *Mkt H* —4G **65**
Sandyford La. *Shot* —1D **8**
Sandy Ri. *Wig* —5H **37**
Sanvey Clo. *Leic* —3G **35**
Sanvey Ga. *Leic* —1A **28** (2A **4**)
Sanvey La. *Leic* —3F **35**
Sapcote Rd. *S Stan* —3C **50**
Saunderson Rd. *Leic* —1H **19**
Savernake Rd. *Leic* —4G **19**
Saville Rd. *Blab* —5C **44**
Saville St. *Leic* —1G **29**
Sawbrook. *Flec* —6C **58**
Sawday St. *Leic* —4A **28** (8B **5**)
Sawley St. *Leic* —4F **29**
Saxby St. *Leic* —3D **28** (6F **5**)
Saxon Clo. *Mkt H* —2E **65**
Saxon Dale. *Glen P* —1C **44**
Saxondale Rd. *Wig* —3C **46**
Saxons Ri. *Rat* —4C **16**
Saxon St. *Leic* —3H **27**
Scalborough Clo. *Count* —1C **54**
Scalpay Clo. *Leic* —2F **19**
Scarborough Rd. *Leic* —3E **21**
Schaeffer Clo. *Leic* —3F **19**
School Clo. *Croft* —2G **51**
School Cres. *B Ast* —6A **52**
Schoolgate. *Leic* —4B **36**
School Ho. Clo. *Anst* —6F **11**
School La. *Bark* —3H **15**
School La. *Bir* —5G **13**
School La. *Evi* —5B **30**
School La. *Hunc* —4H **41**

School La. *Mkt H* —3D **64**
School La. *Nar* —4E **43**
School Rd. *Kib* —5A **62**
School St. *Flec* —6B **58**
School St. *Sys* —5F **7**
School Wlk. *Kib* —5A **62**
Scotland La. *Bur O* —2H **49**
Scotland Rd. *Mkt H* —5E **65**
Scotland Way. *Count* —2F **55**
Scotswood Cres. *Leic* —6G **35**
Scott Clo. *Mkt H* —1D **64**
Scott St. *Leic* —1C **36**
Scraptoft Golf Course. —3G **23**
Scraptoft La. *Leic* —6A **22**
Scraptoft La. *Scrap* —2H **23**
Scraptoft M. *Leic* —6A **22**
Scraptoft Ri. *Scrap* —5F **23**
Scrivener Clo. *Bush* —2G **31**
Scudamore Rd. *Leic* —2H **25**
Seacole Clo. *Braun* —5B **26**
Seaford Rd. *Leic* —4H **35**
Seagrave Dri. *Oad* —3H **37**
Seaton Ri. *Leic* —4E **23**
Seaton Rd. *Wig* —2A **46**
Seddons Clo. *Leic* —1H **19**
Sedgebrook Clo. *Leic* —3E **31**
Sedgebrook Rd. *Leic* —3D **30**
Sedgefield Dri. *Sys* —6C **6**
Sedgefield Dri. *Thurn* —1F **31**
Segrave Rd. *Leic* —5F **27**
Seine La. *End* —5F **33**
Selbury Dri. *Oad* —4H **37**
Selby Av. *Leic* —4D **22**
Selby Clo. *Mkt H* —6D **64**
Selkirk Rd. *Leic* —1F **21**
Senator Clo. *Sys* —1D **14**
Sence Cres. *Gt G* —3C **48**
Severn Clo. *Cosb* —2F **53**
Severn Rd. *Oad* —4C **38**
Severn St. *Leic* —3D **28**
Sextant Rd. *Leic* —6C **22**
Seymour Rd. *Leic* —6D **28**
Seymour St. *Leic* —3D **28**
Seymour Way. *Leic F* —5F **25**
Shackerdale Rd. *Wig* —5C **36**
Shackleton St. *Leic* —6C **20** (1E **4**)
Shadrack Clo. *S Stan* —4B **50**
Shady La. *Leic* —6B **30**
Shaftesbury Av. *Leic* —3D **20**
Shaftesbury Rd. *Leic* —3G **27**
Shakespeare Clo. *Leic* —6C **26**
Shakespeare Dri. *Leic* —6C **26**
Shakespeare St. *Leic* —1B **36**
Shanklin Av. *Leic* —2F **37**
Shanklin Dri. *Leic* —2F **37**
Shanklin Gdns. *Leic* —2F **37**
Shanklin Gdns. *Leic F* —5H **25**
Shanklin Wlk. *Leic* —3F **37**
Shanti Margh. *Leic* —3E **21**
Shardlow Rd. *Wig* —6E **37**
Sharmon Cres. *Leic* —1B **26**
Sharnford Rd. *Sap* —6C **50**
Sharpland. *Leic* —4G **35**
Sharpley Dri. *Leic* —5A **12**
Sharpley Hill. *New L* —1H **9**
Shaw Clo. *Whet* —5H **43**
Shaw Wood Clo. *Grob* —2E **17**
Shearer Clo. *Leic* —1G **21**
Shearsby Clo. *Wig* —1B **46**
Sheene Rd. *Leic* —1E **19**
Sheepwash La. *Anst* —5G **11**
Sheffield St. *Leic* —4H **27**
Shelbourne St. *Leic* —1E **29**
Sheldon St. *Leic* —1D **28**
Shelduck Clo. *Whet* —1H **53**
Shelford Wlk. *Leic* —2A **20**
Shelley Dri. *Lutt* —3G **63**
Shelley Rd. *Nar* —1C **42**
Shelley St. *Leic* —1C **36**
Shenley Rd. *Wig* —5G **37**
Shenton Clo. *Thurm* —5E **15**

Shenton Clo. *Whet* —4H **43**
Shenton Clo. *Wig* —6E **37**
Shepherds Clo. *Leic F* —4E **25**
Shepherd's Wlk. *E Gos* —2H **7**
Sherborne Av. *Wig* —3A **46**
Sherford Clo. *Wig* —1A **46**
Sheridan Clo. *Nar* —1C **42**
Sheridan St. *Leic* —1B **36**
Sheringham Rd. *Leic* —3H **19**
Sherloyd Clo. *Leic* —1H **21**
Sherrard Rd. *Leic* —1E **29**
Sherrard Rd. *Mkt H* —1D **64**
Sherrard Way. *Braun* —6B **26**
Sherrierway. *Lutt* —2G **63**
Sherwood St. *Leic* —1G **29**
Shetland Rd. *Leic* —3E **21**
Shetland Way. *Count* —1F **55**
Shield Cres. *Leic* —1C **44**
Shipley Rd. *Leic* —3F **29**
Shipston Hill. *Oad* —5A **38**
Shipton Clo. *Wig* —1D **46**
Shire Clo. *Leic* —2C **26**
Shire Ct. *Wig* —6B **36**
Shires Cen., The. *Leic* —1B **28** (3C **4**)
Shires La. *Leic* —1A **28** (3B **4**)
Shirley Av. *Leic* —1F **37**
Shirley Dri. *Sys* —4F **7**
Shirley Rd. *Leic* —1F **37**
Shirley St. *Leic* —3C **20**
Short Clo. *Flec* —6C **58**
Shortridge La. *End* —6H **33**
Short St. *Leic* —1B **28** (2C **4**)
Shottens Clo. *Leic* —3F **19**
Shottery Av. *Leic* —6D **26**
Shoulbard. *Flec* —5A **58**
Shrewsbury Av. *Leic* —3C **36**
Shrewsbury Av. *Mkt H* —4G **65**
Shropshire Clo. *Mkt H* —2D **64**
Shropshire Pl. *Mkt H* —2D **64**
Shropshire Rd. *Leic* —2H **35**
Shuttleworth La. *Cosb* —4E **53**
Sibson Rd. *Bir* —4G **13**
Sibton La. *Oad* —5A **38**
Sickleholm Dri. *Leic* —5G **29**
Sidings, The. *Leic* —1B **20**
Sidmouth Av. *Leic* —4A **30**
Sidney Rd. *Leic* —2F **37**
Sidwell St. *Leic* —2G **29**
Silbury Rd. *Leic* —4G **19**
Silsden Ri. *Leic* —6H **35**
Silver Arc. *Leic* —3C **4**
Silverbirch Way. *E Gos* —1H **7**
Silverdale Dri. *Thurm* —5D **14**
Silverstone Dri. *Leic* —6B **14**
(in two parts)
Silver St. *Leic* —1B **28** (3C **4**)
Silverton Rd. *Oad* —3C **38**
*Silver Wlk. Leic —1B **28** (3C **4**)*
(off Silver St.)
Silverwood Clo. *Leic* —2C **30**
Simmins Clo. *Leic* —5H **35**
Simmins Cres. *Leic* —5H **35**
Simons Clo. *Wig* —3C **46**
Simpson Clo. *Sys* —1C **14**
Simpson Clo. *Whet* —5A **44**
Siskin Hill. *Oad* —5A **38**
Sitch Clo. *B Ast* —2C **60**
Sitwell Wlk. *Leic* —5H **29**
Six Acres. *B Ast* —1A **60**
Skampton Grn. *Leic* —2B **30**
Skampton Rd. *Leic* —2B **30**
Skelton Dri. *Leic* —3C **36**
Sketchley Clo. *Leic* —1D **30**
Skippon Clo. *Mkt H* —4C **64**
Skipworth St. *Leic* —3E **29**
Skye Way. *Count* —2F **55**
Slade Greens, The. *Leic* —5G **35**
Slade Pl. *Leic* —5G **35**
Slate Brook Clo. *Grob* —2F **17**
Slate Clo. *Glen* —5H **17**
Slate Pit La. *Grob* —1B **16**

Slater St. *Leic* —6A **20** (1A **4**)
Slate St. *Leic* —2C **28** (5F **5**)
Sloane Clo. *End* —6G **33**
Smart Clo. *Braun* —5A **26**
Smedmore Rd. *Leic* —5F **21**
Smeeton Rd. *Kib* —6A **62**
Smith Av. *Thurm* —5D **14**
Smith Dorrien Rd. *Leic* —6G **21**
Smith Way. *End* —3B **34**
Smithy Farm Dri. *S Stan* —3A **50**
Smore Slade Hills. *Oad* —5E **39**
Smyth Clo. *Mkt H* —1D **64**
Snowdens End. *Wig* —2C **46**
Snowdrop Clo. *Nar* —3B **42**
Snow Hill. *Leic* —4G **19**
Soar La. *Leic* —1A **28** (2A **4**)
Soar Rd. *Thurm* —2C **14**
Soar Valley Way. *Leic* —5D **34**
Somerby Dri. *Oad* —4C **38**
Somerby Rd. *Thurn* —1F **31**
Somerfield Wlk. *Leic* —3F **19**
Somerfield Way. *Leic F* —5F **25**
Somerscales Wlk. *Leic* —6D **20**
Somerset Av. *Leic* —3H **19**
Somerset Dri. *Glen* —6H **17**
Somers Rd. *Leic* —1C **30**
Somerville Rd. *Leic* —6F **27**
Sonning Way. *Glen P* —1C **44**
Sopers Rd. *Croft* —2G **51**
Sorrell Rd. *Leic* —3C **22**
Sorrel Way. *Nar* —2B **42**
S. Albion St. *Leic* —2C **28** (5E **5**)
Southampton St. *Leic* —1C **28** (3E **4**)
South Av. *Leic F* —4H **25**
South Av. *Wig* —1A **46**
South Chu. Ga. *Leic* —6A **20** (1B **4**)
Southdown Dri. *Thurm* —6C **14**
Southdown Rd. *Leic* —1F **29**
South Dri. *Leic* —5A **22**
South Dri. *S Stan* —4C **50**
Southernhay Av. *Leic* —6E **29**
Southernhay Clo. *Leic* —6E **29**
Southernhay Rd. *Leic* —1E **37**
Southey Clo. *End* —1C **42**
Southey Clo. *Leic* —5D **20**
Southfield Av. *Sys* —6F **7**
Southfield Clo. *Glen P* —6E **35**
Southfield Clo. *Scrap* —6F **23**
S. Fields. *Leic* —3C **28** (7E **5**)
Southfields Av. *Oad* —3H **37**
Southfields Dri. *Leic* —4B **36**
(in two parts)
Southgates. *Leic* —2A **28** (4B **4**)
Southgates Underpass. *Leic* —2A **28** (4B **4**)
S. Kingsmead Rd. *Leic* —3E **37**
S. Knighton Rd. *Leic* —2F **37**
Southland Rd. *Leic* —3F **37**
Southleigh Gro. *Mkt H* —2C **64**
Southmeads Clo. *Leic* —2H **37**
Southmeads Rd. *Leic* —2H **37**
South St. *Oad* —3A **38**
Southview Ct. *Leic F* —4F **25**
Southview Dri. *Leic* —5H **29**
South Wlk. *Rat* —4C **16**
Southway. *Blab* —5B **44**
South Way. *Kib* —4B **62**
Sovereign Pk. *Mkt H* —5E **65**
Sovereign Pk. Ind. Est. *Mkt H* —5E **65**
Spa Dri. *Sap* —5B **50**
Spa La. *Wig* —1B **46**
Spalding St. *Leic* —1G **29**
Sparkenhoe. *Croft* —2G **51**
Sparkenhoe St. *Leic* —2D **28** (4F **4**)
Speedwell Clo. *Nar* —2B **42**
Speedwell Dri. *B Ast* —3C **60**
Speedwell Dri. *Ham* —2B **22**
Speers Rd. *Leic* —5C **18**
Spencefield Dri. *Leic* —4B **30**
Spencefield La. *Leic* —4B **30**
Spencer Av. *Thurm* —4C **14**
Spencer Rd. *Lutt* —4G **63**

Spencer St. *Mkt H* —3C **64**
Spencer St. *Oad* —3A **38**
Spence St. *Leic* —6F **21**
Spendlow Gdns. *Leic* —5A **36**
(in two parts)
Spendlow Grn. *Leic* —5A **36**
Spiers Clo. *Nar* —4D **42**
Spinney Av. *Count* —1F **55**
Spinney Clo. *Glen P* —6E **35**
Spinney Clo. *Grob* —3E **17**
Spinney Clo. *Mkt H* —3B **64**
Spinney Clo. *Sys* —6C **6**
Spinney Ct. *Croft* —1G **51**
Spinney Dri. *Kib* —4A **62**
Spinney Halt. *Whet* —4G **43**
Spinney Hill Pk. —2F 29
Spinney Hill Rd. *Leic* —6E **21**
Spinney Ri. *Bir* —4F **13**
Spinney Side. *Grob* —3E **17**
Spinney, The. *Thurn* —3E **31**
Spinney Vw. *Gt G* —2E **49**
Sponne Ri. *Leic* —5A **36**
Sportsfield La. *Hunc* —3H **41**
Sports Rd. *Glen* —5A **18**
Springbrook Dri. *Scrap* —1F **31**
Spring Clo. *Leic* —4H **35**
Spring Clo. *Lutt* —5G **63**
Spring Clo. *Rat* —5D **16**
Springdale Rd. *Thurm* —5C **14**
Springfield Clo. *B Ast* —2B **60**
Springfield Clo. *Glen* —6H **17**
Springfield Clo. *Kib* —6B **62**
Springfield Cres. *Kib* —6A **62**
(in two parts)
Springfield Rd. *Sme W* —6A **62**
Springfield Rd. *Leic* —5E **29**
Springfield St. *Mkt H* —4E **65**
Spring Gdns. *L'thrpe* —5E **43**
Spring Gdns. *Sap* —5C **50**
Springhill Gdns. *Mkt H* —4B **64**
Spring La. *Wig* —6F **37**
Springway Clo. *Leic* —2E **31**
Springwell Clo. *Count* —1E **55**
Springwell Dri. *Count* —1D **54**
Springwell La. *Whet* —6H **43**
Spruce Ct. *Grob* —2F **17**
Spruce Way. *Lutt* —3F **63**
Square Ct. *Bir* —4H **13**
Square, The. *Count* —1F **55**
Square, The. *Glen* —4H **17**
Square, The. *L'thrpe* —5E **43**
Square, The. *Mkt H* —3D **64**
Square, The. *New H* —5H **47**
Square, The. *Thurn* —3F **31**
Squire's Ride. *E Gos* —1H **7**
Squirrel Clo. *Nar* —4C **42**
Squirrel's Corner. *E Gos* —1H **7**
Stable Clo. *L'thrpe* —4E **43**
Stackley Rd. *Gt G* —2D **48**
Stadium Pl. *Leic* —3A **20**
Stadium Ri. *Leic* —4H **19**
Stadon Rd. *Anst* —5F **11**
Stafford Dri. *Wig* —1F **45**
Stafford Leys. *Leic F* —4F **25**
Stafford St. *Leic* —2E **21**
Staindale. *Wig* —1D **46**
Stainmore Av. *Nar* —1C **42**
Stamford Clo. *Glen* —5H **17**
Stamford Clo. *Mkt H* —4D **64**
Stamford Clo. *Rat* —4C **16**
Stamford Dri. *Crop* —1H **11**
Stamford Dri. *Grob* —3F **17**
Stamford Hall. *Oad* —1H **37**
Stamford Rd. *Kir M* —2D **8**
Stamford St. *Glen* —4H **17**
Stamford St. *Leic* —2B **28** (5D **5**)
Stamford St. *Rat* —4B **16**
Stanbrig. *Wig* —3C **46**
Stancliff Rd. *Leic* —6D **14**
Stanfell Rd. *Leic* —1C **36**
Stangate Way. *Mkt H* —3F **65**

Stanhope Rd.—Taylor Clo.

Stanhope Rd. *Wig* —2C **46**
Stanhope St. *Leic* —2F **29**
Stanier Dri. *Leic* —1H **21**
Stanier Rd. *B Ast* —1C **60**
Stanley Dri. *Leic* —5A **22**
Stanley Rd. *Leic* —4E **29**
Stanton La. *Pot H* —1D **50**
Stanton La. *Sap* —5A **50**
Stanton Rd. *Sap* —6B **50**
Stanton Row. *Leic* —3B **36**
Stanway Clo. *Mkt H* —3F **65**
Stanyon Clo. *Count* —1E **55**
Stapleford Rd. *Leic* —1H **19**
Staplehurst Av. *Leic* —1C **34**
Starmer Clo. *Cosb* —2G **53**
Station Clo. *Kir M* —3E **25**
Station Dri. *Kir M* —3E **25**
Station Hollow. *Kib* —5A **62**
Station La. *Gt G* —6C **48**
Station La. *Leir* —6A **60**
Station La. *Scrap* —6F **23**
Station Rd. *Bir* —6F **13**
Station Rd. *B Ast* —1B **60**
(in two parts)
Station Rd. *Count* —2D **54**
Station Rd. *Croft* —1G **51**
Station Rd. *Crop* —1G **11**
Station Rd. *Dun B* —5G **61**
Station Rd. *Elme & S Stan* —2A **50**
Station Rd. *Glen* —4H **17**
Station Rd. *Gt B* —1F **65**
Station Rd. *Kir M* —2D **24**
Station Rd. *L'thrpe* —4E **43**
Station Rd. *Lutt* —5H **63**
Station Rd. *Rat* —5C **16**
Station Rd. *Sys* —6E **7**
Station Rd. *Thurn* —2F **31**
Station Rd. *Wig* —1H **45**
Station St. *Kib* —5A **62**
Station St. *Leic* —2C **28** (5F **5**)
Station St. *Whet* —3H **43**
Station St. *Wig* —1G **45**
Staveley Clo. *Wig* —2C **46**
Staveley Rd. *Leic* —4F **29**
Staythorpe Rd. *Leic* —6E **15**
Steadman Av. *Cosb* —2G **53**
Stebbings Rd. *Leic* —4H **35**
Steele Clo. *Leic* —2A **30**
Steeple Clo. *Wig* —5G **37**
Steins La. *Leic* —5B **22**
Stelle Rd. *Anst* —2B **18**
Stemborough La. *Leir* —6B **60**
Stenor Clo. *Flec* —5A **58**
Stenson Rd. *Leic* —4E **19**
Stephenson Clo. *B Ast* —3C **60**
Stephenson Clo. *Grob* —2E **17**
Stephenson Ct. *Glen* —3A **18**
Stephenson Dri. *Leic* —6F **19**
Stephenson Way. *Grob* —2E **17**
Stevens Clo. *Nar* —2D **42**
Stevens Clo. *S Stan* —3C **50**
Stevenson Gdns. *Cosb* —1F **53**
Stevens St. *Mkt H* —3C **64**
Stevenstone Clo. *Oad* —4D **38**
Stewart Av. *Nar* —2C **42**
Steyning Cres. *Glen* —4B **18**
Stibbe Building. *Leic* —6B **5**
Stiles Clo. *B Ast* —2B **60**
Stiles, The. *Sys* —5F **7**
(in two parts)
Stinford Leys. *Mkt H* —3H **65**
Stirling Dri. *Thurn* —1F **31**
Stockland Rd. *Leic* —5A **36**
Stocks Rd. *Scrap* —5F **23**
Stockton Ho. *Leic* —1A **26**
Stockton Rd. *Leic* —4G **21**
Stockwell Clo. *Mkt H* —3G **65**
Stockwell Rd. *Leic* —2F **37**
Stokesby Ri. *Glen P* —2C **44**
Stokes Dri. *Leic* —5F **19**
Stonebridge St. *Leic* —1F **29**

Stonechat Wlk. *Leic* —1E **29**
Stone Clo. *Leic* —5B **12**
Stonecroft. *Count* —2C **54**
Stonehaven Rd. *Leic* —1F **21**
Stonehill Av. *Bir* —2G **13**
Stonehill Ct. *Gt G* —2E **49**
Stonehill Dri. *Gt G* —2E **49**
Stonehurst Rd. *Leic* —1D **34**
Stoneleigh Mnr. *Leic* —5F **29**
Stoneleigh Way. *Leic* —5F **19**
Stonesby Av. *Leic* —4A **36**
Stoneygate Av. *Leic* —6E **29**
Stoneygate Ct. *Leic* —5E **29**
Stoneygate Rd. *Leic* —5E **29**
Stoney Hollow. *Lutt* —5G **63**
Stoney La. *Mark* —2A **8**
Stoneywell Rd. *Leic* —6H **11**
Stores La. *Flec* —6B **58**
Storey St. *Leic* —6H **19**
Stornaway Rd. *Leic* —6D **22**
Stoughton Av. *Leic* —6F **29**
Stoughton Clo. *Oad* —3B **38**
Stoughton Dri. *Leic* —5H **29**
Stoughton Dri. N. *Leic* —4F **29**
Stoughton Dri. S. *Leic* —6H **29**
Stoughton La. *Stoug* —5B **30**
Stoughton Rd. *Leic* —6F **29**
Stoughton Rd. *Oad* —3A **38**
Stoughton Rd. *Thurn* —4E **31**
Stoughton St. *Leic* —2D **28**
Stoughton St. S. *Leic* —2D **28**
Stour Clo. *Oad* —3D **38**
Strasbourg Dri. *Leic* —2F **19**
Stratford Rd. *Leic* —6D **26**
Strathaven Rd. *Leic* —1F **21**
Strathmore Av. *Leic* —3F **21**
Stratton Clo. *Mkt H* —5C **64**
Strawberry Gdns. *End* —5G **33**
Streamside Clo. *B Ast* —2B **60**
Strensall Rd. *Leic* —6H **35**
Stretton Ct. *Gt G* —3D **48**
Stretton Hall Dri. *Oad* —6F **39**
Stretton Rd. *Gt G & Oad* —3D **48**
Stretton Rd. *Leic* —2G **27**
Strollers Way. *E Gos* —2H **7**
Stroma Way. *Count* —2H **7**
Stroud Rd. *Leic* —6F **21**
Strudwick Way. *Whet* —2A **44**
Stuart Ct. *Leic* —6E **29**
Stuart Rd. *Glen P* —6G **35**
Stuart Rd. *Mkt H* —5C **64**
Stuart St. *Kib* —5A **62**
Stuart St. *Leic* —4H **27**
Stubbs Rd. *Leic* —5D **20**
Sturdee Clo. *Leic* —5H **35**
Sturdee Grn. *Leic* —5G **35**
Sturdee Rd. *Leic* —5G **35**
(in three parts)
Sturrock Clo. *Thurn* —1F **31**
Styon Rd. *Leic* —4C **18**
Sudeley Av. *Leic* —3A **20**
Suffolk Clo. *Wig* —6C **36**
Suffolk St. *Leic* —2G **29**
Sulgrave Rd. *Leic* —6F **21**
Summerlea Rd. *Leic* —1C **30**
Sunbury Grn. *Leic* —6E **23**
(in three parts)
Sundew Rd. *Ham* —3C **22**
Sunningdale Rd. *Leic* —3H **25**
Sunnycroft Rd. *Leic* —2E **27**
Sunnyfield Clo. *Leic* —2C **30**
Sunnyside. *Oad* —5C **38**
Sunnyside Clo. *Whet* —3H **43**
Sun Way. *Leic* —4B **26**
Surrey St. *Leic* —4D **20**
Susan Av. *Leic* —4B **30**
Sussex Rd. *Wig* —6B **36**
Sussex St. *Leic* —1D **28**
Sutherington Way. *Anst* —4G **11**
Sutherland St. *Leic* —3E **29**

Sutton Av. *Leic* —4E **21**
Sutton Clo. *Oad* —6B **38**
Sutton Pl. *Leic* —3E **21**
Sutton Rd. *Gt B* —1H **65**
Sutton Rd. *Leic* —1C **36**
Swainson Rd. *Leic* —5G **21**
Swain St. *Leic* —2C **28** (4F **4**)
Swale Clo. *Oad* —3D **38**
Swallow Clo. *Leic F* —6E **25**
Swallowdale Dri. *Leic* —5B **12**
Swallow Dri. *Sys* —5C **6**
Swallows Dale. *E Gos* —1H **7**
Swannington Rd. *B Ast* —1C **60**
Swannington Rd. *Leic* —6G **19**
Swanscombe Rd. *Leic* —6H **27**
Swan St. *Leic* —1A **28** (2A **4**)
Swan Way. *Sys* —5C **6**
Sweetbriar Rd. *Leic* —4G **27**
Swift Clo. *Sys* —5D **6**
Swiftway. *Lutt* —3G **63**
Swimming Pool. —4D 30
(City of Leicester Sch.)
Swimming Pool. —3A 38
(Leicester)
Swinford Av. *Leic* —1D **44**
Swinford Ct. *Leic* —1D **44**
Swinford Rd. *Lutt* —6H **63**
Swinstead Rd. *Leic* —3D **30**
Swithland Av. *Leic* —4A **20**
Swithland Clo. *Mark* —3C **8**
Swithland Ct. *Leic* —2D **34**
Sword Clo. *Glen* —6A **18**
Sybil Rd. *Leic* —6F **27**
Sycamore Clo. *Leic* —6H **29**
Sycamore Clo. *Oad* —6G **39**
Sycamore Clo. *Sys* —1F **15**
Sycamore Dri. *Grob* —3F **17**
Sycamore Dri. *Lutt* —4E **63**
Sycamore Gro. *Grob* —2F **17**
Sycamore Rd. *Bir* —2G **13**
Sycamore St. *Blab* —3B **44**
Sycamore Way. *L'thrpe* —5D **42**
Sykefield Av. *Leic* —3G **27**
Sylvan Av. *Leic* —1F **29**
Sylvan St. *Leic* —1G **27**
Sylvan Way. *Leic F* —3H **25**
Symington Way. *Mkt H* —3D **64**
Syston By-Pass. *Sys* —4C **6**
Syston Northern By-Pass. *Sys* —2E **7**
Syston Rd. *Costn* —2A **6**
Syston Rd. *Quen* —3H **7**
Syston St. E. *Leic* —1D **28**
Syston St. W. *Leic* —5C **20**
Sywell Dri. *Wig* —1C **46**

Tadcaster Av. *Leic* —6H **35**
Tadcaster Grn. *Leic* —6H **35**
Tailby Av. *Leic* —5G **21**
Tailors Link. *E Gos* —2H **7**
Talbot La. *Leic* —2A **28** (4A **4**)
Talbot St. *Leic* —2C **20**
Talbott Clo. *B Ast* —3C **60**
Talbot Yd. *Mkt H* —3D **64**
Tamar Rd. *Leic* —3G **21**
Tamar Rd. *Oad* —4D **38**
Tamerton Rd. *Leic* —4A **36**
Tansey Cres. *S Stan* —3A **50**
Tansley Av. *Wig* —2G **45**
Tarbat Rd. *Leic* —6D **22**
Tarragon Rd. *Leic* —3H **27** (7A **5**)
Tatlow Ho. *Leic* —1A **26**
Tatlow Rd. *Glen* —1A **26**
Tatton Clo. *Leic* —4E **19**
Taunton Clo. *Wig* —2A **46**
Taunton Rd. *Leic* —2F **27**
Taurus Clo. *Leic* —2D **28**
Taverner Dri. *Rat* —6D **16**
Taverners Rd. *Leic* —4C **12**
Tavistock Dri. *Leic* —4H **29**
Taylor Clo. *S Stan* —3B **50**

Taylor Clo. *Sys* —6E **7**
Taylor Rd. *Leic* —6C **20** (1F **4**)
Taylor's Bri. Rd. *Wig* —2G **45**
Teal Clo. *Leic F* —5E **25**
Teal Way. *Sys* —5C **6**
Teasel Clo. *Nar* —3C **42**
Tebbs Clo. *Count* —1C **54**
Tedder Clo. *Lutt* —5E **63**
Tedworth Grn. *Leic* —6D **12**
(in two parts)
Teesdale Clo. *Leic* —4A **28** (7B **5**)
Teignmouth Clo. *Leic* —4H **29**
Teignmouth Wlk. *Leic* —4H **29**
Telford Way. *Leic* —1E **31**
Tempest Rd. *Bir* —6F **13**
Temple Rd. *Leic* —2G **29**
Tendring Dri. *Wig* —6H **37**
Tennis Ct. Dri. *Leic* —6A **22**
Tennyson Rd. *Lutt* —3G **63**
Tennyson St. *Leic* —4E **29**
Tennyson St. *Nar* —2C **42**
Tentercroft Av. *Sys* —5G **7**
Terrace Cotts. *Croft* —1G **51**
Tetuan Rd. *Leic* —1F **27**
Tewkesbury St. *Leic* —1H **27**
Thackeray St. *Leic* —1B **36**
Thames St. *Leic* —6B **20** (1D **4**)
Thatcher Clo. *Leic* —1F **19**
Thatchers Corner. *E Gos* —2H **7**
Thatchmeadow Dri. *Mkt H* —3G **65**
The Hollywood Bowl. —6C **26**
Thirlmere Rd. *Wig* —6G **37**
Thirlmere St. *Leic* —4A **28** (8B **5**)
Thistle Clo. *Crop* —1H **11**
Thistle Clo. *Nar* —3C **42**
Thomasson Rd. *Leic* —1B **30**
Thomson Clo. *Sap* —5B **14**
Thoresby St. *Leic* —1G **29**
Thornborough Clo. *Mkt H* —4F **65**
Thornborough Clo. *Nar* —4B **42**
Thornby Gdns. *Wig* —1C **46**
Thorndale Rd. *Thurm* —4D **14**
Thorneycroft Clo. *B Ast* —3D **60**
Thornhills. *Nar* —1C **42**
Thornhills Gro. *Nar* —1C **42**
Thornholme Clo. *Leic* —1G **19**
Thornton Clo. *B Ast* —3C **60**
Thornton Dri. *Nar* —3E **43**
Thornton La. *Mark* —6A **3**
Thornton Wlk. *Leic* —4A **4**
Thornville Clo. *Leic* —4G **21**
Thorpe Dri. *Wig* —5F **37**
Thorpe Fld. Dri. *Thurm* —3D **14**
Thorpe La. *Bark* —4G **15**
Thorpe St. *Leic* —2H **27** (5A **5**)
Thorpe Way. *End* —4B **34**
Thorpewell. *Leic* —1H **29**
Threadgold Clo. *Leic* —5B **12**
Thresher's Wlk. *E Gos* —2H **7**
Thurcaston Rd. *Leic* —4D **12**
(in three parts)
Thurcroft Clo. *Glen P* —6H **35**
Thurlaston La. *Croft* —4E **41**
Thurlaston La. *Earl S* —2A **40**
Thurlaston La. *End* —6D **32**
Thurlby Rd. *Leic* —6F **21**
Thurlington Rd. *Leic* —4E **27**
Thurlow Clo. *Oad* —5D **38**
Thurlow Rd. *Leic* —6C **28**
Thurmaston Boulevd. *Leic* —1H **21**
(in three parts)
Thurmaston Footpath. *Leic* —1G **21**
Thurmaston La. *Leic & Hum* —1H **21**
Thurnby Hill. *Leic* —2E **31**
Thurnby La. *Stoug* —6E **31**
Thurn Ct. *Leic* —6D **22**
Thurncourt Clo. *Leic* —6C **22**
Thurncourt Gdns. *Leic* —1F **31**
Thurncourt Rd. *Leic* —6C **22**
Thurnview Rd. *Leic* —4C **30**
Thyme Clo. *Leic* —3A **28** (7A **5**)

Tiber Way. *Mer B* —1B **34**
Tichborne St. *Leic* —3D **28**
Tigers Clo. *Wig* —1E **45**
Tigers Rd. *Wig* —1E **45**
Tilbury Cres. *Leic* —6D **14**
Tilford Cres. *Leic* —1D **44**
Tillett Rd. *Braun* —5B **26**
Tilley Clo. *Braun* —6A **26**
Tillingham Rd. *Leic* —5H **21**
Tilling Rd. *Leic* —2G **19**
Tilling Wlk. *Leic* —1G **19**
Tilton Dri. *Oad* —6A **38**
Timber St. *Wig* —2F **45**
Timberwood Dri. *Grob* —3E **17**
Timson Clo. *Mkt H* —1C **64**
Tinkers Dell. *E Gos* —1H **7**
Tiptree Clo. *Leic* —3H **19**
Tithe St. *Leic* —6G **21**
Tithings, The. *Kib* —4A **62**
Tiverton Av. *Leic* —3E **21**
Tiverton Clo. *Nar* —3C **42**
Tiverton Clo. *Oad* —4C **38**
Tiverton M. *Leic* —3E **21**
Tofts, The. *Wig* —2B **46**
Tolcarne Rd. *Leic* —5C **22**
Tolchard Clo. *Leic* —2A **30**
Tollemache Av. *Leic* —3A **20**
Toller Rd. *Leic* —6E **29**
Tollwell Rd. *Leic* —6C **12**
Tolton Rd. *Leic* —1H **19**
Tomlin Rd. *Leic* —4G **21**
Tomlinson Ct. *Oad* —3A **38**
Tom Paine Clo. *Braun* —5B **26**
Topcliffe Wlk. *Leic* —2A **20**
Top Clo. *Braun* —6B **26**
Tophall Dri. *Count* —2E **55**
Torcross Clo. *Leic* —5C **18**
Toronto Clo. *Leic* —6C **20** (1F **4**)
Torridon Clo. *Leic* —2H **19**
Torrington Clo. *Wig* —3B **46**
Totland Rd. *Leic* —5G **19**
Tourist Info. Cen. —1C **4**
(Leicester)
Tourist Info. Cen. —6F **37**
(Wigston)
Tournament Rd. *Glen* —6A **18**
Tovey Cres. *Leic* —5H **35**
Towers Clo. *Kir M* —3E **25**
Towers Dri. *Kir M* —3E **25**
Tower St. *Leic* —3B **28** (7D **5**)
Towle Rd. *Leic* —5C **18**
(in two parts)
Town End Clo. *Leic* —1E **37**
Townsend Clo. *B Ast* —2D **60**
Townsend Clo. *Leic* —6B **14**
Townsend Ct. *Leic* —3G **35**
Townsend Rd. *End* —6H **33**
Townsend Rd. *S Stan* —4B **50**
Town Sq. *Sys* —5F **7**
Town Sq. Shop. Cen. *Sys* —5F **7**
Town Sq. *Bur O* —3H **49**
Towpath Link. *Wig* —3G **45**
Trafalgar Way. *Glen P* —2D **44**
Trafford Rd. *Leic* —6H **21**
Tranter Pl. *Leic* —3F **21**
Treasure Clo. *Glen* —6A **18**
Treaty Rd. *Glen* —6B **18**
Tredington Rd. *Glen* —4B **18**
Treetops Clo. *Leic* —6A **22**
Trefoil Clo. *B Ast* —3D **60**
Trefoil Clo. *Leic* —3C **22**
Tremaine Dri. *Wig* —2A **46**
Trenant Rd. *Leic* —5A **36**
Trent Av. *Leic* —4C **12**
Trent Clo. *B Ast* —1C **60**
Trent Clo. *Oad* —4D **38**
Trescoe Ri. *Leic* —2C **26**
Tressell Way. *Braun* —5B **26**
Trevanth Rd. *Leic* —2H **21**
Trevino Dri. *Leic* —6C **14**
Trevose Gdns. *Leic* —6E **23**

Trigo Clo. *Leic* —1E **19**
Trillium Clo. *Ham* —2C **22**
Trinity Clo. *Sys* —6F **7**
Trinity Ho. *Leic* —5B **5**
Trinity La. *Leic* —3B **28** (6D **5**)
Trinity Rd. *Nar* —1G **43**
Trinity Rd. *Whet* —3H **43**
Tristram Clo. *Leic F* —5G **25**
Triumph Rd. *Glen* —6A **18**
Trojan Way. *Sys* —1C **14**
Troon Ind. Est. *Leic* —1H **21**
(in two parts)
Troon Way. *Leic* —6B **14**
Troon Way Bus. Cen. *Leic* —1H **21**
Trueway Rd. *Leic* —5G **29**
Truro Dri. *Wig* —2B **46**
Tuckey Clo. *Sap* —5C **50**
Tudor Clo. *Leic* —2H **27**
Tudor Dri. *Cosb* —3F **53**
Tudor Dri. *Oad* —3B **38**
Tudor Gro. *Grob* —4E **17**
Tudor Rd. *Leic* —6H **19**
Tudor Wlk. *Leic* —2H **21**
Tunstall Cres. *Leic* —5G **21**
Turnbull Dri. *Leic* —1D **34**
Turnbury Way. *Leic* —5G **29**
Turner Ri. *Oad* —5B **38**
Turner Rd. *Leic* —6H **21**
Turner St. *Leic* —3B **28** (7D **5**)
Turner Wlk. *Leic* —2A **30**
Turnpike Clo. *Lutt* —2H **63**
Turnpike Way. *Mark* —3C **8**
Turnstone Wlk. Leic —6E **21**
(off Kingfisher Av.)
Turn St. *Sys* —5E **7**
Turville Clo. *Wig* —3C **46**
Turville Rd. *Leic* —4F **27**
Tuskar Rd. *Leic* —6D **22**
Tuxford Rd. *Leic* —2A **22**
Twickenham Rd. *Leic* —1C **44**
Twitten, The. *Glen P* —2D **44**
Twycross St. *Leic* —2E **29**
Tyers Clo. *Thurl* —6A **32**
Tyes End. *Leic* —2E **19**
Tyler Rd. *Rat* —5D **16**
Tymecrosse Gdns. *Mkt H* —1C **64**
Tyndale St. *Leic* —3H **27**
Tynedale Clo. *Oad* —4D **38**
Tyringham Rd. *Wig* —1C **46**
Tyrrell St. *Leic* —1H **27**
Tysoe Hill. *Glen* —4B **18**
Tythorn Dri. *Wig* —4C **36**

Ullesthorpe Rd. *Bitt* —1E **63**
Ullswater Dri. *Oad* —4C **38**
Ullswater St. *Leic* —3A **28** (7A **5**)
Ullswater Wlk. *Oad* —4C **38**
Ulverscroft Dri. *Grob* —3F **17**
Ulverscroft La. *Ulv & New L* —1G **9**
Ulverscroft Rd. *Leic* —5D **20**
Ulverscroft Way. *Mark* —2C **8**
Una Av. *Leic* —1E **35**
Underwood Cres. *Sap* —5C **50**
Underwood Dri. *S Stan* —4A **50**
Unicorn Mobile Home Pk. *Thurm* —3B **14**
Unicorn St. *Thurm* —3B **14**
Union Wharf. —2C **64**
Union Wharf. *Mkt H* —2C **64**
Unity Rd. *Glen* —5A **18**
University Clo. *Sys* —6F **7**
University Rd. *Leic* —5C **28** (8F **5**)
Upex Clo. *Whet* —1H **53**
Upland Clo. *Mark* —2B **8**
Upland Dri. *Mark* —2B **8**
Uplands Rd. *Leic* —4B **36**
Uplands Rd. *Oad* —3B **38**
Up. Brown St. *Leic* —2B **28** (5C **5**)
Up. Charnwood St. *Leic* —1D **28**
Up. Church St. *Sys* —5F **7**
Up. George St. *Leic* —6C **20** (1E **4**)

Up. Hall Clo. *Leic* —5C **22**
Up. Hall Grn. *Leic* —5C **22**
Up. King St. *Leic* —3B **28** (7D **5**)
Up. Nelson St. *Leic* —3C **28** (6F **5**)
Up. New Wlk. *Leic* —3D **28**
Up. Temple Wlk. *Leic* —2E **19**
(in two parts)
Up. Tichborne St. *Leic* —3D **28**
Upperton Ri. *Leic* —3G **27**
Upperton Rd. *Leic* —3G **27** (8A **5**)
Uppingham Clo. *Leic* —2C **30**
Uppingham Dri. *B Ast* —5H **51**
Uppingham Rd. *Bush* —2G **31**
Uppingham Rd. *Leic* —6F **21**
Upton Dri. *Wig* —1D **46**
Utah Clo. *Glen* —6A **18**
Uttoxeter Clo. *Leic* —6B **14**
Uxbridge Rd. *Leic* —1E **21**

Vale Clo. *Leic* —6C **22**
Vale End. *Thurn* —2F **31**
Valence Rd. *Leic* —4F **27**
Valentine Dri. *Oad* —3H **37**
Valentine Rd. *Leic* —2D **30**
Valiant Clo. *Glen* —6B **18**
Valjean Cres. *Leic F* —4E **25**
Valley Dri. *Leic* —5A **26**
(in two parts)
Valley La. *Bitt* —2F **63**
Valley Rd. *Leic* —1B **22**
Valley Rd. *Mark* —3C **8**
Valley Way. *Mkt H* —2G **65**
Vancouver Rd. *Leic* —6C **20** (1F **4**)
Vandyke Rd. *Oad* —5B **38**
Vann Wlk. *Leic* —3C **20**
Vaughan Clo. *Mkt H* —6D **64**
Vaughan Rd. *Leic* —2A **36**
Vaughan St. *Leic* —1H **27**
Vaughan Way. *Leic* —1A **28** (3B **4**)
Ventnor Rd. *Leic* —2F **37**
Ventnor Rd. S. *Leic* —3F **37**
Ventnor St. *Leic* —2F **29**
Verdale Av. *Leic* —6D **14**
Vernon Rd. *Leic* —2A **36**
Vernon St. *Leic* —1H **27**
Vestry Ho. *Leic* —1C **28** (3E **4**)
Vestry St. *Leic* —1C **28** (3E **4**)
Vetch Clo. *Nar* —3B **42**
Vicarage Clo. *Kir M* —1E **25**
Vicarage Clo. *Sys* —5F **7**
Vicarage La. *Bark* —3H **15**
Vicarage La. *Belg* —2C **20**
Vicarage La. *Hum* —5B **22**
Vicarage La. *Whet* —3H **43**
Victoria Av. *Leic* —3D **28**
Victoria Av. *Mkt H* —2C **64**
Victoria Ct. *Oad* —2H **37**
Victoria Dri. *Grob* —3F **17**
Victoria Gdns. *Leic* —4E **29**
Victoria Pde. *Leic* —3D **4**
Victoria Pk. —4D 28
Victoria Pk. Rd. *Leic* —5C **28**
Victoria Pas. *Leic* —3C **28** (6F **5**)
Victoria Rd. *Whet* —3H **43**
Victoria Rd. E. *Leic* —5G **21**
Victoria Rd. N. *Leic* —2C **20**
Victoria St. *Flec* —6B **58**
Victoria St. *Nar* —3E **43**
Victoria St. *Sys* —6F **7**
Victoria St. *Thurm* —3C **14**
Victoria St. *Wig* —6F **37**
Victoria Ter. *Leic* —4D **28**
Victor Rd. *Glen* —5B **18**
Victors Clo. *Leic* —5G **35**
Viking Rd. *Wig* —5C **36**
Villas, The. *Kib* —4A **62**
Villiers Hall. *Oad* —1H **37**
Vincent Clo. *Leic* —1F **27**
Vineries, The. *Count* —2D **54**
Vine St. *Leic* —1A **28** (2B **4**)
Vostock Clo. *Leic* —2D **28**
Vulcan Rd. *Leic* —1D **28**

Waddesdon Wlk. *Leic* —5F **21**
Wade St. *Leic* —2B **20**
Wadkins Way. *Bush* —2G **31**
Waingrove Wlk. *Leic* —1B **20**
Wakefield Pl. *Leic* —3F **21**
Wakeley Clo. *Nar* —4C **42**
Wakeling Clo. *Whet* —6H **43**
Wakerley Ct. *Leic* —1F **29**
Wakerley Rd. *Leic* —4H **29**
Wakes Clo. *Dun B* —5F **61**
Wakes Rd. *Wig* —6F **37**
Walcote Rd. *Leic* —3G **21**
Walcot Rd. *Mkt H* —3D **64**
Waldale Dri. *Leic* —5E **29**
Waldron Dri. *Oad* —4C **38**
Wale Rd. *Whet* —4H **43**
Wales Orchard. *Leir* —6A **60**
Walker Clo. *B Ast* —3C **60**
Walker Mnr. Ct. *Lutt* —4H **63**
Walker Rd. *Bir* —5F **13**
Walker Rd. *Thurm* —5D **14**
Walkers Way. *Sys* —5F **7**
Wallace Ct. *Leic* —6F **29**
Wallace Dri. *Grob* —6G **9**
Wallingford Rd. *Leic* —3B **20**
Wallis Clo. *Thurc* —1B **12**
Walnut Av. *Bir* —4F **13**
Walnut Clo. *B Ast* —1B **60**
Walnut Clo. *Mark* —3B **8**
Walnut Clo. *Oad* —4A **38**
Walnut Gro. *Glen P* —5F **35**
Walnut Leys. *Cosb* —3F **53**
Walnut St. *Leic* —4A **28** (8A **5**)
Walnut Way. *Blab* —5B **44**
Walnut Way. *Count* —1E **55**
Walpole Ct. *Leic* —2D **26**
Walsgrave Av. *Leic* —3D **30**
Walshe Rd. *Leic* —1B **30**
Walsingham Cres. *Leic F* —4H **25**
Waltham Av. *Leic* —5E **27**
Walton Clo. *Kir M* —3F **25**
Walton St. *Leic* —4G **27**
Wand St. *Leic* —4C **20**
Wanlip Av. *Bir* —4G **13**
Wanlip La. *Bir* —4H **13**
Wanlip Rd. *Sys* —6B **6**
Wanlip St. *Leic* —6C **20**
Wansbeck Gdns. *Leic* —5C **22**
Wanstead Rd. *Leic* —2G **25**
Wanstead Rd. Ind. Pk. *Leic F* —2G **25**
Ward Clo. *Leic* —2G **35**
Wardens Wlk. *Leic F* —4H **25**
Wards Closes. *Wig* —3C **46**
Wareham Rd. *Blab* —5B **44**
Waring Clo. *Glen* —4C **18**
War Memorial App. *Leic* —4C **28** (8F **5**)
Warmsley Av. *Wig* —5E **37**
Warner Bros, Multiplex Cinemas. —6C 26
Warner Clo. *Whet* —6A **44**
Warren Av. *Leic* —6E **15**
Warren Clo. *Leic* —5A **22**
Warren Clo. *Mark* —3C **8**
Warren Ct. *Leic F* —5F **25**
Warren Dri. *Leic* —6E **15**
Warren La. *Leic F* —6E **25**
Warren Pk. Way. *End* —5G **33**
Warren Rd. *Nar* —2F **43**
Warren St. *Leic* —1H **27**
Warren, The. *E Gos* —2H **7**
Warren Vw. *Leic* —6E **15**
Warrington Dri. *Grob* —3E **17**
Warrington St. *Leic* —1A **28** (2A **4**)
Wartnaby St. *Mkt H* —3B **64**
Warwick Clo. *Mkt H* —1E **65**
Warwick Rd. *B Ast* —5H **51**
Warwick Rd. *Kib* —5F **59**
Warwick Rd. *L'thrpe & Whet* —5E **43**
Warwick Rd. *Wig* —6D **36**
Warwick St. *Leic* —1H **27**
Washbrook La. *Gt G* —2F **49**
Wash Brook Nature Pk. —2C 36
Watchcrete Av. *Quen* —4H **7**
Waterfield Clo. *Leic* —2B **30**
Waterfield Pl. *Mkt H* —1D **64**
Waterfield Rd. *Crop* —1H **11**
Waterfront, The. *Leic* —2A **28** (4A **4**)
Watergate La. *Leic* —2B **34**
Waterloo Cres. *Count* —2D **54**
Waterloo Cres. *Wig* —6G **37**
Waterloo Way. *Leic* —4B **28** (8D **5**)
Watermead Country Pk. —3A 6
Watermead Way. *Leic* —1C **20**
Waterside Cen. —4B 20
Waterside Rd. *Ham* —2A **22**
Water Sports Area. —2G 7
Water Sports Cen. —6B 6
Waterville Clo. *Leic* —1A **26**
Watery Ga. La. *Thurl* —3D **40**
(in two parts)
Watling St. *Leic* —6B **20** (1C **4**)
Watson Av. *Mkt H* —6B **64**
Watson Rd. *Leic* —3E **21**
Watts Clo. *Leic* —2E **19**
Waudby Clo. *L'thrpe* —5E **43**
Waveney Ri. *Oad* —3D **38**
Waverley Rd. *Blab* —5C **44**
Waverley Rd. *Wig* —1F **45**
Wavertree. *Leic* —1E **37**
Wavertree Clo. *Cosb* —1F **53**
Wavertree Dri. *Leic* —2D **20**
Wayfarer Dri. *E Gos* —1H **7**
Wayne Way, The. *Bir* —4G **13**
Wayne Way, The. *Leic* —1H **29**
(in three parts)
Wayside Dri. *Oad* —3C **38**
Wayside Dri. *Thurm* —5B **14**
Weaver Rd. *Leic* —6D **22**
Weavers Ct. *Nar* —4D **42**
Weaver's Wynd. *E Gos* —2H **7**
Webb Clo. *Leic F* —5H **25**
Webbs Way. *S Stan* —3B **50**
Webster Rd. *Leic* —3C **26**
Weighbridge Ho. *Wig* —4B **46**
Weir Rd. *Kib* —5A **62**
Welbeck Av. *Leic* —3A **20**
Welbeck Clo. *Blab* —5C **44**
Welcombe Av. *Leic* —6D **26**
Welcome Stranger Cvn. Pk. *Sys* —5F **7**
Weldon Rd. *Wig* —6F **37**
Welford Ct. *Leic* —2D **36**
Welford Pl. *Leic* —2B **28** (5C **5**)
Welford Rd. *Blab* —3B **44**
Welford Rd. *Leic* —2B **28** (5C **5**)
Welford Rd. *Wig & Fos* —1B **46**
Welham Wlk. *Leic* —1H **21**
Welland Ct. *Mkt H* —4E **65**
Welland Park Rd. *Mkt H* —4C **64**
Welland St. *Leic* —3D **28**
Welland Va. Rd. *Leic* —3C **30**
Wellesbourne Dri. *Glen* —4B **18**
Welles St. *Leic* —1A **28** (4A **4**)
Wellgate Av. *Bir* —3F **13**
Wellhouse Clo. *Wig* —3A **46**
Wellinger Way. *Leic* —3C **26**
Wellington St. *Leic* —2B **28** (5D **5**)
Wellington St. *Sys* —6E **7**
Wells Av. *Kilb* —2D **56**
Well Spring Hill. *Wig* —3C **46**
Wembley Rd. *Leic* —2H **25**
Wembury Gdns. *Leic* —1A **20**
Wendy's Clo. *Leic* —6D **22**
Wenlock Way. *Leic* —2A **22**
Wensleydale Rd. *Wig* —2D **46**
Wensley Ri. *Leic* —1C **44**
Wentbridge Rd. *Leic* —2F **21**
Went Rd. *Bir* —5G **13**
Wentworth Clo. *Kib* —6B **62**
Wentworth Grn. *Kir M* —3D **24**

Wentworth Rd.—Woodbank

Wentworth Rd. *Flec* —6C **58**
Wentworth Rd. *Leic* —1G **27**
Wesley Clo. *Rat* —5C **16**
Wesley Clo. *Sap* —6C **50**
Wesley St. *Leic* —2B **20**
Wesley Way. *Mark* —3C **8**
Wessex Dri. *Leic* —2C **26**
West Av. *Leic* —5D **28**
West Av. *Wig* —5D **36**
Westbourne St. *Leic* —5C **20**
Westbridge. *Leic* —2A **28** (4A **4**)
Westbridge Clo. *Leic* —2A **28** (4A **4**)
Westbridge Pl. *Leic* —2A **28** (5A **5**)
Westbury Rd. *Leic* —6C **28**
Westcotes Dri. *Leic* —3G **27**
West Ct. *Leic* —3C **28** (7F **5**)
Westdale Av. *Glen P* —1A **44**
Westdown Dri. *Thurm* —6C **14**
West Dri. *Leic* —5A **22**
West End. *Bitt* —2F **63**
Westerby Clo. *Wig* —5F **37**
Westerby Ct. *Lutt* —5F **63**
Westerdale Rd. *Wig* —1D **46**
Western Av. *Flec* —6B **58**
Western Av. *Mkt H* —5C **64**
Western Boulevd. *Leic* —2A **28** (5A **5**)
Western Dri. *Blab* —4B **44**
Westernhay Rd. *Leic* —6E **29**
Western Pk. —1D **26**
Western Pk. Golf Course. —1H **25**
Western Pk. Rd. *Leic* —2E **27**
Western Rd. *Leic* —4H **27**
Westfield Av. *Count* —1D **54**
Westfield Av. *Wig* —5D **36**
Westfield Clo. *Mkt H* —3B **64**
Westfield Rd. *Leic* —2E **27**
Westgate Av. *Bir* —3E **13**
Westgate Rd. *Leic* —3D **36**
Westhill Rd. *Leic* —1E **27**
W. Holme St. *Leic* —2H **27**
W. Langton Rd. *Kib* —6C **62**
Westleigh Av. *Leic* —4G **27**
Westleigh Bus. Pk. *Blab* —2B **44**
Westleigh Rd. *Glen P* —2E **45**
Westleigh Rd. *Leic* —4G **27**
Westmeath Av. *Leic* —1B **30**
Westminster Dri. *Glen P* —2D **44**
Westminster Rd. *Leic* —6G **29**
Westmorland Av. *Leic* —3E **21**
Westmorland Av. *Wig* —1F **45**
Weston Clo. *Oad* —5E **39**
Westover Rd. *Leic* —5B **26**
(in two parts)
West St. *Blab* —3A **44**
West St. *Glen* —4A **18**
West St. *Leic* —3B **28** (7D **5**)
West St. *Nar* —1D **42**
West St. *Sys* —5E **7**
West St. Open. *Leic* —3H **27**
Westview Av. *Glen P* —6F **35**
West Wlk. *Leic* —3C **28** (7F **5**)
(in two parts)
Wetherby Clo. *Quen* —3H **7**
Wetherby Rd. *Leic* —1F **21**
Wexford Clo. *Oad* —5D **38**
Weymouth Clo. *Wig* —3B **46**
Weymouth St. *Leic* —5D **20**
Wharf St. *Thurm* —3B **14**
Wharf St. N. *Leic* —6C **20** (1E **4**)
Wharf St. S. *Leic* —1C **28** (1E **4**)
Wharf Way. *Glen P* —1B **44**
Wheatfield Clo. *Glen* —6A **18**
Wheatland Clo. *Oad* —4D **38**
Wheatland Rd. *Leic* —6D **12**
Wheatlands Dri. *Count* —1D **54**
Wheatley Rd. *Leic* —1H **19**
Wheatleys Rd. *Thurm* —4B **14**
Wheat St. *Leic* —1C **28** (2E **4**)
Wheeldale. *Wig* —1D **46**
Wheeldale Clo. *Leic* —2H **19**
Wheeler Clo. *Lutt* —5G **63**

Whetstone Golf Course. —6F **43**
Whetstone Gorse La. *Whet* —3A **54**
Whetstone Way. *Whet* —4G **43**
Whiles La. *Bir* —4H **13**
Whinchat Rd. *Leic* —1E **29**
(in two parts)
Whinham Av. *B Ast* —6H **51**
Whistle Way. *Nar* —3B **42**
Whiston Clo. *Leic* —6D **22**
Whitby Clo. *B Ast* —5A **52**
Whiteacres. *Whet* —6G **43**
White Barn Dri. *Cosb* —2F **53**
Whitebeam Clo. *Nar* —3C **42**
Whitebeam Rd. *Oad* —2A **38**
White Clo. *B Ast* —1C **60**
Whitefield Rd. *Leic* —2B **20**
Whitegates Fld. *Wig* —2C **46**
Whitehall Rd. *Leic* —3B **30**
Whitehead Cres. *Wig* —6D **36**
White Horse La. *Bir* —5H **13**
White Ho. Clo. *Grob* —2E **17**
White Ho. Clo. *Leir* —6A **60**
Whiteoaks Rd. *Oad* —6C **38**
Whitesands Clo. *Glen* —4B **18**
White St. *Kib* —5H **59**
Whitley Clo. *Leic* —5F **19**
Whitman Clo. *Leic* —1B **26**
Whitteney Dri. N. *Leic* —5G **35**
Whitteney Dri. S. *Leic* —5H **35**
Whittier Rd. *Leic* —2B **36**
Whittington Dri. *Rat* —4C **16**
Whittle Clo. *Whet* —5H **43**
Whittle Rd. *Lutt* —5F **63**
Whitwell Row. *Leic* —4A **36**
Whitwick Rd. *C Oak* —1B **8**
Whitwick Way. *Leic* —5G **19**
Wicken Ri. *Wig* —5G **37**
Wickham Rd. *Oad* —5B **38**
Wicklow Dri. *Leic* —1A **30**
Wiclif Way. *Lutt* —3G **63**
Widford Clo. *Leic* —5A **22**
Wightman Clo. *S Stan* —2B **50**
Wigley Rd. *Leic* —5C **22**
Wigston Framework Knitters Mus. —1A **46**
Wigston La. *Leic* —3G **35**
Wigston Magna Folk Mus. —2C **46**
Wigston Rd. *Blab* —3B **44**
Wigston Rd. *Oad* —5H **37**
Wigston St. *Count* —1F **55**
Wigston St. *Leic* —2C **28** (4E **4**)
Wigston Swimming Pool. —1H **45**
Wilberforce Rd. *Leic* —4H **27**
William Peardon Ct. *Wig* —6E **37**
William Rowlett Hall. *Leic* —3A **28** (6A **5**)
Williams Clo. *L'thrpe* —5E **43**
William St. *Leic* —1D **28** (3F **4**)
William St. *Nar* —4D **42**
Willoughby Gdns. *Leic F* —4G **25**
Willoughby Rd. *Ash M* —5G **61**
Willoughby Rd. *Count* —2C **54**
Willowbrook Clo. *B Ast* —6B **52**
Willow Brook Clo. *Glen* —3A **18**
Willowbrook Clo. *Quen* —3H **7**
Willow Brook Rd. *Leic* —6E **21**
Willowbrook Vw. *Leic* —1E **31**
Willow Clo. *L'thrpe* —5E **43**
Willow Ct. *Leic* —2D **34**
(Osiers, The)
Willow Ct. *Leic* —2D **28**
(Sparkenhoe St.)
Willow Cres. *Mkt H* —4B **64**
Willow Dri. *Count* —1E **55**
Willow Dri. *Grob* —3E **17**
Willow Pk. Dri. *Wig* —6E **37**
Willow Pl. *Wig* —1B **46**
Willow Rd. *Blab* —4B **44**
Willow St. *Leic* —6C **20**
Willow Tree Clo. *Ham* —3C **22**
Willowtree Cres. *Lutt* —4E **63**
Willow Wlk. *Sys* —6D **6**
Willsmer Clo. *B Ast* —2C **60**

Wilmington Ct. *Oad* —1H **37**
Wilmington Rd. *Leic* —4G **27**
Wilmore Cres. *Leic* —4B **26**
Wilne St. *Leic* —3E **29**
Wilnicott Rd. *Leic* —6D **26**
Wilsford Clo. *Wig* —3A **46**
Wilshere Clo. *Kir M* —2D **24**
Wilson Clo. *Braun* —5B **26**
Wilson Clo. *Mkt H* —3F **65**
Wilson Rd. *Wig* —2E **45**
Wilson St. *Leic* —1E **29**
Wilton Clo. *Oad* —4C **38**
Wilton St. *Leic* —6B **20** (1D **4**)
Wiltshire Ho. *Leic* —3H **19**
Wiltshire Rd. *Leic* —3H **19**
Wiltshire Rd. *Wig* —6D **36**
Wimbledon St. *Leic* —1C **28** (3E **4**)
Wimborne Clo. *Wig* —2A **46**
Wimborne Rd. *Leic* —3F **37**
Winchendon Clo. *Leic* —6G **21**
Winchester Av. *Blab* —3A **44**
Winchester Av. *Leic* —4F **27**
Winchester Rd. *Blab* —4C **44**
Windermere Dri. *Croft* —1H **51**
Windermere Rd. *Wig* —6H **37**
Windermere St. *Leic* —4A **28** (8A **5**)
Winders Way. *Leic* —4H **35**
Windley Rd. *Leic* —3B **36**
Windmill Av. *Bir* —3H **13**
Windmill Bank. *Wig* —2C **46**
Windmill Clo. *Rat* —6D **16**
Windmill Clo. *Thurm* —3D **14**
Windmill Gdns. *Kib* —3A **62**
Windmill Ri. *Grob* —2E **17**
Windrush Dri. *Oad* —3D **38**
Windsor Av. *Glen P* —2E **45**
Windsor Av. *Grob* —3E **17**
Windsor Av. *Leic* —3D **20**
Windsor Clo. *Oad* —6C **38**
Windsor Ct. *Mkt H* —2C **64**
Winforde Cres. *Leic* —3B **26**
Wingfield St. *Leic* —3D **20**
Winifred St. *Leic* —3A **28** (7B **5**)
Winslow Dri. *Wig* —5G **37**
Winslow Grn. *Leic* —5C **22**
Winstanley Dri. *Leic* —3D **26**
Winster Dri. *Thurm* —3C **14**
Winston Av. *Croft* —1H **51**
Winterburn Gdns. *Whet* —4H **43**
Winterfield Clo. *Glen* —6H **17**
Wintergreen Clo. *Ham* —2C **22**
Wintersdale Rd. *Leic* —1C **30**
Winterton Clo. *Thurm* —3D **14**
Winton Av. *Leic* —5G **27**
Winton Wlk. *Leic* —5G **27**
Wiston Country Pk. —1A **58**
Wistow Clo. *Kilb* —2E **57**
Wistow La. *Kib* —3E **59**
Wistow Rd. *Kilb* —2E **57**
Wistow Rd. *New H & New H* —4H **47**
Wistow Rd. *Wig* —2B **46**
Withcote Av. *Leic* —1B **30**
Withens Clo. *Leic* —6E **19**
Witherdell. *Leic* —2E **19**
Withers Way. *Leic* —5B **26**
Withington Clo. *Braun* —5B **26**
Woburn Clo. *Leic* —5G **35**
Woburn Clo. *Mkt H* —3F **65**
Woburn Clo. *Wig* —1C **46**
Wokingham Av. *Leic* —1D **44**
Wolds, The. *E Gos* —1H **7**
Wollaton Clo. *Glen* —5H **17**
Wolsey Clo. *Flec* —5B **58**
Wolsey Clo. *Grob* —3E **17**
Wolsey Clo. *Leic F* —5F **25**
Wolsey Dri. *Rat* —4B **16**
Wolsey La. *Flec* —5B **58**
Wolsey St. *Leic* —5A **20**
Wolsey Way. *Sys* —6D **6**
Wolverton Rd. *Leic* —5G **27**
Woodbank. *Glen P* —1B **44**

Woodbank Rd. *Grob* —2D **16**
Woodbank Rd. *Leic* —3E **37**
Woodbine Av. *Leic* —3D **28**
Woodbine Cres. *Lutt* —5G **63**
Woodborough Rd. *Leic* —3A **30**
Woodboy St. *Leic* —6C **20** (1E **4**)
Woodbreach Dri. *Mkt H* —3G **65**
Woodbridge Rd. *Leic* —2D **20**
Woodbury Ri. *Gt G* —2E **49**
Woodby La. *Bitt* —2E **63**
Woodcote Rd. *Leic* —2C **34**
Woodcroft Av. *Leic* —3C **36**
Wood End. *Leic* —6E **19**
Woodfield Clo. *Nar* —3D **42**
Woodfield Rd. *Oad* —2B **38**
Woodford Clo. *Wig* —3A **46**
Woodgate. *Leic* —6H **19**
Woodgate Clo. *Mkt H* —4G **65**
Woodgate Dri. *Bir* —3F **13**
Woodgon Rd. *Anst* —5F **11**
Woodgreen Rd. *Leic* —4F **21**
Woodgreen Wlk. *Leic* —4F **21**
Woodhall Clo. *Leic* —2B **26**
Wood Hill. *Leic* —1E **29**
Woodhouse Clo. *Mark* —3C **8**
Woodhouse Rd. *Nar* —3C **42**
Woodland Av. *Leic* —6E **29**
Woodland Av. *Nar* —2D **42**
Woodland Clo. *Mark* —3C **8**
Woodland Dri. *Leic* —5B **26**
Woodland Rd. *Leic* —6F **21**
Woodlands Dri. *Grob* —1D **16**
Woodlands La. *Kir M* —1E **25**
Woodlands, The. *Count* —1D **54**
Woodlands, The. *Mkt H* —2B **64**
Woodlands, The. *Wig* —5H **37**
Woodlea Av. *Lutt* —3E **63**
Woodley Rd. *Rat* —5C **16**
Woodman's Chase. *E Gos* —2H **7**
Woodmarket. *Lutt* —5F **63**
Woodnewton Dri. *Leic* —3D **30**
Woodpecker Dri. *Leic F* —5E **25**
Woods Clo. *Oad* —3C **38**
Woodshawe Ri. *Leic* —4C **26**
Woodside Clo. *Leic* —4F **21**
Woodside Clo. *Nar* —3B **42**
Woodside Rd. *Oad* —6D **38**
Woodstock Clo. *Leic* —1A **20**
Woodstock Rd. *Leic* —1A **20**
Wood St. *Leic* —6B **20** (1D **4**)
Woodville Gdns. *Wig* —4E **37**
Woodville Rd. *Leic* —2F **27**
Woodway. *Whet* —3H **43**
Woodway Rd. *Lutt* —5E **63**
Woodyard La. *Whet* —3H **43**
Wooldale Clo. *Anst* —4G **11**
Woolsthorpe Wlk. *Leic* —5G **21**
Wootton Clo. *Whet* —5H **43**
Wootton Ri. *Leic* —4H **35**
Worcester Av. *Bir* —2H **13**
Worcester Dri. *Mkt H* —1D **64**
Worcester Dri. *Wig* —1F **45**
Worcester Rd. *Leic* —2H **35**
Worchester Clo. *Sys* —6F **7**
Wordsworth Cres. *Nar* —2C **42**
Wordsworth Rd. *Leic* —1C **36**
Worrall Clo. *Leic* —3B **26**
Worrall Rd. *Leic* —3B **26**
Worsh Clo. *Whet* —6H **43**
Worsley Way. *Whet* —5A **44**
Worthington St. *Leic* —2E **29**
Wranglands, The. *Flec* —6C **58**
Wreake Rd. *Thurm* —2C **14**
Wreford Cres. *Leic* —6E **23**
Wren Clo. *Leic* —2A **36**
Wren Clo. *Sys* —5C **6**
Wright Clo. *Whet* —1H **53**
Wright La. *Oad* —5D **38**
Wroxall Way. *Leic* —5G **19**
Wyatt Clo. *Leic* —3A **26**
Wych Elm Clo. *Gt G* —2D **48**
Wych Elm Rd. *Oad* —2A **38**
Wychwood Rd. *Whet* —6A **44**
Wycliffe Ind. Est. *Lutt* —3H **63**
Wycliffe St. *Leic* —2B **28** (4C **4**)
Wycliffe Ter. *Lutt* —4H **63**
Wycombe Rd. *Leic* —5H **21**
Wyedean Dri. *Wig* —1C **46**
Wykeham Clo. *Blab* —5B **44**
Wylam Clo. *Leic* —5E **19**
Wymar Clo. *Leic* —2G **19**
Wyndale Dri. *Sys* —4F **7**
Wyndale Rd. *Leic* —2D **36**
Wyndham Clo. *Oad* —2C **38**
Wynfield Rd. *Leic* —2F **27**
Wyngate Dri. *Leic* —3F **27**
Wynthorpe Ri. *Leic* —3E **27**
Wynton Clo. *Blab* —5C **44**
Wyvern Av. *Leic* —3F **21**
Wyvern Clo. *B Ast* —2C **60**
Wyville Row. *Leic* —6E **27**

Yardley Dri. *Leic* —4D **36**
Yarmouth St. *Leic* —6B **20** (1D **4**)
Yarrow Clo. *Ham* —4C **22**
Yarwell Dri. *Wig* —1C **46**
Yaxley Clo. *Thurn* —1F **31**
Yeats Clo. *Braun* —5B **26**
Yelverton Av. *Leic* —4C **30**
Yeoman La. *Leic* —1C **28** (3E **4**)
Yeomanry Ct. *Mkt H* —3D **64**
Yeoman's Dale. *E Gos* —1H **7**
Yeoman St. *Leic* —1C **28** (3E **4**)
Yew Clo. *Leic F* —6E **25**
Yews Rd., The. *Oad* —3B **38**
Yews, The. *Oad* —3B **38**
Yew Tree Clo. *Lutt* —4E **63**
Yew Tree Dri. *Leic* —1A **26**
York Clo. *Glen P* —2E **45**
York Rd. *Leic* —2B **28** (5C **5**)
Yorkshire Rd. *Leic* —4E **21**
York St. *Leic* —2B **28** (5D **5**)
York St. *Mkt H* —3E **65**
Yukon Way. *Leic* —6C **20** (1F **4**)

Zetland Wlk. *Leic* —6D **12**